過去問題集＆テキスト

1級

建設業経理士 財務分析

出題パターンと解き方

ネットスクール
桑原知之 編・著

第19版（2025年3月、2025年9月試験用）への改訂にあたり

第18版（旧版）から第19版へ改訂するにあたり、主に以下の点を加筆・修正しました。

第３部　最新問題編

（1）第30回、第31回の問題を削除し、第34回、第35回の問題を追加。

ネットスクール出版

はじめに
～みんなが幸せになる資格～

日本は『世界でも有数の土木・建築の技術を持つ国』ではありますが、そんな素晴らしい技術を持つ会社があっけなく倒産してしまう国でもあります。
会社というのは、どんなにすごい技術を持っていても、資金調達などバックヤードの支えが弱いと、ちょっとしたトラブルやアクシデントで取り返しのつかないことになってしまうものです。
そこに、建設業経理士の存在意義があります。

また、建設業経理士は、とても珍しい資格です。
この試験に合格すると、建設業に必要な計数感覚が身に付くばかりか経営事項審査で加点されるので会社も喜べる、つまり「本人も会社も幸せになれる」という事務系の資格ではとても珍しい資格です。

しかもこの試験は、科目の建て付けがいい。
２級までで建設業経理の基礎をしっかりと学び、１級になると入札などの際にとても重要な積算の基礎となる『原価計算』を学び、財務諸表ができるまでのプロセスや考え方を『財務諸表』で学び、さらに出来上がった財務諸表の読み方を『財務分析』で学びます。
これで、積算でミスして損失を被ることもなく（原価計算）、きっちりとした決算書が作成でき（財務諸表）、さらに自社や取引先の経済状況も把握できる（財務分析）という、建設業における理想的な経理士の誕生です。

さあ、みなさん。この建設業経理士を目指しましょう！
この資格を取って、みなさん自身も、みなさんの会社も、そして……。
そして、みなさんの周りにいる大切な人たちも幸せにしていきましょう！
ネットスクールは、周りの人たちの幸せのために自分が努力する、そんなみなさんを応援しています。

合格への道案内は、我々にお任せください。

ネットスクールを代表して

桑原　知之

本書の 2 大特長

1 テキストと過去問題集を一冊に集約! 一体型の効率学習 を実現

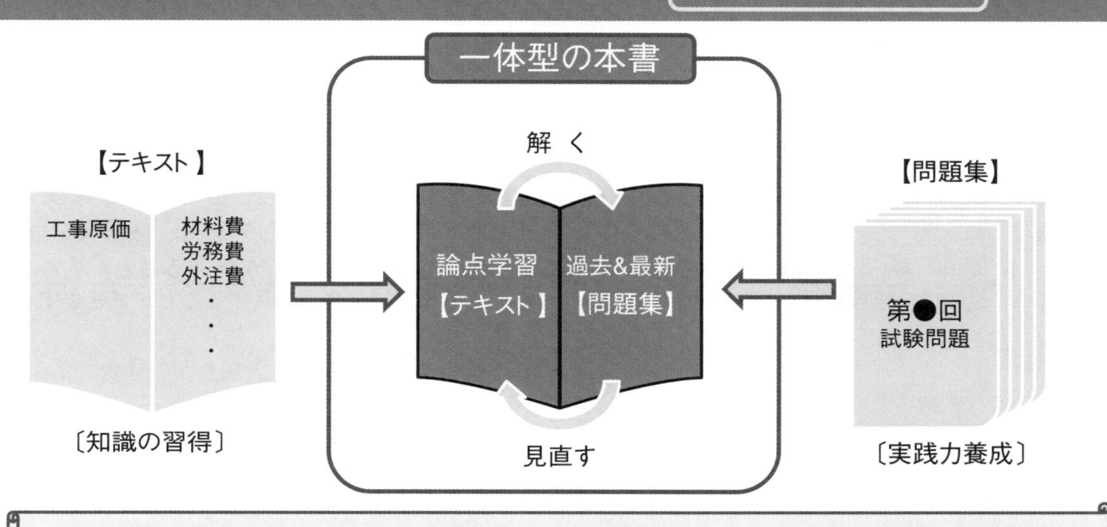

テキストと問題集の回転学習で効率よく実力アップを図ることができるよう工夫されています!

2 過去問題の出題パターンを効率よくマスター! ヨコ解き学習 を実践

ネットスクールでは、設問ごとに過去問題を解いていくことを「ヨコ解き」と呼んでいます。
第２部に掲載の過去問題はこの「ヨコ解き」がしやすいように掲載するとともに、少ない演習量でも過去の出題パターンをなるべく網羅できるように掲載する過去問題を厳選しています。

	第〇〇回	第〇〇回	第〇〇回	第〇〇回	
ヨコ解き	第１問	第１問	第１問	第１問	
ヨコ解き	第２問	第２問	第２問	第２問	
ヨコ解き	第３問	第３問	第３問	第３問	…
ヨコ解き	第４問	第４問	第４問	第４問	
ヨコ解き	第５問	第５問	第５問	第５問	

※ 第２部の掲載問題数は設問ごとの出題パターンに応じて調整しています。
出題パターンが少ない設問については、少ない問題数でも高い網羅性を実現できるため、少ない学習時間で効率よく学習できるよう、掲載問題数も少なくしています。

設問ごとに出題パターンと解き方をマスターできるように工夫されています!

本試験のプロフィール・ネットスクールの合格率

建設業経理士とは

建設業経理士とは、建設業経理に関する知識と処理能力の向上を図ることを目的として、建設業経理士検定試験に合格した方に与えられる資格です。

1級の試験内容

級別	科　目	試験時間	程　　度
1 級	財務諸表	1時間30分	上級の建設業簿記、建設業原価計算及び会計学を修得し、会社法その他会計に関する法規を理解しており、建設業の財務諸表の作成及びそれに基づく経営分析が行えること。
	財務分析	1時間30分	
	原価計算	1時間30分	

合格基準：試験の合格判定は、正答率70%を標準とする。1級は1科目ずつ受験することができます。

試験日

	第 36 回
試 験 日	令和7年3月9日（日）
申込期間	—
合格発表	—

日程、試験地、申込方法などの詳細につきましては下記にお問い合わせ下さい。
また、第37回試験（令和7年9月実施）の日程は、第36回試験実施後に公表されます。こちらにつきましても下記よりご確認ください（試験申込期間は試験実施日よりもかなり前に設定されますのでご注意ください）。

問い合わせ　一般財団法人 建設業振興基金　経理試験課
https://www.keiri-kentei.jp
〒105－0001　東京都港区虎ノ門4－2－12　虎ノ門4丁目MTビル2号館
TEL　03－5473－4581

1級　財務分析　試験データ

年　　度	令和2年度上期	令和2年度下期	令和3年度上期	令和3年度下期	令和4年度上期	令和4年度下期	令和5年度上期	令和5年度下期	令和6年度上期
回　　数	27	28	29	30	31	32	33	34	35
受験者数	1,422人	1,523人	1,459人	1,424人	1,359人	1,125人	1,224人	1,179人	—
合格者数	464人	317人	542人	334人	605人	249人	489人	540人	—
合 格 率	32.6%	20.8%	37.1%	23.5%	44.5%	22.1%	40.0%	45.8%	—

ネットスクールWEB講座（建設業経理検定）合格率

	2級		1級　財務諸表		1級　財務分析		1級　原価計算	
	WEB講座	全国平均	WEB講座	全国平均	WEB講座	全国平均	WEB講座	全国平均
30～34回試験合格率	75.45%	**40.75%**	47.83%	**27.11%**	66.32%	**38.00%**	42.11%	**17.58%**

・本ページで公開している合格率は、WEB講座を受講された方への事後アンケートを元に、下記の算式で算定しています。
　「合格率 ＝ アンケート回答者のうち合格者数÷アンケート回答者のうち実際に受験された受講生数」
・公開している情報は、これまでの実績となります。上記合格率を保証するものではありません。
・本データは2024年6月現在の情報を元に作成しています。

日商簿記から建設業経理士の攻略法

【日商簿記２級から建設業経理士２級に挑戦する方へのポイント】

▼ 建設業はオーダーメイド。総合原価計算、標準原価計算、直接原価計算、ＣＶＰ分析に関する計算は建設業経理士２級では出題されません。
▼ 外注費を経費から独立させて、原価を材料費・労務費・外注費・経費の４つに分類します。
▼ 特殊商品売買が出題されないのはもちろん、伝票や帳簿に関する問題もほとんど出題されません。
▼ 決算の問題（第５問）は、これまで必ず『精算表』の形式で出題されています。
▼ 原価計算の分野は個別原価計算・部門別原価計算の知識が中心となります。
▼ 建設業特有の勘定科目が多数登場するので、しっかりと覚えましょう。
▼ 月次決算を前提とした決算整理仕訳をマスターする必要があります。

【日商簿記１級から建設業経理士１級（原価計算）に挑戦する方へのポイント】

▼ 建設業経理士では１級でも総合原価計算、標準原価計算の計算問題は、基礎的な内容がほとんどです。
▼ 意思決定会計に関しても、日商簿記検定より素直に理解力が問われる内容の出題となります。
▼ 第５問の総合問題は、個別原価計算の知識があれば、後は基礎と『解き方』をマスターするようにしましょう。
▼ 論述問題は、白紙にしないことが重要です。計算問題を解く際にも、「なぜそのような計算をするのか」といった理由を考えるようにしましょう。

【日商簿記１級から建設業経理士１級（財務諸表）に挑戦する方へのポイント】

▼ 準拠する会計基準・法令のほとんどは、建設業であっても同じなので、日商簿記１級（商業簿記・会計学）で学んだことの大半は共通しています。
▼ ただし、建設業の財務諸表は“建設業法”に規定された表示方法・処理に準ずるため、若干異なる部分があります。その点は注意しましょう。
▼ 計算問題のほとんどはテキストの計算例を理解していれば解けるレベルです。基礎をしっかりと学習しましょう。
▼ 配点の半分は理論（論述・記号選択・正誤）問題です。特に論述問題は、正しい用語とともに、会計処理の理由や背景を理解しておく必要があります。日商簿記の学習のとき以上に、会計処理の理由や背景を意識して学びましょう。

★「財務分析」は日商簿記では学習しなかった内容なので、基礎からしっかり学習しましょう。
※ 損益分岐点分析も、日商簿記で学んだ内容とは考え方が異なるので注意が必要です。

出題パターンを知れば合格は早い！

本試験の出題をパターンごとに分析し、以下にその対策をまとめました。第２部、第３部を学習するさいの参考にしてください。
また、出題を論点ごとに分析したものが論点チェックリスト（本書（7））です。第１部テキスト編で論点ごとに理解したらチェックしてください。出題回数の多い論点に関しては、テキストをよく読んで把握してください。

出題パターンと対策

財務分析

	出題パターン	対策	配点	難易度
第１問	400字から500字程度の記述問題が出題されています。	出題頻度の高い分析手法の意義と長所および短所は説明できるようにしっかりと理解しておいてください。	20点	B
第２問	語群選択の穴埋め問題が出題されています。	用語群を種類別に分け、問題文を読み進めましょう。	15点	A
第３問	計算問題が出題されています。	比率のデータを用いて、貸借対照表、損益計算書の空欄金額を推定していくことが要求されるため、比率の公式をうまく使えるようにしましょう。	20点	B
第４問	損益分岐点分析、生産性分析が出題されています。	損益分岐点分析では、財務諸表上の費用を固定費と変動費に分解できるようにしておくこと、生産性分析は付加価値というものを理解することがポイントです。	15点	B
第５問	比率の計算問題、用語・数値、選択の穴埋め問題が出題されています。	一定のルールに従って、比率の公式を覚えましょう。計算ミスをしないように、確実に得点してください。	30点	C
総　評	第１問、第２問を理論問題として、第３問、第４問、第５問を計算問題として効率よく学習してください。第１問は、記述問題なので、ポイントを押さえて部分点を狙いましょう。第２問、第３問、第５問は、財務比率をマスターして、確実に得点できるようにしてください。このさい、四捨五入などに気をつけて、ミスをしないよう、注意してください。			

難易度：A＝比較的易しい　B＝ふつう　C＝比較的難しい

論点別重要度と出題頻度（チェックリスト）

論　点	テキストのページ	チェック	過去８回分の出題回数							
			1	2	3	4	5	6	7	8
Chapter 0　イントロダクション										
Section 1 イントロダクション	1−4									
Section 2 建設業の特徴と財務諸表	1−11									
Chapter 1　総　論										
Section 1 総　論	1−20									
Section 2 財務分析の手法	1−23									
Chapter 2　財務分析										
Section 1 目的別財務分析	1−30									
Section 2 収益性分析	1−32									
Section 3 安全性分析	1−45									
Section 4 活動性分析	1−57									
Section 5 生産性分析	1−64									
Section 6 成長性分析	1−69									
Chapter 3　資金変動性分析										
Section 1 資金変動性分析	1−74									
Section 2 資金運用表	1−77									
Section 3 資金繰表	1−86									
Section 4 キャッシュ・フロー計算書	1−87									

攻略マップ

●マスターした項目には、そのチェック・ボックス（□）にチェック・マーク（✓）を記入してください。
●絶対にマスターしておかなければならない基礎的論点および合格に必要な論点を重要度５（★★★★★）として５段階で示しました。学習にあたっての力配分の参考にしてください。

ROUND Ⅰ　論点学習

［Start　月　日目標
Finish　月　日目標］

各論点をマスターするための ROUND です。

学習期間　約１カ月

Chapter0　イントロダクション
重要度 ★★

1. イントロダクション　1－4□
2. 建設業の特徴と財務諸表　1－11□

Chapter1　総　論
重要度 ★★★★

1. 総　論　1－20□
2. 財務分析の手法　1－23□

Chapter2　財務分析
重要度 ★★★★★

1. 目的別財務分析　1－30□
2. 収益性分析　1－32□
3. 安全性分析　1－45□
4. 活動性分析　1－57□
5. 生産性分析　1－64□
6. 成長性分析　1－69□

Chapter3　資金変動性分析
重要度 ★★★

1. 資金変動性分析　1－74□
2. 資金運用表　1－77□
3. 資金繰表　1－86□
4. キャッシュ・フロー計算書　1－87□

GOAL!!
パターン学習へ

受験学習で大切なことは、合格までの学習の全体量と学習方法、そして自分の学習の進行状況を常に把握することです。この『攻略マップ』を活用して効率的に学習し、合格を実現させてください。

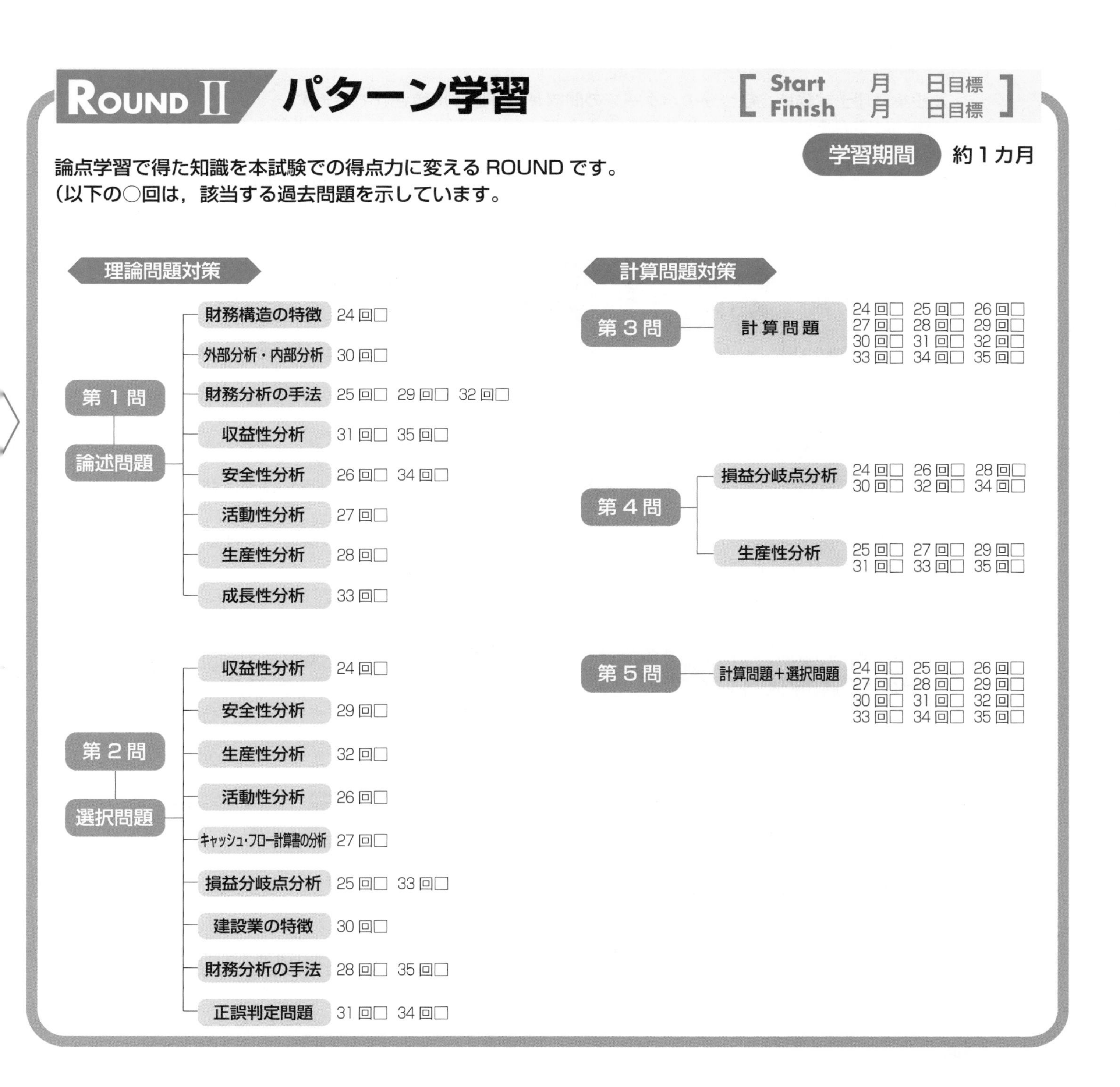

ROUND II パターン学習
Start 月 日目標
Finish 月 日目標
学習期間 約1カ月
論点学習で得た知識を本試験での得点力に変える ROUND です。
(以下の○回は，該当する過去問題を示しています。
理論問題対策
第1問
論述問題
財務構造の特徴 24回□
外部分析・内部分析 30回□
財務分析の手法 25回□ 29回□ 32回□
収益性分析 31回□ 35回□
安全性分析 26回□ 34回□
活動性分析 27回□
生産性分析 28回□
成長性分析 33回□
第2問
選択問題
収益性分析 24回□
安全性分析 29回□
生産性分析 32回□
活動性分析 26回□
キャッシュ・フロー計算書の分析 27回□
損益分岐点分析 25回□ 33回□
建設業の特徴 30回□
財務分析の手法 28回□ 35回□
正誤判定問題 31回□ 34回□
計算問題対策
第3問
計算問題 24回□ 25回□ 26回□ 27回□ 28回□ 29回□ 30回□ 31回□ 32回□ 33回□ 34回□ 35回□
第4問
損益分岐点分析 24回□ 26回□ 28回□ 30回□ 32回□ 34回□
生産性分析 25回□ 27回□ 29回□ 31回□ 33回□ 35回□
第5問
計算問題+選択問題 24回□ 25回□ 26回□ 27回□ 28回□ 29回□ 30回□ 31回□ 32回□ 33回□ 34回□ 35回□

ヨコ解きのススメ

ポイントはヨコ解き！

建設業経理士試験は、幾つかのパターンの問題が繰り返し出題されています。
効率的に実力をつけるためには、第１問なら第１問の問題だけを集中的に学習するヨコ解きがオススメです。
第２部「過去問題編」ではヨコ解きをスムーズにできるように、また、短い期間で網羅性を高められるように過去問題を厳選し、「問」別に掲載しています。出題頻度の高い内容は第２部でほぼ網羅できるよう工夫していますので、ぜひ挑戦して下さい。

※第２部の掲載問題数は設問ごとの出題パターンに応じて調整しています。出題パターンが少ない設問については、少ない問題数でも高い網羅性を実現できるため、少ない学習時間で効率よく学習できるよう、掲載問題数も少なくしています。

「解き方」を知る！

また、第２部「過去問題編」では、単に過去問題を「問」別に掲載しているだけではなく、「問題の解き方」も掲載しています。
問題の出題パターンに沿った効率的な解き方をおさえることで、効率的に実力をつけられます。
「解き方」をしっかりと頭に入れてから、問題を解いてください。

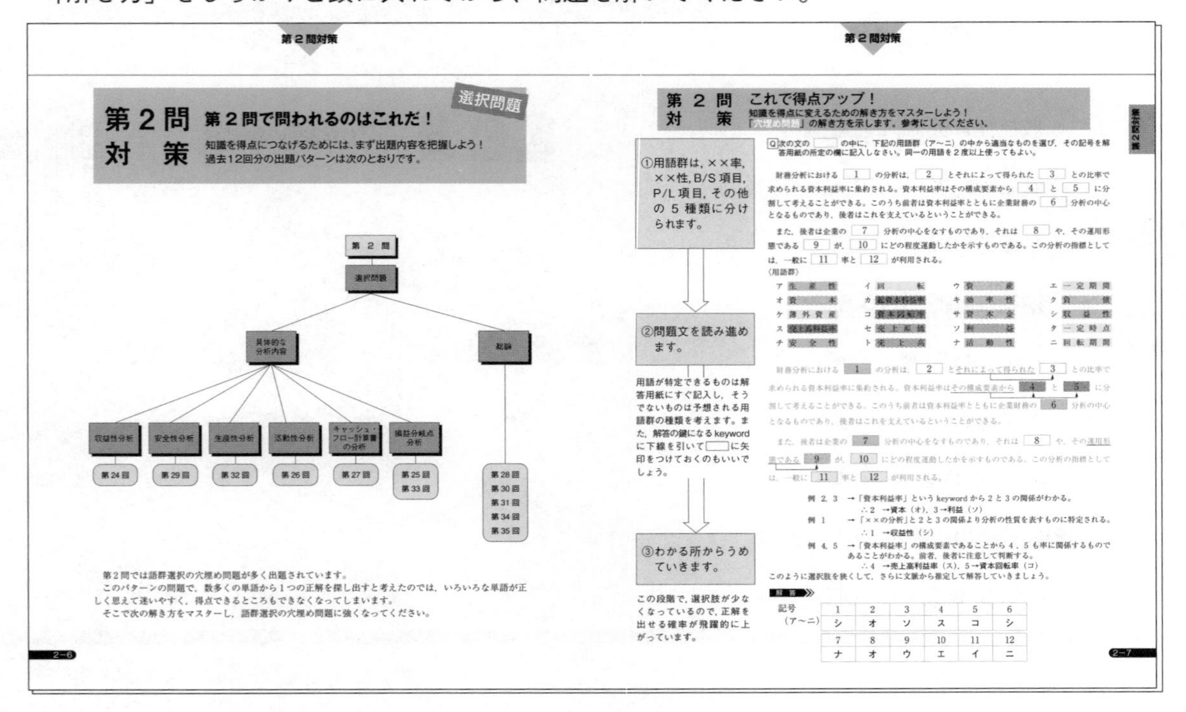

第２問対策

第２問 対策 第２問で問われるのはこれだ！ 選択問題
知識を得点につなげるためには、まず出題内容を把握しよう！
過去12回分の出題パターンは次のとおりです。

第２問では語群選択の穴埋め問題が多く出題されています。
このパターンの問題で、数多くの単語から１つの正解を探し出すと考えたのでは、いろいろな単語が正しく思えて迷いやすく、得点できるところもできなくなってしまいます。
そこで次の解き方をマスターし、語群選択の穴埋め問題に強くなってください。

2−6

第２問対策

第２問 対策 これで得点アップ！
知識を得点に変えるための解き方をマスターしよう！
「穴埋め問題」の解き方を示します。参考にしてください。

①用語群は，××率，××性，B/S項目，P/L項目，その他の５種類に分けられます。

②問題文を読み進めます。

用語が特定できるものは解答用紙にすぐ記入し，そうでないものは予想される用語群の種類を考えます。また，解答の鍵になるkeywordに下線を引いて□に矢印をつけておくのもいいでしょう。

③わかる所からうめていきます。

この段階で，選択肢が少なくなっているので，正解を出せる確率が飛躍的に上がっています。

Q 次の文の□の中に，下記の用語群（ア～ニ）の中から適当なものを選び，その記号を解答用紙の所定の欄に記入しなさい。同一の用語を２度以上使ってもよい。

財務分析における 1 の分析は， 2 とそれによって得られた 3 との比率で求められる資本利益率に集約される。資本利益率はその構成要素から 4 と 5 に分割して考えることができる。このうち前者は資本利益率とともに企業財務の 6 分析の中心となるものであり，後者はこれを支えているということができる。

また，後者は企業の 7 分析の中心をなすものであり，それは 8 や，その運用形態である 9 が， 10 にどの程度運動したかを示すものである。この分析の指標としては，一般に 11 率と 12 が利用される。

〈用語群〉

ア 生産性	イ 回転	ウ 資産	エ 一定期間
オ 資本	カ 総資本利益率	キ 効率性	ク 負債
ケ 簿外資産	コ 資本回転率	サ 資本金	シ 収益性
ス 売上高利益率	セ 売上原価	ソ 利益	タ 一定時点
チ 安全性	ト 売上高	ナ 活動性	ニ 回転期間

財務分析における 1 の分析は， 2 とそれによって得られた 3 との比率で求められる資本利益率に集約される。資本利益率はその構成要素から 4 と 5 に分割して考えることができる。このうち前者は資本利益率とともに企業財務の 6 分析の中心となるものであり，後者はこれを支えているということができる。

また，後者は企業の 7 分析の中心をなすものであり，それは 8 や，その運用形態である 9 が， 10 にどの程度運動したかを示すものである。この分析の指標としては，一般に 11 率と 12 が利用される。

例 2，3 →「資本利益率」というkeywordから２と３の関係がわかる。
∴２ →資本（オ），３→利益（ソ）
例 1 →「××の分析」と２と３の関係より分析の性質を表すものに特定される。
∴１ →収益性（シ）
例 4，5 →「資本利益率」の構成要素であることから４，５も率に関係するものであることがわかる。前者，後者に注意して判断する。
∴４ →売上高利益率（ス），５→資本回転率（コ）
このように選択肢を狭くして，さらに文脈から推定して解答していきましょう。

解答

記号	1	2	3	4	5	6
（ア～ニ）	シ	オ	ソ	ス	コ	シ
	7	8	9	10	11	12
	ナ	オ	ウ	エ	イ	ニ

2−7

目次
Contents

※第２部「過去問題編」の掲載問題及び問題数について
第２部「過去問題編」については、設問ごとの出題内容や出題パターン・出題傾向と、その対策に要する学習時間・学習負担や合否への影響を鑑みて、設問ごとに掲載問題及び掲載数を厳選・調整しています。そのため、掲載回数及び掲載問題数が設問によって異なります。あらかじめご理解ください。

第１部 テキスト編

第２部 過去問題編

第３部 最新問題編

第1部　テキスト編

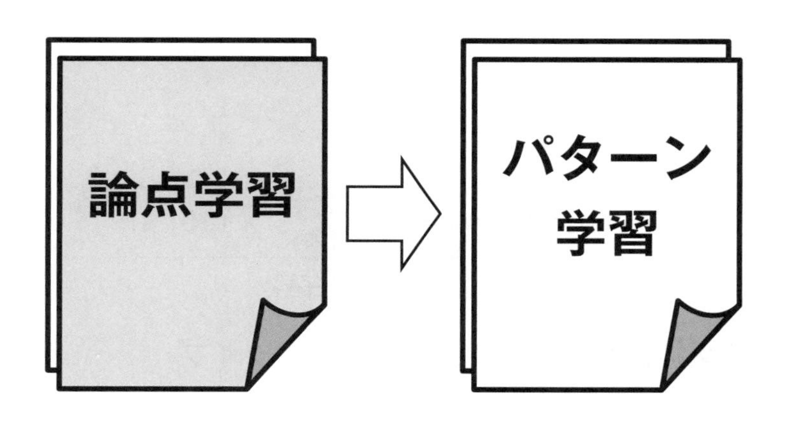

テキスト編では，論点学習を行います。論点学習は，建設業経理士に合格するために必要な知識を身につける学習です。論点学習を効率的に進めるために，テキスト編は次のように構成されています。

① 各 Section の冒頭に「はじめに」を設け，これから学習する Section の内容・特徴・問題点などをイメージしやすくしました。
② 本試験での出題の多くは計算問題です。そこで，解説には随所に計算例をあげて，本試験に対応した知識を修得できるようにしました。
③ マークは「出た～っ」という意味で，過去の本試験での出題頻度を表しています。
④ 各 Section の最後には，「try it（小問）」を設けています。「try it」を解くことで，論点ごとの理解を確かめてください。

各 Section のはじめにある◈は，重要度を表しています。重要度は 5 段階に分かれていて，◈の数が多いほど，重要度が高いことを示しています。

ネットスクールオリジナル
財務分析比率の覚え方

財務分析の試験で，出題範囲となっている比率は70個以上あり，覚え切るにはとても大変です。

そこで，ネットスクールでは財務分析比率を，形式面から 5 つのタイプに分け『比率の名前を聞くだけで分子分母がわかる』ようにしています。

財務分析の勉強を始める前に，ちょっとだけ紹介しておきましょう。

タイプ 1　会計用語が 2 つ並ぶタイプ

：前の用語が分母，後ろの用語が分子

$$××○○率 = \frac{○○}{××} ×100(\%)$$

例）$$売上高経常利益率 = \frac{経常利益}{売上高} ×100(\%)$$

タイプ 2　会計用語が 1 つのタイプ

：会計用語が分子

$$○○率 = \frac{○○}{?} ×100(\%)$$

例）$$自己資本比率 = \frac{自己資本}{総資本} ×100(\%)$$

Rule：「資産」は省略される（例．固定比率⇒固定資産が分子）

タイプ 3　会計用語の後に月数（または月商倍率）のタイプ

：会計用語が分子，完成工事高÷ 12 が分母

$$××月数(=××月商倍率) = \frac{××}{完成工事高÷12} (月)$$

例）$$棚卸資産滞留月数 = \frac{棚卸資産}{完成工事高÷12} (月)$$

タイプ 4　会計用語の後に回転率のタイプ

：会計用語が分母，完成工事高が分子

$$○○回転率 = \frac{完成工事高}{○○} (回)$$

例）$$総資本回転率 = \frac{完成工事高}{総資本} (回)$$

Rule：分子がP/L項目のときは，分母のB/S項目は平均する

タイプ 5　会計用語の後に増減率のタイプ

：前期が分母，当期－前期が分子

$$△△増減率 = \frac{当期△△－前期△△}{前期△△} ×100(\%)$$

例）$$総資本増減率 = \frac{当期末総資本－前期末総資本}{前期末総資本} ×100(\%)$$

これだけで全体の80％以上の比率がカバーできますが，この他に，損益分岐点分析に係わるものや，このように分けられないものもあります。詳しくは**本書第 2 部 過去問題編（第 5 問対策）2－28ページ**をご覧ください。

Chapter 0
イントロダクション

ある人をもっとよく知りたいと思ったら，話をしたり一緒に行動したりして，その人の日頃の様子や性格などを把握していくでしょう。では，ある企業をもっとよく知りたいと思ったら，あなたはどうしますか。

もしその企業にあなたの知人が勤めているなら，その人に企業の様子を聞くのが早いでしょう。新聞や雑誌の切り抜きをスクラップしておくのもよい方法です。しかし，より客観的に企業を知ろうとするなら，あなた自身がその企業の財務分析を行うのがとても有効です。なぜなら，財務分析は財務諸表等の一定の客観性をもつ数値をもとに行われる分析だからです。

Chapter 0 では，財務分析の大まかなイメージをつかんでください。

Section 1　重要度 ◈◈◈

イントロダクション

はじめに ■ 自分の目で見て，自分で行動をおこして，自分の頭で判断する。
そんなあたりまえのことを億劫(おっくう)に思ったりしていませんか。
財務分析では，実際の財務諸表を自分の目で見て，さまざまな情報を自分の手でわかりやすい形に計算して，企業がどのような状態にあるのかを自分の頭で判断します。
企業は，株主や経営者，銀行家，消費者などさまざまな利害関係者によって成立しているので，利害関係者はそれぞれの立場に立った分析をし，それぞれの立場から企業を判断します。

財務分析とは

財務分析とは，企業の財務諸表等の数値を比較，検討することによって過去または現在の企業の活動状況や財政状態を知ることをいいます。

立場によって，企業の何を知りたいのかが異なり，分析する内容も異なってきます。ここでは，財務分析の全体的なイメージをつかめるよう，①**投資家**，②**銀行家**，③**経営者**を例に説明していきます。

財務諸表の入手

財務分析を行うには，まず財務諸表等を入手する必要があります。大規模な会社は，金融商品取引法の規定により「**有価証券報告書**」で企業内容が開示されています。

いま，S建設会社とT建設会社の**貸借対照表**と**損益計算書**を入手しました。

〔S建設会社〕

貸借対照表　(単位：百万円)

	×11.3.31	×12.3.31		×11.3.31	×12.3.31
〔資産の部〕			〔負債の部〕		
I 流動資産			I 流動負債	500	600
当座資産	300	500	II 固定負債	100	300
棚卸資産	200	300	負債合計	600	900
流動資産合計	500	800	〔純資産の部〕		
II 固定資産	300	400	I 株主資本		
			1 資本金	80	120
			2 資本剰余金	20	25
			3 利益剰余金		
			利益準備金	20	25
			任意積立金	30	30
			繰越利益剰余金	50	100
			純資産合計	200	300
資産合計	800	1,200	負債・純資産合計	800	1,200

損益計算書　(単位：百万円)

	×10.4.1 ～×11.3.31	×11.4.1 ～×12.3.31
I 売上高	1,000	1,200
II 売上原価	700	800
売上総利益	300	400
III 販管費	200	220
営業利益	100	180
IV 営業外収益	80	60
V 営業外費用	120	80
経常利益	60	160
VI 特別利益	10	30
VII 特別損失	20	10
税引前当期純利益	50	180
法人税，住民税及び事業税	25	90
当期純利益	25	90

(参考1)
配当金：×11.6.27　10百万円(1株当たり2円)
　　　　×12.6.27　25百万円(1株当たり5円)

(参考2) 期末従業員数
×11.3.31　210人
×12.3.31　190人

(参考3)
発行済株式総数：5,000,000株

〔T建設会社〕

貸借対照表　（単位：百万円）

	×11.3.31	×12.3.31		×11.3.31	×12.3.31
〔資産の部〕			〔負債の部〕		
Ⅰ流動資産			Ⅰ流動負債	1,100	1,250
当座資産	700	1,100	Ⅱ固定負債	100	350
棚卸資産	300	400	負債合計	1,200	1,600
流動資産合計	1,000	1,500	〔純資産の部〕		
Ⅱ固定資産	500	600	Ⅰ株主資本		
			1資本金	100	220
			2資本剰余金	50	75
			3利益剰余金		
			利益準備金	20	25
			任意積立金	90	120
			繰越利益剰余金	40	60
			純資産合計	300	500
資産合計	1,500	2,100	負債・純資産合計	1,500	2,100

損益計算書　（単位：百万円）

	×10.4.1～×11.3.31	×11.4.1～×12.3.31
Ⅰ売上高	800	1,200
Ⅱ売上原価	580	900
売上総利益	220	300
Ⅲ販管費	120	150
営業利益	100	150
Ⅳ営業外収益	40	75
Ⅴ営業外費用	50	100
経常利益	90	125
Ⅵ特別利益	5	5
Ⅶ特別損失	15	10
税引前当期純利益	80	120
法人税，住民税及び事業税	40	60
当期純利益	40	60

（参考1）
配当金：×11.6.27　10百万円（1株当たり2円）
×12.6.27　15百万円（1株当たり3円）

（参考2）期末従業員数
×11.3.31　380人
×12.3.31　420人

（参考3）
発行済株式総数：5,000,000株

主要比率

財務分析を行うとき，項目と項目との関係を見るために，さまざまな比率が用いられます。投資家，銀行家，経営者がよく使う比率を一覧表にすると次のとおりです。

◎…必ず使う比率
○…よく使う比率

〔目的〕 比率名　および　算式	投資家	銀行家	経営者
〔企業の利益獲得能力を知る〕			
総資本経常利益率＝$\dfrac{\text{経常利益}}{\text{期中平均総資本}^{01)}}$×100（%）	◎	○	○
経営資本営業利益率＝$\dfrac{\text{営業利益}}{\text{期中平均経営資本}^{02)}}$×100（%）	○	○	◎
自己資本当期純利益率＝$\dfrac{\text{当期純利益}}{\text{期中平均自己資本}^{01)}}$×100（%）	○	◎	○
売上高経常利益率＝$\dfrac{\text{経常利益}}{\text{売上高}}$×100（%）	○	○	◎
損益分岐点売上高（そんえきぶんきてんうりあげだか）＝$\dfrac{\text{固定費}}{1-\dfrac{\text{変動費}}{\text{売上高}}}$（円）			◎

01）総資本：負債＋純資産すなわち資産合計
自己資本：純資産

02）経営資本：営業活動に直接参加している資産

〔目的〕 比率名　および　算式	投資家	銀行家	経営者
〔企業の支払能力を知る〕			
流動比率 $=\dfrac{\text{流動資産}}{\text{流動負債}}\times 100(\%)$	○	◎	○
当座比率 $=\dfrac{\text{当座資産}}{\text{流動負債}}\times 100(\%)$	○	○	○
自己資本比率 $=\dfrac{\text{自己資本}}{\text{総資本}}\times 100(\%)$	○	◎	○
配当性向（はいとうせいこう） $=\dfrac{\text{配当金}}{\text{当期純利益}}\times 100(\%)$	◎		○
〔企業の生産効率を知る〕			
総資本回転率 $=\dfrac{\text{売上高}}{\text{期中平均総資本}}$（回）	○		◎
棚卸資産回転率 $=\dfrac{\text{売上高}}{\text{期中平均棚卸資産}}$（回）			◎
職員1人当たり売上高 $=\dfrac{\text{売上高}}{\text{期中平均従業員数}}$（円）			○
労働生産性 $=\dfrac{\text{付加価値}}{\text{期中平均従業員数}}$（円）	○	○	◎
資本集約度（しほんしゅうやくど） $=\dfrac{\text{期中平均総資本}}{\text{期中平均従業員数}}$（円）			○
〔企業の発展度合を知る〕			
売上高増減率 $=\dfrac{\text{当期売上高}-\text{前期売上高}}{\text{前期売上高}}\times 100(\%)$	◎	○	○
営業利益増減率 $=\dfrac{\text{当期営業利益}-\text{前期営業利益}}{\text{前期営業利益}}\times 100(\%)$	○		○
総資本増減率 $=\dfrac{\text{当期末総資本}-\text{前期末総資本}}{\text{前期末総資本}}\times 100(\%)$	◎		○

投資家

あなたは現在手許（てもと）にあるお金 100 万円で，株式を購入しようと考えています。S 建設会社と T 建設会社のどちらの株式を購入したら良いかを判断するために，現在の両社の財務分析を行っています。

投資する立場から財務諸表を見ると，まず(1)**売上高**が，そして(2)**経常利益**が，最後に(3)**配当金**が気になります。

(1)売上高

売上高は，その実数値（実際の金額）で会社の規模を知ることができます。また，**売上高増減率**[03] を算出することで今後売上高が伸びるかどうかの予測を容易にします。売上高増減率は，前期を基準にして，当期の売上がどのくらい伸びたかを示す会社の成長性を知るための指標です。

	S 建設会社		T 建設会社	
	前　期	当　期	前　期	当　期
売上高（百万円）	1,000	1,200	800	1,200
売上高増減率	—	＋ 20.00％[04]	—	＋ 50.00％[05]

売上高においてＳ社とＴ社の会社の規模は，ほぼ同じであると判断されます。これに対して売上高増減率からは，どちらも成長はしているものの，Ｔ社は特に著しい成長を遂げている会社と判断できます。

03) $売上高増減率 = \frac{当期売上高 - 前期売上高}{前期売上高} \times 100(\%)$

プラス…増収を表します。
マイナス…減収を表します。

04) $+20.00\% = \frac{1,200 - 1,000}{1,000} \times 100$

05) $+50.00\% = \frac{1,200 - 800}{800} \times 100$

(2)経常利益

会社がどのくらい利益をあげているのかを知るため，**経常利益**の実数値を見ます。しかし，経常利益額が大きいほうが収益性の良い会社とは限りません。そこで，**総資本経常利益率**[06] を算出して，経常利益とそれを産出した総資本との関係も調べます。総資本経常利益率とは，投下資本がどれだけの利益を生み出しているのかを知るための収益性の総合的指標です。

	S 建設会社		T 建設会社	
	前　期	当　期	前　期	当　期
総資本（百万円）	800	1,200	1,500	2,100
経常利益（百万円）	60	160	90	125
総資本経常利益率	—	16.00％[07]	—	6.94％[08]

当期において，総資本経常利益率はＳ社のほうが高くなっています。このことから，Ｓ社のほうが収益性の良い会社と判断されます。

06) $総資本経常利益率 = \frac{経常利益}{期中平均総資本} \times 100(\%)$

高い…収益性が良いです。
低い…収益性が悪いです。

07) $16.00\% = \frac{160}{(800 + 1,200) \div 2} \times 100$

08) $6.94\% ≒ \frac{125}{(1,500 + 2,100) \div 2} \times 100$

(3)配当金

株式を購入する場合，どのくらいの配当金がもらえるのかが気になります。会社が毎期一定の配当をしているかを知るために **1 株当たりの配当金**[09] と**配当性向**（はいとうせいこう）[10] を見ます。配当性向は，会社の獲得した利益のうち，どのくらいを株主に還元しているのかを示す健全性の指標です。

09) 1 株当たり配当金＝ $\frac{配当金}{発行済株式数}$ (円)

有価証券報告書に明示されています。

10)配当性向＝$\frac{配当金}{当期純利益}$×100(%)

高い…株主への利益還元を重視する会社。
低い…自社の成長をより優先する会社。

11)27.78%≒$\frac{25}{90}$×100

12)25.00%＝$\frac{15}{60}$×100

	S建設会社		T建設会社	
	前　期	当　期	前　期	当　期
当期純利益(百万円)	25	90	40	60
配当金(百万円)	10	25	10	15
1株当たり配当金	2円	5円	2円	3円
配当性向	40.00%	27.78%[11]	25.00%	25.00%[12]

1株当たり配当金より，S社，T社ともに成長にともなって配当が増えていることがわかります。また，配当性向より，両社とも株主への利益の還元率(かんげんりつ)の高い会社と判断されます。

投資家の判断　以上の分析より，成長性はT社(売上高増減率が高い)，収益性はS社(総資本経常利益率が高い)，健全性(配当性向との比較)はどちらともいえない，という結果がでました。このとき，あなたはどちらの株式を購入するでしょうか。

もし，あなたがT社の売上の急激な伸びを一時的なものと判断するなら，S社の株式を購入するでしょう。

逆に，あなたがこれからの建設業界でT社が伸びていくと判断するなら，T社の株式を購入することでしょう。

銀行家

あなたは銀行に勤めていて，企業への短期的な融資の担当者だったとします。今，S建設会社とT建設会社から同時に1,000万円の短期の借入れを申請されました。さまざまな事情からどちらか一方にしか貸付けできないとしたら，あなたはどちらの会社への融資を決定しますか。

融資をする立場から財務諸表を見ると，貸したお金の返済能力があるかどうかが気になります。そこで，まず(1)**財務体質**を，そして(2)**資金繰り**(しきんぐり)を調べます。

(1)財務体質　会社が多くの借金をかかえているかどうかという財務体質を知るためには，**自己資本比率**[13]を算出します。自己資本比率は，総資本に対する自己資本の割合により，企業の健全性を示す指標です。

13)自己資本比率＝$\frac{自己資本}{総資本}$×100(%)

高い…自分のお金で活動しています。
低い…いわゆる"借金体質"です。

14)25.00%＝$\frac{300}{1,200}$×100

15)23.81%≒$\frac{500}{2,100}$×100

	S建設会社		T建設会社	
	前　期	当　期	前　期	当　期
総資本(百万円)	800	1,200	1,500	2,100
自己資本(百万円)	200	300	300	500
自己資本比率	25.00%	25.00%[14]	20.00%	23.81%[15]

前期よりもT社は自己資本比率は改善されてきています。当期においては，どちらかといえばS社のほうが自己資本比率の高い健全な財務体質の会社といえます。

(2)資金繰り

会社の支払能力を知るためには，短期間に現金化される資金の状態を分析する必要があります。そこで，**流動比率**[16]を見ていきましょう。

	S建設会社		T建設会社	
	前　期	当　期	前　期	当　期
流動資産(百万円)	500	800	1,000	1,500
流動負債(百万円)	500	600	1,100	1,250
流　動　比　率	100.00%	133.33%[17]	90.91%	120.00%[18]

流動比率は，短期に返済しなければならない負債に対する短期に現金化される資産の割合を示します。短期負債を短期に現金化される資産で返済すると考えると，この比率は低くとも100%以上であることが望まれます。この比率が高いと，資金繰りに余裕のある健全な会社と判断されます。

16) 流動比率 $=\frac{\text{流動資産}}{\text{流動負債}}\times 100$ (%)

短期に返済する負債と短期に現金化される資産の関係を示す企業の流動性を表す指標です。200%以上が理想的とされていますが，そのような会社はほとんどありません。
高い…短期負債の支払能力が大きい。
低い…短期負債の支払能力が小さい。

17) 133.33% $\fallingdotseq \frac{800}{600}\times 100$

18) 120.00% $=\frac{1,500}{1,250}\times 100$

銀行家の判断

以上の分析により，返済能力においては，T社よりもS社のほうが優れた会社と判断されます。あなたは，他の条件が同じならば，S社への融資を決定するでしょう。

経営者

あなたがS建設会社の経営者であったなら，もっと利益をあげるためにはどうすればよいかを考えるでしょう。経営する立場からの分析には，資金繰り分析や損益分岐点(そんえきぶんきてん)分析(ぶんせき)など，さまざまな分析があります[19]。

ここでは，あなたが人事採用担当の取締役であるとして，次期の新規採用予定者数の増減を決定するために労働者の生産性を分析します。

19) 社内でしか入手できない情報も分析資料として利用できるので，さまざまな分析が可能です。

付加価値(ふかかち)

会社が生産活動をいかに効率的に行っているかを分析するため，会社が一定期間に産出した価値(付加価値[20])を計算してみましょう。

建設業において**付加価値**は，**売上高から**他の企業が作り出した費用である**材料費，外注費(労務外注費を含む)を控除することによって求めます。**

S社，T社の完成工事原価報告書は以下のとおりでした。

S建設会社
完成工事原価報告書(単位：百万円)

	×10.4.1 ～×11.3.31	×11.4.1 ～×12.3.31
Ⅰ．材料費	150	150
Ⅱ．労務費	150	150
(うち労務外注費	150	150)
Ⅲ．外注費	300	400
Ⅳ．経　費	100	100
計	700	800

T建設会社
完成工事原価報告書(単位：百万円)

	×10.4.1 ～×11.3.31	×11.4.1 ～×12.3.31
Ⅰ．材料費	120	200
Ⅱ．労務費	160	200
(うち労務外注費	160	200)
Ⅲ．外注費	220	400
Ⅳ．経　費	80	100
計	580	900

20) 付加価値＝
完成工事高－(材料費＋外注費)
経費と労務費は，付加価値を算定するときに，完成工事高から控除しない点に注意してください。労務外注費は外注費に含めるものとし，完成工事高から控除します。
(Chapter 2，Section 5 参照)

21) 500（百万円）＝ 1,200－（150＋150＋400）
22) 400（百万円）＝ 1,200－（200＋200＋400）

付加価値は，次のようになります。

	S建設会社		T建設会社	
	前　期	当　期	前　期	当　期
売上高(百万円)	1,000	1,200	800	1,200
付加価値(百万円)	400	500[21]	300	400[22]

生産性分析 会社の産出した価値を年間の平均従業員数で割ることで従業員１人当たりが産出した価値を算出することができます。この，**１人当たり付加価値額を労働生産性**[23] **といいます。**１人当たり売上高[24] が高いからといって，労働生産性が高いとは限りません。

23) 労働生産性(円)＝付加価値額／期中平均従業員数
24) １人当たり売上高(円)＝売上高／期中平均従業員数
25) 250万円＝500（百万円）／(210＋190)÷2
26) 100万円＝400（百万円）／(380＋420)÷2
27) 600万円＝1,200（百万円）／(210＋190)÷2
28) 300万円＝1,200（百万円）／(380＋420)÷2

	S建設会社		T建設会社	
	前　期	当　期	前　期	当　期
従業員数	210人	190人	380人	420人
労働生産性（１人当たり付加価値額）	—	250万円[25]	—	100万円[26]
１人当たり売上高	—	600万円[27]	—	300万円[28]

労働生産性も，１人当たり売上高も，S社のほうが高いことがわかりました。特に労働生産性から，１人当たりの付加価値額がT社よりも150万円も高いことが判明しました。

経営者の判断 以上の分析から，あなたはT社に比べ自社（S社）が生産性の面で効率的であることを知りました。

そのため，景気の悪さも考慮して，次期の新規採用予定人数を例年同様にすることを決定しました。

建設業の特徴と財務諸表

はじめに 自分には自分の個性があるように，建設業にも他の業界とは異なる特徴があります。Section 1 では業界に関係なく財務分析を大まかに説明しましたが，建設業経理士の試験に必要な知識は建設業におけるものです。
Section 2 では，建設業の特徴をとらえてください。

建設業の特徴

建設業の財務分析を行うには(1)建設業の特徴と(2)建設業の財務構造の特徴を知っておく必要があります。

(1)建設業の特徴
建設業とは，土地に結びついた構造物や施設を生産する事業を営むことを指します。発注者が建設業者に建物等の建造を依頼し，両者は契約を結び，建設業者が依頼物を完成させたら引き渡すという一連の流れがあります。

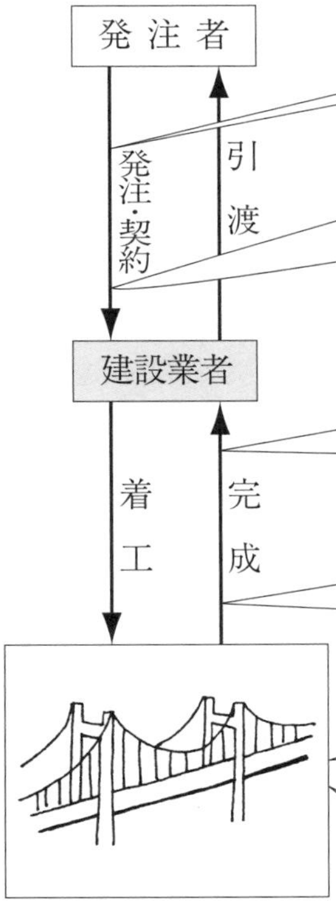

発注者
発注·契約 ↓ ↑ 引渡
建設業者
着工 ↓ ↑ 完成

特徴1．個別受注生産であること。
建設業では生産物の規模が大きいので，発注者は個別に建設工事を発注します。

特徴2．定額請負工事が多いこと。
発注者と建設業者は，工事内容などを請負契約で決定します。このうち，工事代金は，総額を定額で確定する定額請負契約で決定されることが多く，このため工事が完成し原価が確定するまで，損益は確定しません。

特徴3．長期工事が多いこと。
受注した建設工事の多くは，土木一式工事（総合的な企画をもとに行われる土木工事），建築一式工事（総合的な企画をもとに行われる建築工事）など長期工事になります。そのため，未成工事支出金勘定など，建設業独特の勘定があることに留意する必要があります。

特徴4．単品産業で，移動産業であること。
建設業は，同一の土地には一つの建造物しか建てられない単品産業です。また，建造物により建設現場が異なるので，移動産業といえます。

特徴5．天候などの自然条件に左右されること。
建造物はほとんどの場合，屋外に建設されるため，工期などが天候に左右されることになります。

特徴6．下請業者に依存することが多いこと。
建設業者が工事を請け負うと，多くの場合，工事ごとに専門の下請業者に発注し，各工事の完成を依頼します。そのため，財務分析を行うときは，外注費の割合に留意する必要があります。

特徴7．手形のサイト（振出しから満期までの期間）が長いこと。
建設業では長期工事が多いことから，手形のサイトも長くなる傾向が見られます。

(2)建設業の財務構造の特徴

次に，建設業の財務構造の特徴を，①貸借対照表の構成比と②損益計算書の構成比に分けて説明します。

①貸借対照表の構成比

貸借対照表の構成比については，次のような特徴があげられます。

特徴1．固定資産の構成比が低く，流動資産の構成比が高いこと。

建設業においては，総資産に対する流動資産の構成比が他の産業に比べて著しく高くなっています。仕掛品に相当する未成工事支出金勘定が巨額であることが，主な原因です。

このため，固定資産の構成比率が他産業に比べて著しく低くなっています。固定資産の構成比率が低いということは，その効率性が良好であることを示すとともに，労働装備率(ろうどうそうびりつ)[01]が低いことをも示します。

01）労働装備率

$$=\frac{\text{期中平均有形固定資産}}{\text{期中平均従業員数}}\text{（円）}$$

従業員１人当たりの労働の設備状況を表します。

特徴2．流動負債の構成比が高く，固定負債の構成比が低いこと。

建設業は，受注工事を前提とする多額の請負工事であるため，未成工事受入金も巨額になっています。このため，流動負債の構成比が高くなっています。逆に，固定負債の構成比は相対的に低くなっています。

特徴3．自己資本の構成比，特に資本金の構成比が低いこと。

自己資本，特に資本金は企業の成立基盤であり，一般にその総資本に対する構成比は高いほうが望ましいとされています。しかし，建設業では他の産業に比べその比率が低く，財政的基盤の弱さを表しています。

②損益計算書の構成比

損益計算書の構成比については，次のような特徴があげられます。

特徴1．完成工事原価の構成比が高く，なかでも外注費の構成比が高いこと。

建設業では，完成工事原価（当期製品製造原価）の比率が高く，そのなかでも外注費の構成比が著しく高くなっています。これは，建設業においては下請制度に依存していることが多いためです。

よって，建設業の財務分析にあたり，経費から外注費を独立させて記載し，外注依存度を明らかにする必要があります。

特徴2．販売費・一般管理費が相対的に少なく，なかでも減価償却費が少ないこと。

建設業では，卸売・小売業のように不特定多数を対象としていないため，販売手数料や荷造運搬費(にづくりうんぱんひ)などが比較的少なくなっています。また，他産業に比べて固定資産への投資が少ないことから，減価償却費が少なくなっています。

特徴3．財務構造との関連から支払利息などが少ないこと。

建設業では社債，長期借入金などの固定負債の構成比は低くなっています。そのため，財務費用である支払利息は少なくなります。

建設業の財務諸表

建設業は以上のような特徴をもつので，財務諸表にも建設業界独特の科目があります。ここでは，建設業界の財務諸表のひな型をもとに，財務分析に必要な科目を説明していきます。

貸借対照表

貸　借　対　照　表

××建設株式会社　　平成×年×月×日現在　　（単位：千円）

資産の部			負債の部	
Ⅰ．流動資産			Ⅰ．流動負債	
現金預金		×××	支払手形	×××
受取手形		×××	**工事未払金**	×××
完成工事未収入金		×××	短期借入金	×××
有価証券		×××	**未成工事受入金**	×××
未成工事支出金		×××	完成工事補償引当金	×××
材料貯蔵品		×××	その他の流動負債	×××
その他の流動資産		×××	〔流動負債合計〕	×××
貸倒引当金		△×××	Ⅱ．固定負債	
〔流動資産合計〕		×××	社債	×××
Ⅱ．固定資産			長期借入金	×××
(1) 有形固定資産			退職給付引当金	×××
建物・構築物	×××		その他の固定負債	×××
減価償却累計額	△×××	×××	〔固定負債合計〕	×××
機械・運搬具	×××		負債合計	×××
減価償却累計額	△×××	×××	純資産の部	
工具器具備品	×××		Ⅰ．株主資本	
減価償却累計額	△×××	×××	1 資本金	×××
土地		×××	2 資本剰余金	
建設仮勘定		×××	資本準備金	×××
有形固定資産合計		×××	その他資本剰余金	×××
(2) 無形固定資産		×××	〔資本剰余金合計〕	×××
(3) 投資その他の資産		×××	3 利益剰余金	
〔固定資産合計〕		×××	利益準備金	×××
Ⅲ．繰延資産			任意積立金	×××
社債発行費		×××	繰越利益剰余金	×××
〔繰延資産合計〕		×××	〔利益剰余金合計〕	×××
			株主資本合計	×××
			Ⅱ．評価・換算差額等	
			1 その他有価証券評価差額金	×××
			〔評価・換算差額等合計〕	×××
			純資産合計	×××
資産合計		×××	負債・純資産合計	×××

(1)資産の部

I．流動資産 ―― 正常な営業取引から生じた資産，または1年以内に回収される資産。

現金預金		×××	当座資産：すぐに簡単に支払手段として使用できる資産。 当座資産＝現金預金＋（受取手形[02]＋完成工事未収入金－それらを対象とする貸倒引当金）＋有価証券
受取手形		×××	
完成工事未収入金		×××	
有価証券		×××	
未成工事支出金		×××	棚卸資産：販売目的または消費目的で保有する資産。 棚卸資産＝未成工事支出金＋材料貯蔵品
材料貯蔵品		×××	
その他の流動資産		×××	
貸倒引当金		△×××	
〔流動資産合計〕		×××	
II．固定資産			
(1) 有形固定資産			長期にわたって使用される資産で形のあるもの。
建物・構築物	×××		
減価償却累計額	△×××	×××	
機械・運搬具	×××		
減価償却累計額	△×××	×××	
工具器具備品	×××		
減価償却累計額	△×××	×××	
土地		×××	
建設仮勘定		×××	
有形固定資産合計		×××	
(2) 無形固定資産		×××	長期にわたって使用される資産で形のないもの。
(3) 投資その他の資産		×××	正常な営業取引以外から生じた資産，または1年以内に回収されない資産。
〔固定資産合計〕		×××	
III．繰延資産			財産としての価値はないが将来の収益獲得に役立つために資産として認められるもの。
社債発行費		×××	
〔繰延資産合計〕		×××	
資産合計		×××	

02）割引分，裏書分を除きます。

建設業特有の勘定科目

一般製造業の場合	建設業の場合	
売掛金	完成工事未収入金	完成工事高として売上計上した金額のうちの代金の未収額
仕掛品（製造）	未成工事支出金	完成工事原価に振り替えるまでのすべての原価を計上する建設業特有の勘定

(2)負債の部

Ⅰ．流動負債 ―― 正常な営業取引から生じた負債，または１年以内に支払われる負債。

支払手形	×××
工事未払金	×××
短期借入金	×××
未成工事受入金	×××
完成工事補償引当金	×××
その他の流動負債	×××
〔流動負債合計〕	×××

Ⅱ．固定負債 ―― 正常な営業取引以外から生じ，かつ１年以内に支払われない負債。

社債	×××
長期借入金	×××
退職給付引当金	×××
その他の固定負債	×××
〔固定負債合計〕	×××
負債合計	×××

建設業特有の勘定科目

一般製造業の場合	建設業の場合	
買掛金	**工事未払金**	完成工事，未成工事に関する工事費用の未払額
前受金	**未成工事受入金**	未成工事における請負代金の入金額を処理する建設業特有の勘定

(3)純資産の部

Ⅰ．株主資本

１ 資本金	××× ―株主からの出資のうち資本金とした額。
２ 資本剰余金	
資本準備金	××× ―株主からの出資のうち資本金に組み入れなかった額。
その他資本剰余金	×××
〔資本剰余金合計〕	×××
３ 利益剰余金	
利益準備金	×××
任意積立金	×××
繰越利益剰余金	×××
〔利益剰余金合計〕	×××
株主資本合計	×××

Ⅱ．評価・換算差額等

１ その他有価証券評価差額金	×××
〔評価・換算差額等合計〕	×××
純資産合計	×××
負債・純資産合計	×××

建設業経理士試験　財務分析における資本の概念

総　資　本：負債＋純資産＝資産合計
自己資本：純資産
他人資本：負債の部合計額
経営資本：総資本－（建設仮勘定＋未稼働資産＋投資資産＋繰延資産＋その他営業活動に直接参加していない資産）

損益計算書

損　益　計　算　書
自×年×月×日　至×年×月×日

××建設株式会社　（単位：千円）

Ⅰ．完成工事高	×××	企業の主な営業活動である工事による売上高。
Ⅱ．完成工事原価	×××	工事による売上高に対応する工事原価。
完成工事総利益	×××	工事による粗利益（あらりえき）。
Ⅲ．販売費及び一般管理費	×××	販売活動や一般管理活動によって生じた費用。
営業利益	×××	営業活動の成果を表す利益。
Ⅳ．営業外収益	×××	財務活動等の営業活動以外から生じた収益。
Ⅴ．営業外費用	×××	財務活動等の営業活動以外から生じた費用。
経常利益	×××	経常的な経営活動の業績を示す利益。
Ⅵ．特別利益	×××	臨時的な取引や事象から生じた利益。
Ⅶ．特別損失	×××	臨時的な取引や事象から生じた損失。
税引前当期純利益	×××	当期の法人税と住民税および事業税を差し引く前の利益。
法人税，住民税及び事業税	×××	当期の法人税と住民税および事業税の一部。
当期純利益	×××	当期の法人税と住民税および事業税を差し引いた後の利益。

03）事業活動における利益です。事業活動とは，企業が経常的に行う活動のうち，資金調達活動以外のものを指します。

建設業経理士試験　財務分析における注意すべき概念

支払利息　＝借入金利息＋社債利息＋その他他人資本に付される利息
事業利益[03]　＝経常利益＋上記に規定する支払利息

参考）完成工事原価報告書

完成工事原価報告書
自×年×月×日　至×年×月×日

Ⅰ．材料費	×××
Ⅱ．労務費	×××
（うち労務外注費	×××）
Ⅲ．外注費	×××
Ⅳ．経費	×××
完成工事原価	××× → 損益計算書（Ⅱ．完成工事原価）へ

株主資本等変動計算書

● 株主資本等変動計算書（自×年×月×日　至×年×月×日）　（単位：千円）

	株主資本					評価・換算差額等	純資産合計
	資本金	資本剰余金	利益剰余金			その他有価証券評価差額金	
		資本準備金	利益準備金	任意積立金	繰越利益剰余金		
当期首残高	×××	×××	×××	×××	×××	×××	×××
当期変動額							
新株の発行	*1 ×××	*1 ×××					×××
剰余金の配当			*2 ×××		*3△×××		△×××
当期純利益					×××		×××
任意積立金の設定				*4 ×××	*4△×××		
当期変動額（純額）						*5△×××	×××
当期変動額合計	×××	×××	×××	×××	×××	×××	×××
当期末残高	×××	×××	×××	×××	×××	×××	×××

＊1 新株の発行による資本金・資本準備金の増加額
＊2 剰余金の配当による利益準備金積立額
＊3 配当金と利益準備金積立額との合計額
＊4 任意積立金の積立額
＊5 その他有価証券評価差額金の当期の増減額

建設業会計特有の勘定科目など

建設業は，完成品の価格が高いことや着工から完成までの期間が長いことなどの特徴を持っています。そのため，建設業会計は製造業会計とは異なる部分があります。

ここでは，一般の製造業会計を学んだ人のために，建設業会計に特有の勘定科目や用語を一覧表にします。

	製造業	建設業	3級	2級	1級		
					財務諸表	原価計算	財務分析
損益計算書上の用語							
	売上高	完成工事高	●	●	●	●	●
	売上原価	完成工事原価	●	●	●	●	●
	売上総利益	完成工事総利益			●		●
貸借対照表上の用語							
	売掛金	完成工事未収入金	●	●	●	●	●
	仕掛品	未成工事支出金	●	●	●	●	●
	買掛金	工事未払金	●	●	●	●	●
	前受金	未成工事受入金	●	●	●		●
その他							
	製造原価	完成工事原価	●	●	●	●	●
	製造間接費	工事間接費		●		●	
	製造部門	施工部門		●		●	

Chapter 1

総　　論

あなたがおこづかい帳をつけていたら，どの日に何を買ったかという記録が残ります。何を買ったかを知ることで，その日に何があったかを思い出すこともできるでしょう。そのときの自分の状況と今の自分の状況を比較して，今後の行動を考えていく人もいるでしょう。また，友達のおこづかい帳を見せてもらえるなら，友達の状況と自分の状況を比較できるので，自分のことをもっとよく知ることができます。

財務諸表とは企業のおこづかい帳を１年ごとにまとめたものとイメージしましょう。その財務諸表を分析するのが，財務分析です。

Chapter 1 では，財務分析の理論をマスターしてください。

Section 1　重要度 ◈◈

総　論

はじめに ■ 財務分析は，よく企業の健康診断にたとえられます。
総資産や売上高を見ることは，身長や体重を測定することにあたり，前年よりどのくらい成長しているかを知ることができます。さらに，回転率は，機敏さ，つまり太りすぎややせすぎを表しているといえるでしょう。また，企業資金のショート(不足)は，人間の貧血状態に似ています。
財務分析は，企業の健康状態を知るために行われるといえます。

財務分析の意義

財務分析[01]とは，企業の財務数値の分析を行うことにより，財政状態および経営成績の良否を判定することをいいます。

財務数値は企業の活動を数値化したものであり，また企業会計原則など一定のルールに従って導き出された一定の客観性をもつものであるといえます。そのため，財務数値を分析することによって，その企業の状況を判断することができるのです。

01）財務分析は，企業を評価するための定量的な分析方法といえます。
企業評価
- 定量的分析…財務分析（財務的要因における分析）
- 定性的分析…人材，のれん等の分析（非財務的要因における分析）

狭義・広義の財務分析 ● 財務分析は，分析対象（分析される物）となる財務数値の範囲の違いから，広義の財務分析と狭義の財務分析に分けられます。

狭義の財務分析とは，企業の貸借対照表を基礎として，企業の財務構造および財務の安全性を分析[02]することであり，静態的な分析[03]といえます。広義の財務分析とは，貸借対照表だけでなく損益計算書も含むすべての財務諸表のデータを用いて企業の経営内容を分析することを指します。

02）財務の安全性を分析するとは，企業に支払能力があるかどうかを分析することを指します。
03）静態的な分析とは，貸借対照表上のみの項目の諸関係の良否を判定する分析を指します。

広義の財務分析
損益計算書
製造原価報告書
などすべての
財務諸表
狭義の財務分析
貸借対照表

外部・内部の財務分析 ● 財務分析は，分析主体（分析する者）を誰におくかによって，内部財務分析と外部財務分析に分けられます。内部財務分析は，分析主体を経営者におく分析で，経営者が企業の経営成績を向上させるために行われます。外部財務分析は分析主体を企業外部の利害関係者におく分析で，各主体ごとに異なる目的をもって行われます。

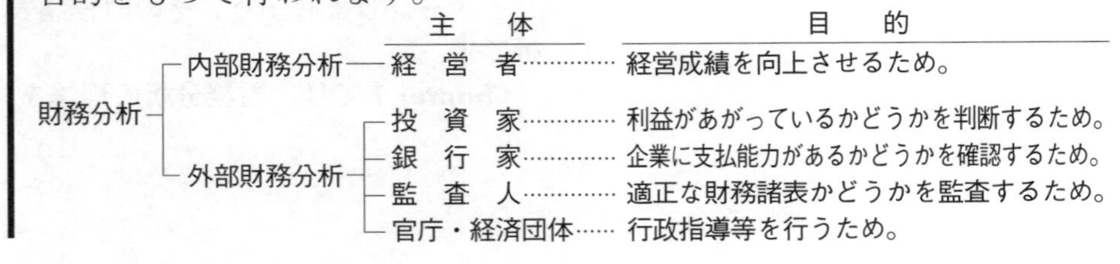

主　体
目　的
財務分析
内部財務分析
経　営　者……経営成績を向上させるため。
外部財務分析
投　資　家……利益があがっているかどうかを判断するため。
銀　行　家……企業に支払能力があるかどうかを確認するため。
監　査　人……適正な財務諸表かどうかを監査するため。
官庁・経済団体……行政指導等を行うため。

財務分析の限界

財務分析は，財務数値を使用する分析なので，企業の経営状態を分析するうえで，以下のような限界があります。
①財務分析では，財務数値では表すことのできない社風や組織力，従業員の質など，非財務的要因の影響は反映されないことになります。
②人件費，減価償却費等は企業によって取扱いが違います。そのため生産性分析や損益分岐点分析は，必ずしも厳密な分析とはいえません。
③企業は財務数値などの会計情報を迅速に提供することができないため，財務分析は現在の景気の変動や現在の経済の動きを十分に反映しているとはいえません。

財務分析の目的

財務分析では，企業の何について知りたいのかを明確にする必要があります。企業の活動に従って分析主体が知りたいと思う内容を見ていくと，下記ⓐ～ⓕの６つに分けられます。

04) ⇨は資金の流れを示しています。

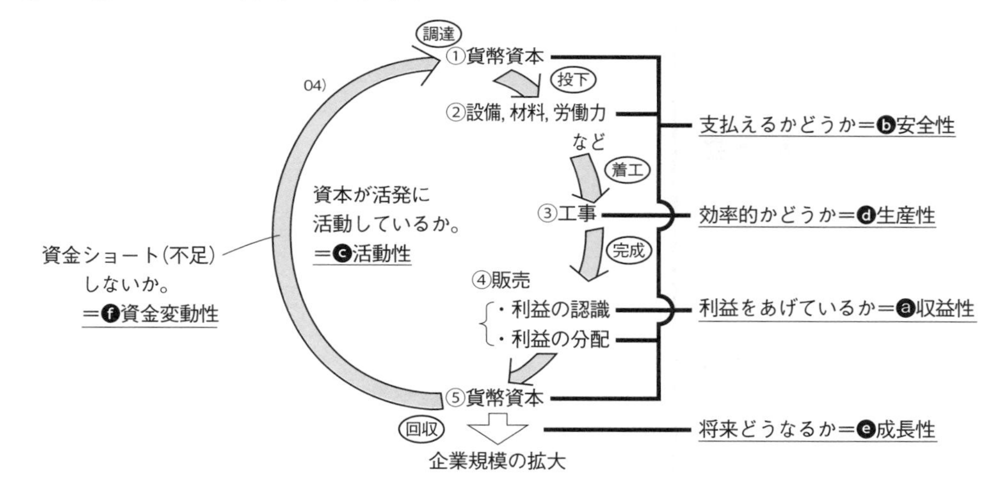

まとめると，以下のようになります。

ⓐ 収益性分析 ……………………企業の収益獲得能力を知る。
ⓑ 安全性分析 ……………………企業の支払能力を知る。
　├─流動性分析 ………………企業の資金繰りの状態を知る。
　├─健全性分析 ………………企業の財務体質を知る。
　└─ⓕ 資金変動性分析 ………企業の資金繰りの変動を知る。
ⓒ 活動性分析 ……………………企業の資本・資産の運用効率を知る。
ⓓ 生産性分析 ……………………企業の生産要素の利用度合を知る。
ⓔ 成長性分析 ……………………企業の発展性・将来性を知る。

try it

例題　財務分析とその限界

次の文章の空欄に適当な言葉をあてはめなさい。

財務分析とは，企業の［①］の分析を行うことにより，財政状態および経営成績の良否を判断することをいいます。

財務分析は，分析対象となる［①］の範囲の違いにより，狭義の財務分析と広義の財務分析に分けられます。狭義の財務分析とは，企業の［②］を対象とする分析で，広義の財務分析とは，［②］を含むすべての財務諸表を対象とする分析です。

財務分析（広義）には，以下のような限界があります。

(1)財務数値では表すことのできない［③］や組織力，従業員の質など，［④］の影響は反映されない。

(2)企業によって取扱いが違う科目があるので，生産性分析や［⑤］などは，必ずしも厳密な分析とはいえない。

(3)会計情報は迅速には提供されないので，財務分析は現在の［⑥］や現在の［⑦］を十分に反映しているとはいえない。

解答欄

①		②		③	
④		⑤		⑥	
⑦					

解答

①	財務数値	②	貸借対照表	③	社　風
④	非財務的要因	⑤	損益分岐点分析	⑥	景気の変動
⑦	経済の動き				

財務分析の手法

はじめに あなたは今，建設業経理士の１級の試験に合格するために勉強しています。あなたが自分の実力を知るのは，どういうときでしょうか。
まず，同じ問題を繰り返して解き，前よりも点数が取れてくると，自分に力がついてきたことを感じるでしょう。また，模擬試験などを受け，平均点よりも自分の点数が上回っていたら，他の人よりも自分のほうが合格に近いことを感じるでしょう。順位や偏差値でもそれを感じることができるでしょう。このように，自分の実力を知るには，過去の自分や他の人との比較をすることが必要です。それでは，企業を知るには，どのような方法があるでしょうか。

財務分析の手法

企業の状況を知るための財務分析の手法には，以下のものがあります。

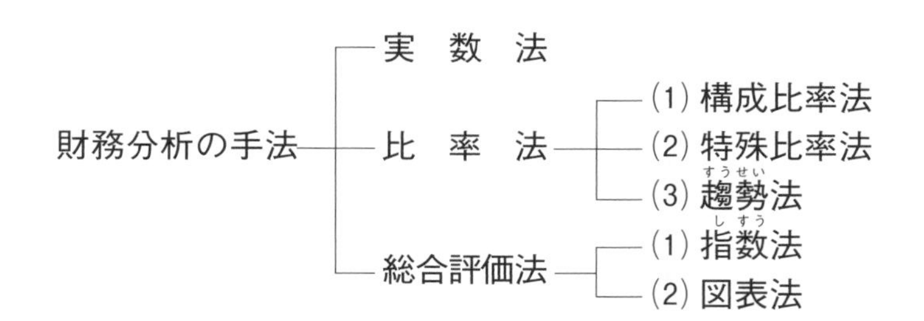

実数法

実数法とは，財務諸表項目などの数値を実数（金額等）のままで分析する方法をいいます。

実数法には，データの実数を分析対象とする単純実数分析[01]の他に，２期間以上のデータを比較して差額を求め，その増減の原因分析をする比較増減分析[02]，図表や算式を用いて，費用・収益間などの相互間の均衡点や分岐点を求める関数均衡分析[03]があります。

01）限界利益(げんかいりえき)や付加価値の算定が，これに該当します。
02）資金増減分析，利益増減分析，原価差異分析が，これに該当します。
03）損益分岐点分析が，これに該当します。

実数法の分析 実数法の主な分析を示すと以下のとおりです。

資金増減分析… 企業の資金の変動状況を分析することにより，財務構造を明らかにする方法。例：資金運用表分析

利益増減分析… 損益計算書により，前年度に対する当年度利益の増減内容を分析し，その原因を明らかにする方法。

原価差異分析… 原材料，労務費および経費について，標準原価などと比較して，その差異の原因を明らかにする方法。

損益分岐点分析… 損益分岐点を求めることにより，企業の損益構造を明らかにする方法。

実数法の長所 ● 金額などをそのまま分析するのでわかりやすい。
実数法の短所 ● 規模に差のある企業間の比較では意味をなさないことが多い。

比率法

比率法とは，財務諸表やその他の財務資料[04]から各項目間の比率（相対値）を求め，これによって，その企業の経営能率を分析する方法をいいます。

比率法は，⑴**構成比率法**，⑵**特殊比率法**，⑶**趨勢法**の３つに大別できます。

04）従業員数などです。

(1)構成比率法 ● 構成比率法とは**百分率法**とも呼ばれ，財務諸表の全体の数値（損益計算書→完成工事高，貸借対照表→総資本額）に占める構成要素の数値の比率を算出して，その内容を分析する方法です。

具体例として①**百分率損益計算書**[05]，②**百分率貸借対照表**[05]があげられます。

05）構成比率を示した財務諸表は，有価証券報告書に掲載されています。

①百分率損益計算書 ● 損益計算書の売上高を100とし，諸損益項目を売上高に対する百分率で示したものです。企業の損益構造の把握に有用です。

百分率損益計算書　　　（単位：百万円）

年度 ／ 項目	自×1年4月1日	至×2年3月31日
	金額	構成比
Ⅰ 完成工事高	200,000	100.0%
Ⅱ 完成工事原価	156,000	78.0
完成工事総利益	44,000	22.0
Ⅲ 販売費及び一般管理費	28,000	14.0
営業利益	16,000	8.0
Ⅳ 営業外収益	8,000	4.0
Ⅴ 営業外費用	12,000	6.0
経常利益	12,000	6.0
Ⅵ 特別利益	1,000	0.5
Ⅶ 特別損失	1,200	0.6
税引前当期純利益	11,800	5.9
法人税等	5,000	2.5
当期純利益	6,800	3.4

②百分率貸借対照表

貸借対照表の総資本額（＝総資産額）を100とし，資産，負債，純資産の諸項目を総資本額に対する百分率で示したものです。企業の資産構成や資本構成の把握に有用です。

百分率貸借対照表

×2年3月31日　　（単位：百万円）

項　目	金額	構成比	項　目	金額	構成比
〔資産の部〕		%	〔負債の部〕		%
流動資産			流動負債		
現金及び預金	22,000	11.0	支払手形	18,000	9.0
受取手形	10,000	5.0	工事未払金	22,000	11.0
完成工事未収入金	32,000	16.0	未成工事受入金	41,000	20.5
有価証券	12,000	6.0	引当金	800	0.4
未成工事支出金	36,000	18.0	その他	10,200	5.1
その他	5,000	2.5	流動負債合計	92,000	46.0
流動資産合計	117,000	58.5	固定負債	38,000	19.0
固定資産			負債合計	130,000	65.0
有形固定資産	61,000	30.5			
無形固定資産	1,000	0.5	〔純資産の部〕		
投資その他の資産	21,000	10.5	Ⅰ株主資本		
固定資産合計	83,000	41.5	資本金	20,000	10.0
			資本剰余金	15,000	7.5
			利益剰余金	35,000	17.5
			純資産合計	70,000	35.0
資産合計	200,000	100.0	負債・純資産合計	200,000	100.0

構成比率法の長所

①財務諸表の各構成要素が百分率で表されるため，その企業の構造的な特徴が容易に把握できる。
②期間比較や企業間比較が容易に行える。
③構成要素の比率の異常な変化から粉飾の発見に役立つことがある。

(2)特殊比率法

特殊比率法とは，財務諸表上の関連性のある２項目間（例：流動資産と流動負債）の比率を求め，企業の状況を分析する方法です。
特殊比率法は，その用いる項目によって２つに分類されます。

- **静態比率** [06]…２項目とも貸借対照表項目を用いる比率
- **動態比率** [07]…損益計算書項目と貸借対照表項目との比率，または２項目とも損益計算書項目を用いる比率

なお，具体的に企業の状況の良否を判定する際には，単純に２つの企業の比率を比較する場合と，同業種の平均値などの標準的な比率と比較する [08] 場合があります。

06）企業の財政状態の良否の判定に有効です。流動比率，当座比率などが該当します。
07）一定期間の企業の動向を示す比率です。自己資本回転率，棚卸資産回転率などが該当します。
08）標準比率法と呼ばれます。

特殊比率法の長所

企業規模が異なる場合でも企業間比較が可能である。

特殊比率法の短所

①特殊比率は業界によって大幅に異なるので，異業種間の比較は難しい。
②比率の算定の基礎として財務諸表の数値を用いるので，会計処理基準などが異なる場合には有効な分析とならないことがある。

趨勢法

趨勢法とは，ある任意の年度を基準年度と決め，その年度の財務諸表の各項目の数値を100とし，その後の年度の数値を基準年度に対する百分率として示し，各項目の変動傾向(趨勢)を分析する方法です。

この方法は，主として企業の成長性の把握に役立ちます。

また，趨勢法は，基準年度の決め方により２つに分けられます。

固定基準法…基準年度を固定して趨勢比率を算定する方法
移動基準法…常に前年度を基準年度とし，当年度の趨勢比率を算定する方法

決算期末	売上高(百万円)	趨勢比率	
		固定基準法	移動基準法
×９年３月	200,000	100%	——
×10年３月	240,000	120	120%
×11年３月	230,000	115[09]	96[10]
×12年３月	260,000	130[11]	113[12]

09) $115\% = \frac{230,000}{200,000} \times 100$

10) $96\% \fallingdotseq \frac{230,000}{240,000} \times 100$

11) $130\% = \frac{260,000}{200,000} \times 100$

12) $113\% \fallingdotseq \frac{260,000}{230,000} \times 100$

趨勢法の長所

①数期間の数値を分析することにより，趨勢が容易に把握できる。
②比率の算定が容易である。

趨勢法の短所

①現在の財政状態や経営成績の問題点(原因)が明確になりにくい。
②基準年度のとり方によっては経営成績の動向を把握できないことがある。

総合評価法

総合評価法とは，各比率の結果を総合して企業の経営内容を評価する方法[13]です。

個々の比率は，企業の状況を部分的には示してくれるものの，企業全体としての評価を表現してくれるものではありません。そこで個々の比率を総合して評価するために総合評価法が考えられました。

総合評価法にはいくつかの方法がありますが，ここでは，点数化による総合評価法として⑴**指数法**を，図表化による総合評価法として⑵**図表法**を見ていきます。

13) 分析する方法というよりも評価する方法です。

(1)指数法

指数法は**ウォール**によって提案された方法であり，標準状態にある企業の指数を100として，分析対象の企業が100を上回るか否かによって，その経営状態を総合的に評価する方法です。

作成手順

①分析の目的によって数個の比率を選択します。
②合計が100になるように各比率にウエイトをつけます。
③同業種の平均値などにより各比率の標準比率を求めます。
④財務諸表に基づいて分析対象の企業の実際比率を算定します。
⑤④を③で割って，標準比率における実際比率の割合，つまり関係比率を求めます。
⑥関係比率にウエイトを乗じて評点を求め，その値を合計します。

評点の合計が100を上回っていれば経営状態はよく，下回っていれば経営状態は悪いと評価されます[14]。

14）採用した指標は，その値が高いほうが良好，低ければ不良と仮定します。したがって固定比率や負債比率など，その値が低いほうが良好となるものは計算式の分子と分母を逆にして計算します。

ウォール指数法による総合評価法

① 選択された比率	② ウエイト	③ 標準比率	④ 企業の実際比率	⑤関係比率 ④／③	⑥ 評　点 ②×⑤
流　動　比　率	25	200 %	180 %	90 %	22.5
自己資本／固定資産	20	220	200	91	18.2
自己資本／負　債	20	150	160	107	21.4
売　上／売掛債権	15	600	520	87	13.05
売　上／棚卸資産	5	800	810	101	5.05
売　上／固定資産	10	400	360	90	9.0
売　上／自己資本	5	300	300	100	5.0
	100				94.2

指数法の長所

①経営全体の評価が評点によって明確になされる。
②標準比率との関連で企業間比較が可能になる。

指数法の短所

①標準比率の選択やウエイトのつけ方に恣意性が介入する恐れがある。
②標準比率は業種によって異なるため，事業を多角化した企業の場合にはその算定が困難になる。

(2)図表法

図表法とは，図や表を使うことにより総合的に企業評価を行う方法です。

その代表的なものとして，レーダーチャートによる方法やフェイスによる方法があります。

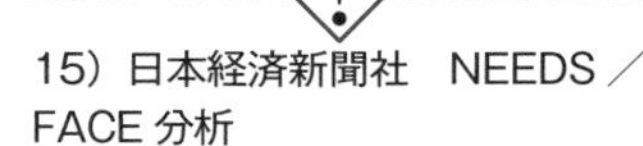

15）日本経済新聞社　NEEDS／FACE分析

〈レーダーチャートによる方法〉

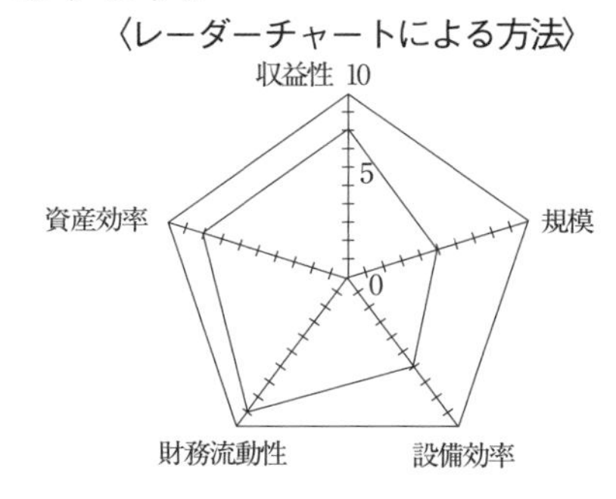

〈フェイスによる方法[15]〉

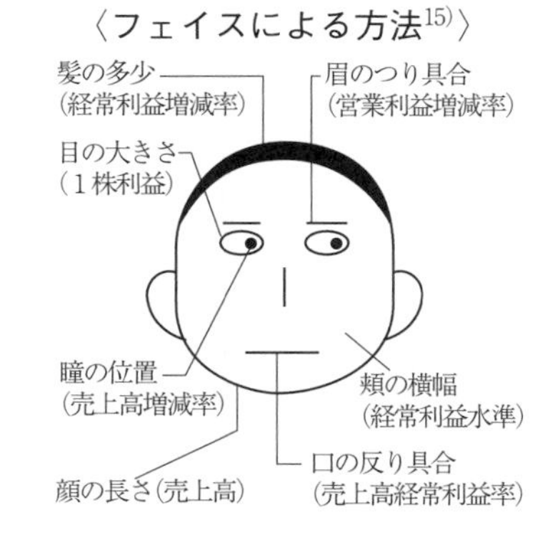

例題　財務分析の手法

次の文章の空欄に適当な言葉をあてはめなさい。

(1)　企業の状況を知るための手法には，大別して［　①　］［　②　］総合評価法がある。

(2)　［　①　］とは，財務諸表項目等の数値を金額等［　③　］をのままで分析する方法をいう。

(3)　［　②　］とは，財務諸表等から各項目間の比率を求めて分析する方法をいう。構成比率法，［　④　］，［　⑤　］の3つに大別できる。

・構成比率法とは，財務諸表の全体における構成要素の割合を算出して分析する方法で，具体的には［　⑥　］，［　⑦　］などがあげられる。

・［　④　］とは，財務諸表上関連のある2項目間の比率を求めて分析する方法である。

・［　⑤　］とは，任意の年度を基準年度と決めてその年度の財務諸表項目の数値を100とし，その後の年度の数値を基準年度の百分率として示す各項目の［　⑧　］を分析する方法である。

(4)　総合評価法とは，各比率の結果を総合して［　⑨　］を評価する方法をいう。主なものとして［　⑩　］と図表法があげられる。

・［　⑩　］とは，［　⑪　］によって提案された方法であり，標準状態にある企業の指数を100として，分析対象の企業がそれを上回るかどうかで［　⑨　］を評価する方法である。

・図表法とは，図や表を使うことで，企業を総合的に評価する方法である。

解答欄

①		②		③	
④		⑤		⑥	
⑦		⑧		⑨	
⑩		⑪			

解答

①	実数法	②	比率法	③	実　数
④	特殊比率法	⑤	趨勢法	⑥	百分率貸借対照表
⑦	百分率損益計算書	⑧	変動傾向（趨勢）	⑨	企業の経営内容
⑩	指数法	⑪	ウォール		

Chapter 2

財務分析

この章では，S建設会社の営業部課長代理であった清水氏が財務部課長に昇進し，どうすればよいのかわからなかったので，とりあえず飛騨財務部長のアドバイスどおり財務分析をしてみるところから始まります。清水課長は，いろいろな分析をして自社の全体像を把握していきます。

Chapter 2では，あなたも清水課長と一緒に財務分析をしながら，建設業経理士の試験に必要な知識を習得してください。

注 本文中の算式の横には，下のようなマークが付されています。

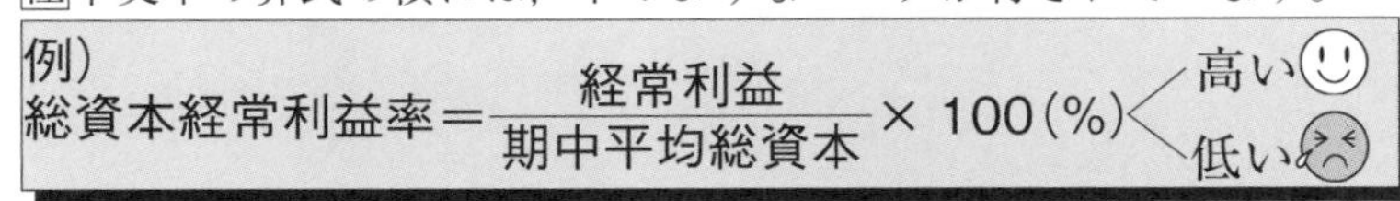

例）
総資本経常利益率＝経常利益／期中平均総資本×100（%）
高い
低い

これは，次のように理解してください。

高い…総資本経常利益率が高いと企業の状態は良いと判断する。

低い…総資本経常利益率が低いと企業の状態は悪いと判断する。

重要度 ◈◈

目的別財務分析

はじめに ■ S 建設会社に勤めている清水氏は，X11 年 8 月 1 日の人事異動で，営業部課長代理から財務部課長に昇進しました。経験のない部署なので，基礎的な知識を得ようと，飛騨財務部長のアドバイスを求めたところ，「我が社の財務諸表を分析してみなさい」と言われました。そこで，自社（S 社）とライバル会社 T 社の貸借対照表と損益計算書を比較しながら分析していくことにしました。

目的別財務分析とその方法

01）図の中における「2-2」は，「Chapter2，Section2 参照」を示します。

財務分析はその目的によって Chapter 1 で述べたとおり，以下のように分類できます[01)]。

財務分析 ― 分析方法

- 2-2.収益性分析（収益獲得能力の分析）……総資本経常利益率，損益分岐点比率など
- 2-3.安全性分析（支払能力の分析）
  - 2-3①流動性分析（資金繰りの状態の分析）……流動比率，流動負債比率など
  - 2-3②健全性分析（財務体質の分析）……自己資本比率，配当性向など
  - 3-1資金変動性分析（資金繰りの変動の分析）……資金運用表，資金収支表の作成など
- 2-4.活動性分析（資本・資産の運用効率の分析）……総資本回転率，棚卸資産回転率など
- 2-5.生産性分析（生産要素の利用度の分析）……労働生産性，資本集約度など
- 2-6.成長性分析（発展・将来性の分析）……完成工事高増減率，総資本増減率など

財務諸表 S社およびT社の貸借対照表と損益計算書は以下のとおりです。下記資料を用いて，Section 2以降の分析をみていきましょう。

〔S建設会社[02)]〕

貸借対照表（単位：百万円）

	×11.3.31	×12.3.31		×11.3.31	×12.3.31
〔資産の部〕			〔負債の部〕		
Ⅰ流動資産			Ⅰ流動負債	500	600
当座資産	300	500	Ⅱ固定負債	100	300
棚卸資産	200	300	負債合計	600	900
流動資産合計	500	800	〔純資産の部〕		
Ⅱ固定資産	300	400	Ⅰ株主資本		
			1資本金	80	120
			2資本剰余金	20	25
			3利益剰余金		
			利益準備金	20	25
			任意積立金	30	30
			繰越利益剰余金	50	100
			純資産合計	200	300
資産合計	800	1,200	負債・純資産合計	800	1,200

損益計算書（単位：百万円）

	×10.4.1〜×11.3.31	×11.4.1〜×12.3.31
Ⅰ完成工事高	1,000	1,200
Ⅱ完成工事原価	700	800
完成工事総利益	300	400
Ⅲ販管費	200	220
営業利益	100	180
Ⅳ営業外収益	80	60
Ⅴ営業外費用	120	80
経常利益	60	160
Ⅵ特別利益	10	30
Ⅶ特別損失	20	10
税引前当期純利益	50	180
法人税，住民税及び事業税	25	90
当期純利益	25	90

完成工事原価報告書（単位：百万円）

	×10.4.1〜×11.3.31	×11.4.1〜×12.3.31
Ⅰ材料費	150	150
Ⅱ労務費	150	150
Ⅲ外注費	300	400
Ⅳ経費	100	100
合計	700	800

〔T建設会社[03)]〕

貸借対照表（単位：百万円）

	×11.3.31	×12.3.31		×11.3.31	×12.3.31
〔資産の部〕			〔負債の部〕		
Ⅰ流動資産			Ⅰ流動負債	1,100	1,250
当座資産	700	1,100	Ⅱ固定負債	100	350
棚卸資産	300	400	負債合計	1,200	1,600
流動資産合計	1,000	1,500	〔純資産の部〕		
Ⅱ固定資産	500	600	Ⅰ株主資本		
			1資本金	100	220
			2資本剰余金	50	75
			3利益剰余金		
			利益準備金	20	25
			任意積立金	90	120
			繰越利益剰余金	40	60
			純資産合計	300	500
資産合計	1,500	2,100	負債・純資産合計	1,500	2,100

損益計算書（単位：百万円）

	×10.4.1〜×11.3.31	×11.4.1〜×12.3.31
Ⅰ完成工事高	800	1,200
Ⅱ完成工事原価	580	900
完成工事総利益	220	300
Ⅲ販管費	120	150
営業利益	100	150
Ⅳ営業外収益	40	75
Ⅴ営業外費用	50	100
経常利益	90	125
Ⅵ特別利益	5	5
Ⅶ特別損失	15	10
税引前当期純利益	80	120
法人税，住民税及び事業税	40	60
当期純利益	40	60

完成工事原価報告書（単位：百万円）

	×10.4.1〜×11.3.31	×11.4.1〜×12.3.31
Ⅰ材料費	120	200
Ⅱ労務費	160	200
Ⅲ外注費	220	400
Ⅳ経費	80	100
合計	580	900

02）S建設会社参考資料

①配当金

	×11.6.27	×12.6.27
配当金	10	25

②期末従業員数　×11.3.31　210人　×12.3.31　190人

③資産（百万円）

	×11.3.31	×12.3.31
現金預金	100	150
受取手形	100	200
完成工事未収入金	100	150
未成工事支出金	200	300
有形固定資産	200	300
建設仮勘定	80	50
投資資産	20	50

④負債（百万円）

	×11.3.31	×12.3.31
支払手形	100	200
工事未払金	100	200
未成工事受入金	200	100
短期借入金	100	100
長期借入金	100	300

⑤その他（百万円）

	×11.3.31	×12.3.31
支払利息	80	80
受取利息	40	50

03）T建設会社参考資料

①配当金

	×11.6.27	×12.6.27
配当金	10	15

②期末従業員数　×11.3.31　380人　×12.3.31　420人

③資産（百万円）

	×11.3.31	×12.3.31
現金預金	200	300
受取手形	300	450
完成工事未収入金	200	350
未成工事支出金	300	400
有形固定資産	400	500
建設仮勘定	50	50
投資資産	50	50

④負債（百万円）

	×11.3.31	×12.3.31
支払手形	250	300
工事未払金	250	400
未成工事受入金	500	400
短期借入金	100	150
長期借入金	100	350

⑤その他（百万円）

	×11.3.31	×12.3.31
支払利息	40	100
受取利息	20	70

2 重要度◈◈◈◈◈

収益性分析

はじめに ■ 営業部に在籍していた頃の清水課長は，売上をあげ，利益を獲得することをつねに意識する優秀な営業マンでした。立場上，顧客から値切られることの多かった彼はまず自分の会社がどのくらい収益をあげているのか，つまり会社の収益獲得状況が気になりました。
そこで，清水課長は収益性から分析することにしました。

収益性分析とは

収益性分析は，**企業の収益の獲得状況**を分析することをいいます。企業の目的が，利益の極大化であることを考慮すると，収益性分析は最も重要な分析であるといえます。

収益性比率 ● 収益獲得能力を分析するために以下の比率を使用します。

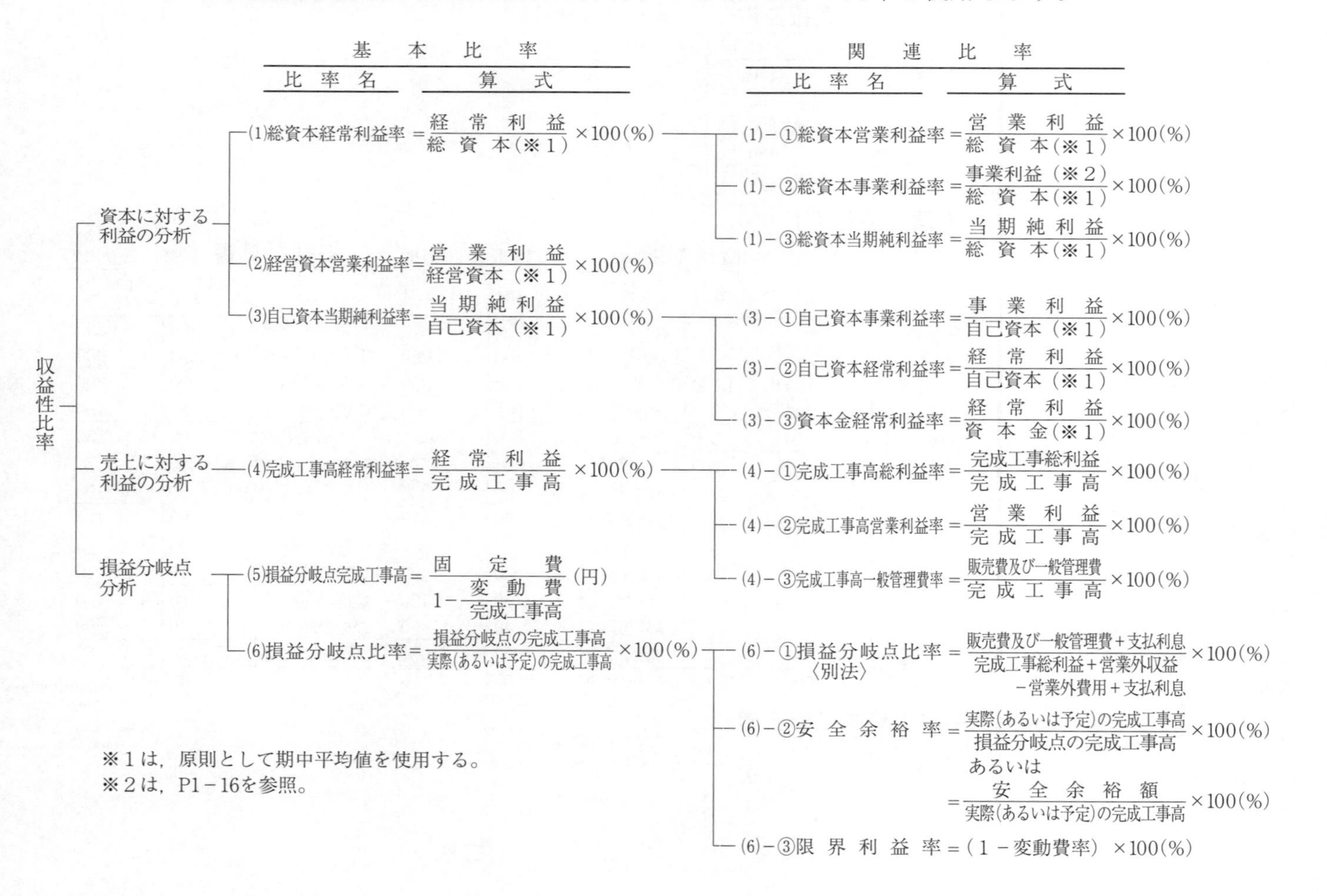

資本（純資産）に対する利益の分析

01）総資本＝負債・純資産合計＝資産合計
02）経営資本＝総資本―（建設仮勘定＋未稼働資産＋投資資産＋繰延資産＋その他営業活動に直接参加していない資産）
03）自己資本＝純資産
04）工事による粗利益。売上総利益にあたります。
05）営業活動の成果を表す利益。
06）他人資本利子（支払利息等）控除前の経常利益。
07）経常的な経営活動の業績を表す利益。
08）当期の法人税等を差し引く前の最終的な成果を表す利益。
09）当期の法人税等を差し引いた後の最終的な成果を表す利益。

企業の収益性に関する分析は，一般に資本利益率を中心に行われます。資本利益率は，一定期間における利益額とそれを得るために使用された資本の額との比率です。

資本および利益にはさまざまな種類があります。一般的には以下のような組合わせが考えられますが，分析目的によってどの資本利益率を用いるかが決められます。

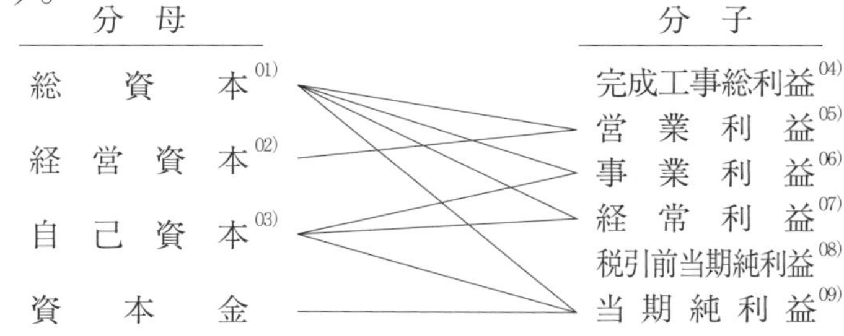

ここでは，総資本に対する利益の分析，経営資本に対する利益の分析，自己資本に対する利益の分析，そして資本金に対する利益の分析に分けて説明します。

総資本に対する利益の分析

総資本に対する利益の割合によって収益性を分析するとき，まず(1)**総資本経常利益率**を見るのが一般的です。

(1)総資本経常利益率

$$\text{総資本経常利益率} = \frac{\text{経常利益}}{\text{期中平均総資本}^{10)}} \times 100(\%) \left\langle \begin{array}{l}\text{高い}\\\text{低い}\end{array}\right.$$

10）総資本経常利益率における総資本は一会計期間の経常的な経営結果に対するものなので，期首総資本と期末総資本の平均値を用います。

企業が経営活動のために投資した総資本に対して，どれだけの経常的な利益があがったかを表します。企業の収益性を総合的に表すもっとも重要な比率です。

	S建設会社		T建設会社	
	前　期	当　期	前　期	当　期
総資本（百万円）	800	1,200	1,500	2,100
経常利益（百万円）	60	160	90	125
総資本経常利益率	—	16.00％ 11)	—	6.94％ 12)

11) $16.00\% = \frac{160}{(800+1{,}200)\div 2} \times 100$

12) $6.94\% \fallingdotseq \frac{125}{(1{,}500+2{,}100)\div 2} \times 100$

収益性を表す総資本経常利益率では当社がＴ社を大きく上回り，清水課長は収益性では全般的にＴ社より優れていることを知りました。

次に，総資本経常利益率の関連比率である(1)－①**総資本営業利益率**，(1)－②**総資本事業利益率**，(1)－③**総資本当期純利益率**を見ていきます。これらの指標から，利益の獲得方法が判断できます。

(1)－①総資本営業利益率

$$総資本営業利益率 = \frac{営業利益}{期中平均総資本} \times 100(\%) \left\langle \begin{array}{l} 高い \\ 低い \end{array} \right.$$

企業が投下した総資本に対して，営業活動においてどれだけの利益があがったかを表します。

(1)－②総資本事業利益率

$$総資本事業利益率 = \frac{事業利益^{13)}}{期中平均総資本} \times 100(\%) \left\langle \begin{array}{l} 高い \\ 低い \end{array} \right.$$

企業が投下した総資本に対して，どれだけの利益が事業活動においてあがったかを表します。ここでの**事業活動**とは，**企業が経常的に行う活動のうち資金調達活動以外の活動**を指します。

事業利益[14]＝**経常利益＋支払利息**（下記参照）
支払利息[15]＝借入金利息＋社債利息
＋その他他人資本に付される利息（これを他人資本利子という）

13）総資本経常利益率は経常利益を前提とするため，資金調達にかかわるコストの一部（他人資本利子）は控除され，一部（支払配当金など）は控除されない利益が対象になります。この矛盾を解決するために，総資本事業利益率が用いられます。

14）支払利息等控除前の経常利益を表しています。

15）支払利息（百万円）

	前期	当期
S社	80	80
T社	40	100

(1)－③総資本当期純利益率

$$総資本当期純利益率 = \frac{当期純利益}{期中平均総資本} \times 100(\%) \left\langle \begin{array}{l} 高い \\ 低い \end{array} \right.$$

企業が投下した総資本に対して，どれだけの利益が当期の全活動においてあがったかを表します。

	S建設会社		T建設会社	
	前　期	当　期	前　期	当　期
総 資 本（百万円）	800	1,200	1,500	2,100
営業利益（百万円）	100	180	100	150
事業利益（百万円）	140 [16]	240 [17]	130 [18]	225 [19]
当期純利益（百万円）	25	90	40	60
総資本営業利益率	――	18.00% [20]	――	8.33% [21]
総資本事業利益率	――	24.00% [22]	――	12.50% [23]
総資本当期純利益率	――	9.00% [24]	――	3.33% [25]

清水課長はどの部分の収益性がT社より優れているのかを分析するために他の総資本利益率も算定してみましたが，当社のほうがすべて優っていることがわかりました。

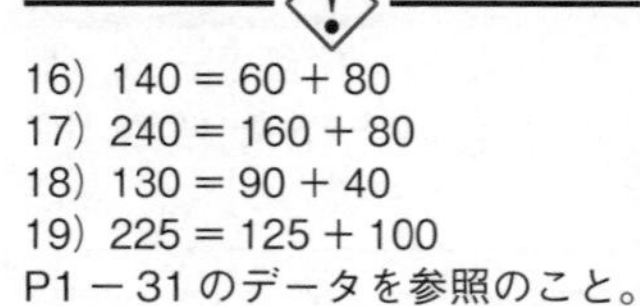

16）140＝60＋80
17）240＝160＋80
18）130＝90＋40
19）225＝125＋100
P1－31のデータを参照のこと。

20）$18.00\% = \frac{180}{(800 + 1{,}200) \div 2} \times 100$

21）$8.33\% \fallingdotseq \frac{150}{(1{,}500 + 2{,}100) \div 2} \times 100$

22）$24.00\% = \frac{240}{(800 + 1{,}200) \div 2} \times 100$

23）$12.50\% = \frac{225}{(1{,}500 + 2{,}100) \div 2} \times 100$

24）$9.00\% = \frac{90}{(800 + 1{,}200) \div 2} \times 100$

25）$3.33\% \fallingdotseq \frac{60}{(1{,}500 + 2{,}100) \div 2} \times 100$

経営資本に対する利益の分析

次に，経営資本に対する利益の分析を見ていきます。

(2)－経営資本営業利益率

$$経営資本営業利益率=\frac{営業利益}{期中平均経営資本}\times 100(\%)$$ 高い／低い

企業が営業活動に投下した資本(経営資本)に対して，営業活動においてどれだけの利益があがったかを表します。

経営資本＝総資本－(建設仮勘定[26]＋未稼働資産＋投資資産[27]＋繰延資産＋その他営業活動に直接参加していない資産)

	S建設会社		T建設会社	
	前期	当期	前期	当期
経営資本(百万円)	700[28]	1,100[29]	1,400[30]	2,000[31]
営業利益(百万円)	100	180	100	150
経営資本営業利益率	――	20.00%[32]	――	8.82%[33]

注：ただし，未稼働資産，繰延資産，その他営業活動に参加していない資産は，両社とも0だったとする。

清水課長は次に経営資本をベースに営業利益の割合を算出してみました。するとT社よりも10%以上も高いことが判明しました。つまり当社はT社より経営資本を効率よく使い営業利益を獲得しているということがわかったのです。

26) 建設仮勘定（百万円）

	前期	当期
S社	80	50
T社	50	50

27) 投資資産（百万円）

	前期	当期
S社	20	50
T社	50	50

28) 700＝800－(80＋20)
29) 1,100＝1,200－(50＋50)
30) 1,400＝1,500－(50＋50)
31) 2,000＝2,100－(50＋50)
32) $20.00\%=\frac{180}{(700+1{,}100)\div 2}\times 100$
33) $8.82\%\fallingdotseq\frac{150}{(1{,}400+2{,}000)\div 2}\times 100$

自己資本に対する利益の分析

自己資本における利益の分析は，株主の出資に対する企業の貢献度(こうけんど)を表します。

(3)自己資本当期純利益率

$$自己資本当期純利益率=\frac{当期純利益}{期中平均自己資本}\times 100(\%)$$ 高い／低い

企業が当期において，株主の出資に対してどれだけの利益を達成したかを表します。つまり，企業の株主に対する当期業績の貢献度を指します。

次に(3)－①自己資本事業利益率，(3)－②自己資本経常利益率，(3)－③資本金経常利益率について見ていきます。

(3)－①自己資本事業利益率

$$自己資本事業利益率=\frac{事業利益}{期中平均自己資本}\times 100(\%)$$ 高い／低い

株主から提供された資本を用いて，企業がどれだけ事業活動を行い，利益を得たかを表します。

(3)－②自己資本経常利益率

$$自己資本経常利益率 = \frac{経常利益}{期中平均自己資本} \times 100(\%) \left\langle \begin{array}{l} 高い \\ 低い \end{array} \right.$$

株主から提供された資本を用いて，企業がどれだけ経常利益を獲得したかを表します。

(3)－③資本金経常利益率

$$資本金経常利益率 = \frac{経常利益}{期中平均資本金} \times 100(\%) \left\langle \begin{array}{l} 高い \\ 低い \end{array} \right.$$

自己資本のうちの資本金と経常利益との関係を表す比率です。資本金に対する収益力がどの程度あるかを示します。

	S建設会社		T建設会社	
	前期	当期	前期	当期
自己資本（百万円）	200	300	300	500
資本金（百万円）	80	120	100	220
営業利益（百万円）	100	180	100	150
事業利益（百万円）	140	240	130	225
経常利益（百万円）	60	160	90	125
当期純利益（百万円）	25	90	40	60
自己資本当期純利益率	―――	36.00%[34]	―――	15.00%[35]
自己資本事業利益率	―――	96.00%[36]	―――	56.25%[37]
自己資本経常利益率	―――	64.00%[38]	―――	31.25%[39]
資本金経常利益率	―――	160.00%[40]	―――	78.13%[41]

今度は清水課長は自己資本をベースにした利益を算定してみましたが，総資本で計算したときと同様にすべて当社のほうが優っていることがわかりました。また，資本金をベースにした分析でも当社の勝ちでした。

34) $36.00\% = \frac{90}{(200+300) \div 2} \times 100$

35) $15.00\% = \frac{60}{(300+500) \div 2} \times 100$

36) $96.00\% = \frac{240}{(200+300) \div 2} \times 100$

37) $56.25\% = \frac{225}{(300+500) \div 2} \times 100$

38) $64.00\% = \frac{160}{(200+300) \div 2} \times 100$

39) $31.25\% = \frac{125}{(300+500) \div 2} \times 100$

40) $160.00\% = \frac{160}{(80+120) \div 2} \times 100$

41) $78.13\% \fallingdotseq \frac{125}{(100+220) \div 2} \times 100$

資本利益率の分解

資本利益率とは，収益性についての総合的指標です。このため資本利益率は，さまざまな要因によって影響を受けます。したがって，資本利益率の変動の原因や収益構造の特徴を分析するには，この指標を分解する必要があります。

資本利益率は分子と分母に完成工事高を入れることによって，次のように分解できます。

$$資本利益率＝完成工事高利益率×資本回転率$$

$$\frac{利益}{期中平均資本}=\frac{利益}{完成工事高}\times\frac{完成工事高}{期中平均資本}$$

完成工事高利益率は，完成工事高に対する利益の比率で，企業の採算性を示します。資本回転率は，資本が営業活動にどれだけ利用されたかという資本の利用度を表します。

	S建設会社		T建設会社	
	前　期	当　期	前　期	当　期
総 資 本（百万円）	800	1,200	1,500	2,100
経常利益（百万円）	60	160	90	125
完成工事高（百万円）	1,000	1,200	800	1,200
総資本経常利益率	―――	16.00%[42]	―――	6.94%[43]
完成工事高経常利益率	6.00%	13.33%[44]	11.25%	10.42%[45]
総資本回転率	―――	1.2回[46]	―――	0.67回[47]

「完成工事高利益率に資本回転率を掛けると，資本利益率になる」と飛騨部長に教えられたものの，その意味がわからなかった清水課長は以下のように式を展開して，やっと納得できました。

$$資本利益率=\frac{利益}{期中平均資本}=\frac{利益}{期中平均資本}\times\frac{完成工事高}{完成工事高}=\frac{利益\times完成工事高}{完成工事高\times期中平均資本}$$

$$=\frac{利益}{完成工事高}\times\frac{完成工事高}{期中平均資本}=完成工事高利益率\times資本回転率$$

数値はライバルT社と比べても問題のないことがわかりました。

42) $16.00\%=\frac{160}{(800+1,200)\div2}\times100$

43) $6.94\%\fallingdotseq\frac{125}{(1,500+2,100)\div2}\times100$

44) $13.33\%\fallingdotseq\frac{160}{1,200}\times100$

45) $10.42\%\fallingdotseq\frac{125}{1,200}\times100$

46) $1.2回=\frac{1,200}{(800+1,200)\div2}$

47) $0.67回\fallingdotseq\frac{1,200}{(1,500+2,100)\div2}$

try it　例題　総資本経常利益率

Q

次の資料により，秋田建工株式会社の総資本経常利益率を求めなさい。なお，解答にさいして端数が生じた場合には，小数点第３位を四捨五入し，第２位まで求めること。

完成工事高	12,791 百万円
完成工事原価	11,046 百万円
販売費及び一般管理費	1,283 百万円
営業外収益	82 百万円
営業外費用	319 百万円
総資本	12,996 百万円

解答

総資本経常利益率　*1.73*（%）

経常利益：12,791－11,046－1,283＋82－319＝225

$$\therefore\ \frac{225}{12,996}\times100\fallingdotseq1.73(\%)$$

売上に対する利益の分析

ここで，売上に対する利益の分析をしてみましょう。売上に対する利益の割合から，費用とその成果の効率を見ることができます。

(4)完成工事高経常利益率

$$完成工事高経常利益率=\frac{経常利益}{完成工事高}\times 100(\%)$$ 高い☺ 低い☹

完成工事高に対する経常利益の割合，すなわち経常的な経営活動の結果得た利益が完成工事高に対してどれだけであったかを表す重要な比率です。

以下，(4)−①完成工事高総利益率，(4)−②完成工事高営業利益率，(4)−③**完成工事高一般管理費率**の順に見ていき，収益をどのように獲得しているのかを分析します。

(4)−①完成工事高総利益率

$$完成工事高総利益率=\frac{完成工事総利益}{完成工事高}\times 100(\%)$$ 高い☺ 低い☹

完成工事高に対する総利益がどのくらいあがったか(工事採算性)を示し，期間損益の源泉を表します。

(4)−②完成工事高営業利益率

$$完成工事高営業利益率=\frac{営業利益}{完成工事高}\times 100(\%)$$ 高い☺ 低い☹

完成工事高に対して，どれだけの営業利益があがったかを表します。つまり，企業本来の営業活動による収益力を表し，工事採算性や販売費及び一般管理費の数値に左右されます。

(4)−③完成工事高一般管理費率

$$完成工事高一般管理費率=\frac{販売費及び一般管理費}{完成工事高}\times 100(\%)$$ 高い☹ 低い☺

完成工事高に対する現場経費以外の管理費用の割合を表します。

48) 13.33%≒$\frac{160}{1,200}$×100

49) 10.42%≒$\frac{125}{1,200}$×100

50) 33.33%≒$\frac{400}{1,200}$×100

51) 25.00%=$\frac{300}{1,200}$×100

52) 15.00%=$\frac{180}{1,200}$×100

53) 12.50%=$\frac{150}{1,200}$×100

54) 18.33%≒$\frac{220}{1,200}$×100

55) 12.50%=$\frac{150}{1,200}$×100

	S建設会社		T建設会社	
	前　期	当　期	前　期	当　期
完成工事高（百万円）	1,000	1,200	800	1,200
経常利益（百万円）	60	160	90	125
完成工事総利益（百万円）	300	400	220	300
営業利益（百万円）	100	180	100	150
支払利息等（百万円）	80	80	40	100
販売費及び一般管理費（百万円）	200	220	120	150
完成工事高経常利益率	6.00%	13.33%[48)]	11.25%	10.42%[49)]
完成工事高総利益率	30.00%	33.33%[50)]	27.50%	25.00%[51)]
完成工事高営業利益率	10.00%	15.00%[52)]	12.50%	12.50%[53)]
完成工事高一般管理費率	20.00%	18.33%[54)]	15.00%	12.50%[55)]

最後に清水課長は完成工事高をベースにした，それぞれの割合を算定してみました。ここでもやはり当社のほうが上でした。つまり収益性においては全般的にT社より当社のほうが優れていることがわかりました。

try it **例題** 完成工事高総利益率

次の資料により，C社の完成工事高総利益率を算定しなさい。なお，解答にさいして端数が生じた場合には小数点第3位以下を切り捨て，第2位まで記入すること。

■資　料■

完成工事高	397,565千円
完成工事原価	347,750千円

解答

完成工事高総利益率　12.53（%）

・完成工事高総利益率

12.53（%）≒$\frac{397,565-347,750}{397,565}$×100

損益分岐点分析

損益分岐点とは，**工事収益などの収益の額と完成工事原価などの費用の額が等しく利益がゼロとなる完成工事高**をいいます[56]。

56）損益分岐点分析を応用したものに，資本回収点分析というものがあります。
これは，完成工事高と総資本の額が一致する完成工事高のことをいい，本書ではChapter2 Section4 活動性分析で解説しています。

損益分岐点：収益の額 ＝ 費用の額

損益分岐点が低い企業ほど，低い収益の額で利益に転じることを意味します。逆に高い企業では，収益をあげてもなかなか利益にならないことを意味しています。

固定費と変動費

損益分岐点分析を行うには，総費用を固定費と変動費に分解することが必要です。

変動費とは操業度[57]の増減に比例して変動する費用で，**アクティビティ・コスト**とも呼ばれています。その例として，原材料費，燃料費，販売手数料などがあげられます[58]。

また**固定費**とは，操業度の増減に比例せず，一定期間において決まった額だけ発生する費用で，**キャパシティ・コスト**とも呼ばれています。その例としては減価償却費，人件費（出来高払いを除く），保険料などがあります[59]。

57）稼働の度合い。
58）電話料金のように基本料金＋従量料金というものを準変動費といいます。

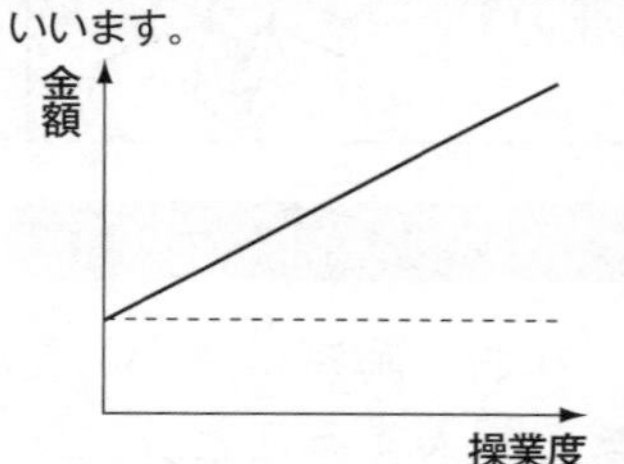

59）製造用機械の減価償却費のように一定の操業度までは定額で，それを超えると（機械の導入により）一挙に上昇し，また安定するというものを準固定費といいます。

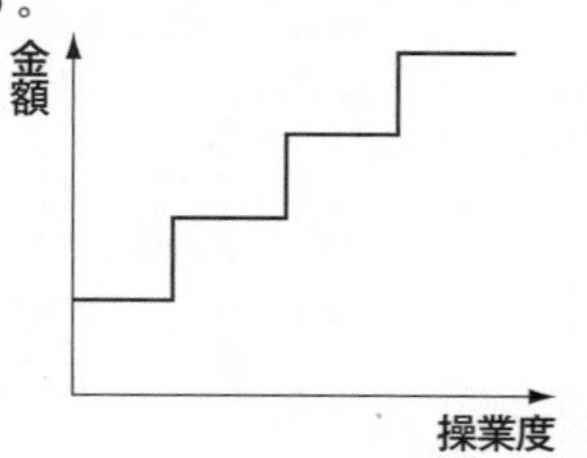

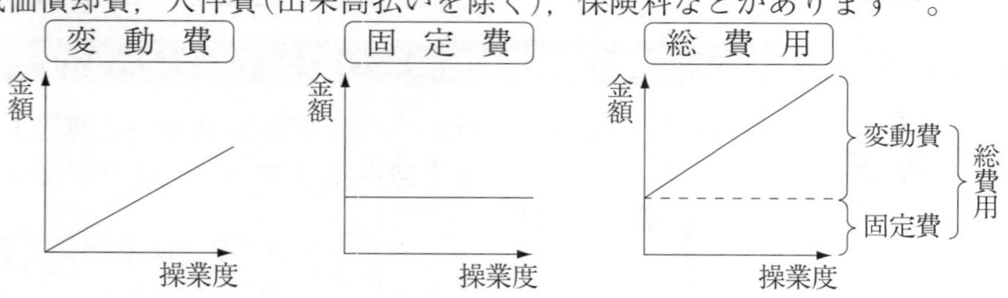

建設業における慣行的な固変区分

変動費	固定費
工事原価 ─ 材料費	販売費及び一般管理費
─ 労務費	支払利息
─ 外注費	
─ 経費	
支払利息以外の営業外費用で営業外収益で賄えない部分	

固定費と変動費の分解方法には以下のものがあります。

固定費・変動費分解の方法
- ①勘定科目精査法
- ②高低２点法
- ③散布図表法（さんぷずひょうほう）
- ④最小自乗法（さいしょうじじょうほう）

①勘定科目精査法

勘定科目精査法とは，個別費用法の１つであり，**それぞれの費用を科目ごとに個別的に固定費と変動費に分解する方法**です。ただし，費用を単に勘定科目別に分解するのではなく，その内容に応じた区分を行わなければなりません。

②高低２点法

高低２点法とは，**２つの異なる操業度**[60)]**における費用**[61)]**の総額を求め，その差額の推移から総費用を固定費と変動費に分解する方法**であり，変動費率法ともいいます。

計算方法としては，まず①変動費率を，次に②変動費の金額を，最後に③固定費の金額を求めます。

①変動費率を求めます。ここで変動費率とは操業度１単位当たりの変動費をさします。

$$変動費率=\frac{総費用の変化額}{操業度の変化分}$$

②次に変動費[62)]を求めます。

変 動 費＝ 変動費率×操 業 度

③最後に固定費を求めます。

固 定 費＝ 総 費 用－変 動 費

60）操業水準，稼働水準ともいいます。
61）ここでいう費用とは，完成工事原価，販売費及び一般管理費，営業外費用の総額をいいます。

62）変動費を求めるさいに操業度に代えて完成工事高を用いることもあります。

$$変動費率=\frac{総費用の変化額}{完成工事高の変化額}$$

変動費＝完成工事高×変動費率

ここで，具体的な数値により，変動費率，変動費，固定費を求めてみます。

	前　期	当　期	差　額
操 業 度（時　間）	100	120	20
総 費 用（百万円）	1,020	1,100	80

$$変動費率=\frac{80}{20}=4（百万円／時間）$$

変動費＝120 × 4 ＝ 480（百万円）

固定費＝1,100 － 480 ＝ 620（百万円）

③散布図表法（スキャッターグラフ法）

散布図表法とは，それぞれの完成工事高に対応する費用の実績値をグラフに記入し，それらの点を多く通るように総費用線を引く方法です。この総費用線が縦軸と交わる点が固定費額を，そしてこの直線の傾きが変動費率を表します。

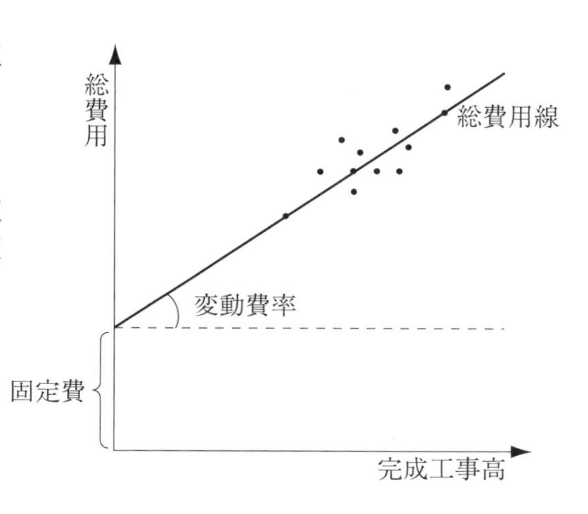

④最小自乗法

63）本試験での出題実績がないので，ここでは簡単に説明します。

最小自乗法[63]とは，過去数年間の完成工事高と費用のデータに数学的な処理を加え，総費用線を求める方法です。これにより，散布図表法により求められる総費用線に客観性を付与することができます。

損益分岐点の算定

64）完成工事高線は縦軸にも横軸にも完成工事高が採られているので，０を起点として45°で右上へ伸びます。
総費用線は完成工事高が０のときにも発生する固定費の額を起点とし，収益の角度（45°）より低い角度（＝変動費率）で右上に伸びます。

完成工事高と総費用，利益および損失の関係は右図のようになっています[64]。

固定費，変動費の合計額が完成工事高を上回っていると損失が発生し，逆に完成工事高が固定費，変動費の合計額を上回ると利益が発生します。

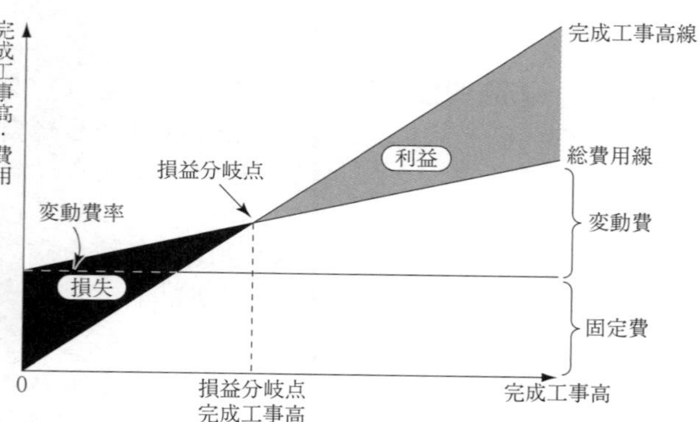

では算式で損益分岐点を求めてみましょう。
損益分岐点は損益がゼロとなる点なので，次の式が導けます。
　損益分岐点における完成工事高－変動費－固定費＝0
　損益分岐点における完成工事高＝変動費＋固定費
また，変動費＝完成工事高×変動費率なので，この式を変形すると
　完成工事高×（1－変動費率）＝固定費　となります。

$$\text{すなわち，損益分岐点における完成工事高} = \frac{\text{固定費}}{1 - \dfrac{\text{変動費}}{\text{実際（または予定）の完成工事高}}}$$

さらに，一定の目標利益をあげるのに必要な完成工事高を求めるには，
　完成工事高－変動費－固定費＝目標利益より，

$$\text{目標利益をあげるための完成工事高} = \frac{\text{固定費} + \text{目標利益}}{1 - \dfrac{\text{変動費}}{\text{実際（または予定）の完成工事高}}}$$

注意　建設業経理士の試験では，便宜的に変動費と固定費を以下のように定めることがあります。
変　動　費……完成工事原価－営業外収益＋支払利息を除く営業外費用
固　定　費……販売費及び一般管理費＋支払利息

（5）損益分岐点完成工事高

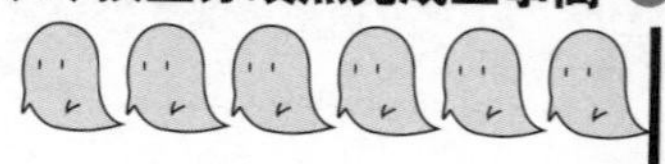

$$\text{損益分岐点完成工事高} = \frac{\text{固定費}}{1 - \dfrac{\text{変動費}}{\text{実際（または予定）の完成工事高}}}\text{（円）}$$
大きい
小さい

利益も損失も発生しない利益がゼロとなるときの完成工事高です。

(6)－①損益分岐点比率

$$損益分岐点比率＝\frac{損益分岐点完成工事高}{実際（または予定）の完成工事高}\times 100(\%)$$ 高い／低い

または

$$損益分岐点比率＝\frac{販売費及び一般管理費＋支払利息}{完成工事総利益＋営業外収益－営業外費用＋支払利息}\times 100(\%)$$

実際の完成工事高に対する損益分岐点における完成工事高の比率です。

(6)－②安全余裕率

$$安全余裕率（その1）＝\frac{実際（または予定）の完成工事高}{損益分岐点完成工事高}\times 100(\%)$$ 高い／低い

または

$$安全余裕率（その2）＝\frac{実際（または予定）の完成工事高－損益分岐点完成工事高}{実際（または予定）の完成工事高}\times 100(\%)$$

実際の完成工事高が損益分岐点における完成工事高をどれだけ上回っているかを示す比率です。安全率，MS（Margin of Safety）比率ともいいます。

(6)－③限界利益率

$$限界利益率＝（1－変動費率）\times 100(\%)$$

または

$$限界利益率＝\frac{完成工事高－変動費}{完成工事高}\times 100(\%)$$ 高い／低い

限界利益とは完成工事高から変動費の額を控除したものです。
限界利益率とは，完成工事高に対する限界利益の比率です。

	S建設会社		T建設会社	
	前　期	当　期	前　期	当　期
完成工事高（百万円）	1,000	1,200	800	1,200
固定費（百万円）[65]	280	300 [67]	160	250 [68]
変動費（百万円）[66]	660	740 [69]	550	825 [70]
損益分岐点完成工事高（百万円）	824	783 [71]	512	800 [72]
損益分岐点比率	82.40%	65.25% [73]	64.00%	66.67% [74]
安全余裕率（その1）	121.36%	153.26% [75]	156.25%	150.00% [76]
〃　（その2）	17.60%	34.75% [77]	36.00%	33.33% [78]
限界利益（百万円）	340	460	250	375
限界利益率	34.00%	38.33% [79]	31.25%	31.25% [80]

65) 販管費＋支払利息
66) 完成工事原価－（営業外収益－営業外費用＋支払利息）
67) 300百万円＝220＋80
68) 250百万円＝150＋100
69) 740百万円＝800－（60－80＋80）
70) 825百万円＝900－（75－100＋100）
71) $783百万円 \fallingdotseq \frac{300}{1-\frac{740}{1,200}}$
72) $800百万円 = \frac{250}{1-\frac{825}{1,200}}$
73) $65.25\% = \frac{783}{1,200}\times 100$
74) $66.67\% \fallingdotseq \frac{800}{1,200}\times 100$
75) $153.26\% \fallingdotseq \frac{1,200}{783}\times 100$
76) $150.00\% = \frac{1,200}{800}\times 100$
77) $34.75\% = \frac{1,200-783}{1,200}\times 100$
78) $33.33\% \fallingdotseq \frac{1,200-800}{1,200}\times 100$
79) $38.33\% \fallingdotseq \frac{1,200-740}{1,200}\times 100$
80) $31.25\% = \frac{1,200-825}{1,200}\times 100$

収益性について見てきた清水課長は損益分岐点の分析をしてみることにしました。
変動費が低いことによって，限界利益率がＴ社より高いのですが，損益分岐点比率や安全余裕率はＴ社と同じくらいです。つまり，Ｔ社より固定費が多いため，利益を圧迫しているのです。
清水課長は「固定費である支払利息が多い…。ということは借入金を減らせばいいのか！」と考えました。

例題　安全余裕率

Q

次の資料により，Ｋ社の損益分岐点完成工事高および安全余裕率を算定しなさい。なお，解答にさいして端数が生じた場合には，金額については千円未満，比率については小数点第２位以下を切り捨てること。

■資　料■

完成工事高	17,450,867 千円
完成工事原価	15,991,276 千円
販売費及び一般管理費	863,923 千円
営業外収益	86,556 千円
営業外費用	209,340 千円
（うち支払利息）	（186,755 千円）

解答

損益分岐点完成工事高　*12,034,457*（千円）
安全余裕率　*31.0*（%）
安全余裕率〈別解〉　*145.0*（%）

●固定費
1,050,678 = 863,923 + 186,755
●変動費
15,927,305 = 15,991,276 − 86,556 +（209,340 − 186,755）
●損益分岐点完成工事高

$$12{,}034{,}457 \fallingdotseq \frac{1{,}050{,}678}{1-\dfrac{15{,}927{,}305}{17{,}450{,}867}}$$

●安全余裕率

$$31.0(\%) \fallingdotseq \frac{17{,}450{,}867-12{,}034{,}457}{17{,}450{,}867}\times 100$$

〈別解〉
●安全余裕率

$$145.0(\%) \fallingdotseq \frac{17{,}450{,}867}{12{,}034{,}457}\times 100$$

安全性分析

はじめに 収益性，つまり収益獲得能力を分析した清水課長は，いよいよ財務部に直接的に関係する安全性，つまり企業の支払能力を表す流動性や財務体質を表す健全性を分析してみることにしました。
すると，明らかなＴ社との違いが…。

安全性分析とは

安全性分析とは，**企業の支払能力**を見るための分析です。安全性分析は，会社の資金繰りの状態を分析する**流動性分析**，会社の財務体質を分析する**健全性分析**，そして資金の過不足を分析する**資金変動性分析**に分けられます。

- 安全性分析
  - 流動性分析
  - 健全性分析
  - 資金変動性分析（Chapter 3 参照）

流動性分析

会社の**資金繰りの状態**を分析するために，以下の比率を使用します。

区分	基本比率 比率名	基本比率 算式	関連比率 比率名	関連比率 算式
流動性比率－パーセンテージで見る方法	(1) 流動比率	$\frac{\text{流動資産－未成工事支出金}}{\text{流動負債－未成工事受入金}}\times 100(\%)$	流動比率〔別法〕	$\frac{\text{流動資産}}{\text{流動負債}}\times 100(\%)$
流動性比率－パーセンテージで見る方法	(2) 当座比率	$\frac{\text{当座資産}}{\text{流動負債－未成工事受入金}}\times 100(\%)$	当座比率〔別法〕	$\frac{\text{当座資産}}{\text{流動負債}}\times 100(\%)$
流動性比率－パーセンテージで見る方法	(3) 立替工事高比率	$\frac{\text{受取手形＋完成工事未収入金＋未成工事支出金－未成工事受入金}}{\text{完成工事高＋未成工事支出金}}\times 100(\%)$	(3)-①未成工事収支比率	$\frac{\text{未成工事受入金}}{\text{未成工事支出金}}\times 100(\%)$
流動性比率－パーセンテージで見る方法	(4) 流動負債比率	$\frac{\text{流動負債－未成工事受入金}}{\text{自己資本}}\times 100(\%)$	流動負債比率〔別法〕	$\frac{\text{流動負債}}{\text{自己資本}}\times 100(\%)$
流動性比率－月数で見る方法	(5) 運転資本保有月数	$\frac{\text{流動資産－流動負債}}{\text{完成工事高}\div 12}$（月）	(5)-①現金預金手持月数	$\frac{\text{現金預金}}{\text{完成工事高}\div 12}$（月）
			(5)-②受取勘定滞留月数（受取勘定月商倍率）	$\frac{\text{受取手形＋完成工事未収入金}}{\text{完成工事高}\div 12}$（月）
			(5)-③完成工事未収入金滞留月数	$\frac{\text{完成工事未収入金}}{\text{完成工事高}\div 12}$（月）
			(5)-④棚卸資産滞留月数	$\frac{\text{棚卸資産}}{\text{完成工事高}\div 12}$（月）
			(5)-⑤必要運転資金月商倍率（必要運転資金滞留月数）	$\frac{\text{必要運転資金}}{\text{完成工事高}\div 12}$（月）

流動性の指標を見るうえで，パーセンテージで見る方法と，月数で見る方法とがあります。

パーセンテージでみる方法

まず，パーセンテージで見る方法を，説明していきます。

(1)流動比率

$$流動比率^{01)} = \frac{流動資産－未成工事支出金}{流動負債－未成工事受入金} \times 100(\%)$$

$$流動比率〈別法〉 = \frac{流動資産}{流動負債} \times 100(\%)$$

高い（良）／低い（悪）

流動比率は短期的な支払能力を表し，財務の健全性を見るにあたってもっとも重要な比率の１つです。建設業では，未成工事支出金とこれに対する未成工事受入金が多額であることから，これらを排除して計算を行う方法が原則的です。

	S建設会社		T建設会社	
	前　期	当　期	前　期	当　期
流動資産(百万円)	500	800	1,000	1,500
流動負債(百万円)	500	600	1,100	1,250
未成工事支出金(百万円)	200	300	300	400
未成工事受入金(百万円)	200	100	500	400
流動比率	100.00%	100.00%[02]	116.67%	129.41%[03]
流動比率〈別法〉	100.00%	133.33%[04]	90.91%	120.00%[05]

「別法で求めた流動比率では当社のほうが良好なのに対して，通常に求めた比率では30%近くも差がついている(当期比)」。これは，未成工事支出金や未成工事受入金に問題があるのではないか，と清水課長は考えました。

01）流動資産を帳簿価額の半値で処分しても流動負債の返済ができることを理想とするため，200%以上が理想的だとされています。これを２対１の原則といいます。

02）$100.00\% = \frac{800-300}{600-100} \times 100$

03）$129.41\% \fallingdotseq \frac{1,500-400}{1,250-400} \times 100$

04）$133.33\% \fallingdotseq \frac{800}{600} \times 100$

05）$120.00\% = \frac{1,500}{1,250} \times 100$

(2)当座比率

$$当座比率^{06)} = \frac{当座資産}{流動負債－未成工事受入金} \times 100(\%)$$

$$当座比率〈別法〉 = \frac{当座資産}{流動負債} \times 100(\%)$$

高い（良）／低い（悪）

流動負債に対して，その支払いにあてる当座資産をどの程度保有しているのかを表します。流動比率よりも，より短期的な支払能力を見るときに有効な比率です。

	S建設会社		T建設会社	
	前　期	当　期	前　期	当　期
当座資産(百万円)	300	500	700	1,100
流動負債(百万円)	500	600	1,100	1,250
未成工事受入金(百万円)	200	100	500	400
当座比率	100.00%	100.00%[07]	116.67%	129.41%[08]
当座比率（別法）	60.00%	83.33%[09]	63.64%	88.00%[10]

06）当座比率はすぐに資金化できる資産と１年以内に支払う負債との比率です。流動比率よりもシビアな比率なので「酸性試験比率」と呼ばれます。100%以上が望ましいとされ，これを「１対１の原則」といいます。

07）$100.00\% = \frac{500}{600-100} \times 100$

08）$129.41\% \fallingdotseq \frac{1,100}{1,250-400} \times 100$

09）$83.33\% \fallingdotseq \frac{500}{600} \times 100$

10）$88.00\% = \frac{1,100}{1,250} \times 100$

“中には，収益があがっているのに当座資産がなくて，振り出した手形が落とせずに黒字倒産してしまう会社がある”と聞いていた清水課長は，当座比率がとても気になりました。調べてみるとちょうど100%でした。当座比率は「1対1の原則」といわれているのを聞くと，当社は問題ないことがわかりました。

(3) 立替工事高比率

$$\text{立替工事高比率}=\frac{\text{受取手形}+\text{完成工事未収入金}+\text{未成工事支出金}-\text{未成工事受入金}}{\text{完成工事高}+\text{未成工事支出金}}\times 100(\%)$$

高い（悪い）／低い（良い）

現在業務進行中の工事に関する資金の立替状況を表します。この比率が高いと，回収過程も含めて資金負担を多く負っていることを示し，また低いと少しの資金負担で業務が進行していることを意味しています。

(3)－①未成工事収支比率

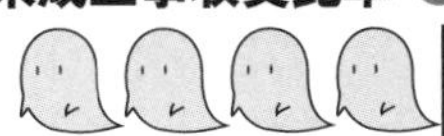

$$\text{未成工事収支比率}=\frac{\text{未成工事受入金}}{\text{未成工事支出金}}\times 100(\%)$$

高い（良い）／低い（悪い）

工事に関する個別の支払能力を表します。1つの工事について未成工事受入金が未成工事支出金を上回っていれば，その工事に関して資金負担はなくなることになります。したがって，この比率が100%を上回っていれば，請負工事の支払能力は十分であるといえます。

	S建設会社		T建設会社	
	前　期	当　期	前　期	当　期
完成工事高(百万円)	1,000	1,200	800	1,200
受取手形(百万円)	100	200	300	450
完成工事未収入金(百万円)	100	150	200	350
未成工事受入金(百万円)	200	100	500	400
未成工事支出金(百万円)	200	300	300	400
立替工事高比率	16.67%	36.67%[11)]	27.27%	50.00%[12)]
未成工事収支比率	100.00%	33.33%[13)]	166.67%	100.00%[14)]

「当社は債権の回収が早く立替工事高比率はいいが，ライバルのT社は未成工事支出金と未成工事受入金が1対1になっている。つまり，未成工事支出金のすべてを未成工事受入金で賄っていることになる。これに対し，当社は33.33%。そうだ！ もっと未成工事受入金を多く受け入れるようにして当座資産を増やせばいいんだ」と清水課長は考えました。

11) $36.67\%\fallingdotseq\frac{200+150+300-100}{1,200+300}\times 100$

12) $50.00\%=\frac{450+350+400-400}{1,200+400}\times 100$

13) $33.33\%\fallingdotseq\frac{100}{300}\times 100$

14) $100.00\%=\frac{400}{400}\times 100$

(4)流動負債比率

$$流動負債比率=\frac{流動負債-未成工事受入金}{自己資本}\times 100(\%)$$ 高い 低い

$$流動負債比率〈別法〉=\frac{流動負債}{自己資本}\times 100(\%)$$

自己資本とそれを担保[15]にする流動負債との関係を表します。

建設業は収入も支出も巨額であり，工事期間も長期的なので，資本金や自己資本の大きさに比べて流動負債の金額が大きいのが特徴的です。

	S建設会社		T建設会社	
	前　期	当　期	前　期	当　期
流動負債(百万円)	500	600	1,100	1,250
未成工事受入金(百万円)	200	100	500	400
自己資本(百万円)	200	300	300	500
流動負債比率	150.00%	166.67%[16]	200.00%	170.00%[17]
流動負債比率〈別法〉	250.00%	200.00%[18]	366.67%	250.00%[19]

「やはり流動負債比率が高いなぁ。当社は前期に比べて50%改善されているのだけど，ライバルのT社は100%以上も改善してきている。当社ももっと頑張らないと。流動負債が多いと，せっかく収益力で得た収益が利息でとられてしまうしな」と清水課長は思いました。

15）債務の返済が不能になった場合に備えてあらかじめ確保しておくもの。ここでは流動負債が返済不能になった場合に，代わりに自己資本から支払うことを意味しています。

16）$166.67\% \fallingdotseq \frac{600-100}{300}\times 100$

17）$170.00\% = \frac{1,250-400}{500}\times 100$

18）$200.00\% = \frac{600}{300}\times 100$

19）$250.00\% = \frac{1,250}{500}\times 100$

try it　例題　流動比率

次の資料により，甲社の流動比率を算定しなさい。なお解答にさいし端数が生じた場合には，小数点第1位以下を切り捨てること。

■資　料■

流動資産	244,465千円
流動負債	210,040千円

解答

流動比率　116(%)

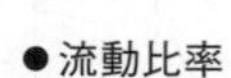

●流動比率

$116(\%) \fallingdotseq \frac{244,465}{210,040}\times 100$

月数で見る方法

次に月数で見る方法を説明します。

(5)運転資本保有月数

$$運転資本保有月数＝\frac{流動資産－流動負債}{完成工事高÷12}(月)$$ 長い 😊 / 短い 😖

流動資産と流動負債の差額は期末における正味の運転資本を表します。これが，月額の完成工事高の何カ月分あるかを算定することによって，資金的にどのくらい余裕があるかを判定します。

(5)－①現金預金手持月数

$$現金預金手持月数＝\frac{現金預金}{完成工事高÷12}(月)$$ 長い 😊 / 短い 😖

運転資本よりも確実な支払手段である，現金預金の手元保有期間を表します。

(5)－②受取勘定滞留月数
(受取勘定月商倍率)

$$受取勘定滞留月数＝\frac{受取手形＋完成工事未収入金}{完成工事高÷12}(月)$$ 長い 😖 / 短い 😊

受取手形や完成工事未収入金は早期に回収して現金預金化されることが望まれます。この指標は，受取債権の発生から資金回収までの期間を表します。

(5)－③完成工事未収入金滞留月数

$$完成工事未収入金滞留月数＝\frac{完成工事未収入金}{完成工事高÷12}(月)$$ 長い 😖 / 短い 😊

完成工事未収入金の発生から資金回収までの期間を表します。

(5)－④棚卸資産滞留月数

$$棚卸資産滞留月数＝\frac{棚卸資産^{※}}{完成工事高÷12}(月)$$ 長い 😖 / 短い 😊

※棚卸資産＝未成工事支出金＋材料貯蔵品

棚卸資産が事業活動に投資され，回収されたあと，再投資されるまでの期間を表します。

(5)－⑤必要運転資金月商倍率
(必要運転資金滞留月数)

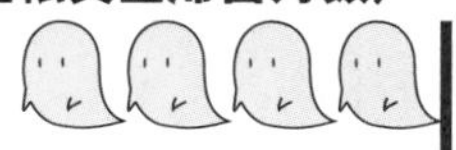

$$必要運転資金月商倍率＝\frac{必要運転資金^{※}}{完成工事高÷12}(月)$$ 長い 😖 / 短い 😊

※必要運転資金＝受取手形＋完成工事未収入金＋未成工事支出金－支払手形－工事未払金－未成工事受入金

運転資金を適度に保有することは必要です(マイナスになるのはよいことではありません)が，この値が高いことは，工事の仕掛から代金回収までの過程の期間が長く，資金が滞っていることを意味します。

	S建設会社		T建設会社	
	前　期	当　期	前　期	当　期
完成工事高(百万円)	1,000	1,200	800	1,200
流動資産(百万円)	500	800	1,000	1,500
現金預金(百万円)	100	150	200	300
受取手形(百万円)	100	200	300	450
完成工事未収入金(百万円)	100	150	200	350
棚卸資産(百万円)	200	300	300	400
(未成工事支出金)	(200)	(300)	(300)	(400)
流動負債(百万円)	500	600	1,100	1,250
支払手形(百万円)	100	200	250	300
工事未払金(百万円)	100	200	250	400
未成工事受入金(百万円)	200	100	500	400
運転資本保有月数	0.00月	2.00月[20]	▲1.50月	2.50月[21]
現金預金手持月数	1.20月	1.50月[22]	3.00月	3.00月[23]
受取勘定滞留月数	2.40月	3.50月[24]	7.50月	8.00月[25]
完成工事未収入金滞留月数	1.20月	1.50月[26]	3.00月	3.50月[27]
棚卸資産滞留月数	2.40月	3.00月[28]	4.50月	4.00月[29]
必要運転資金月商倍率	0.00月	1.50月[30]	▲3.00月	1.00月[31]

現金預金手持月数がT社に比べて半分も差をつけられている。したがって，T社は現金販売に強いということがわかり，完成工事高も来期には逆転されかねない。「借入を増やして現金預金を蓄えなくてはならないかな…」と清水課長は思わずつぶやきました。

20) 2.00月 $=\dfrac{800-600}{1{,}200\div 12}$

21) 2.50月 $=\dfrac{1{,}500-1{,}250}{1{,}200\div 12}$

22) 1.50月 $=\dfrac{150}{1{,}200\div 12}$

23) 3.00月 $=\dfrac{300}{1{,}200\div 12}$

24) 3.50月 $=\dfrac{200+150}{1{,}200\div 12}$

25) 8.00月 $=\dfrac{450+350}{1{,}200\div 12}$

26) 1.50月 $=\dfrac{150}{1{,}200\div 12}$

27) 3.50月 $=\dfrac{350}{1{,}200\div 12}$

28) 3.00月 $=\dfrac{300}{1{,}200\div 12}$

29) 4.00月 $=\dfrac{400}{1{,}200\div 12}$

30) 1.50月 $=\dfrac{200+150+300-200-200-100}{1{,}200\div 12}$

31) 1.00月 $=\dfrac{450+350+400-300-400-400}{1{,}200\div 12}$

try it　例題　流動比率・運転資本保有月数

次の資料により，流動比率および運転資本保有月数を算定しなさい。なお，解答にさいし端数が生じた場合には小数点第3位を四捨五入し，第2位まで求めること。

■資　料■

流動資産合計	13,841百万円
流動負債合計	11,010百万円
完成工事高	17,484百万円

流動比率　*125.71*%

運転資本保有月数　*1.94*月

解答

● 流動比率125.71(%) $\fallingdotseq \dfrac{13{,}841}{11{,}010}\times 100(\%)$

● 運転資本保有月数

1.94(月) $\fallingdotseq \dfrac{13{,}841-11{,}010}{17{,}484\div 12\text{カ月}}$

健全性分析

企業の財務体質を分析するために以下の比率を用います。

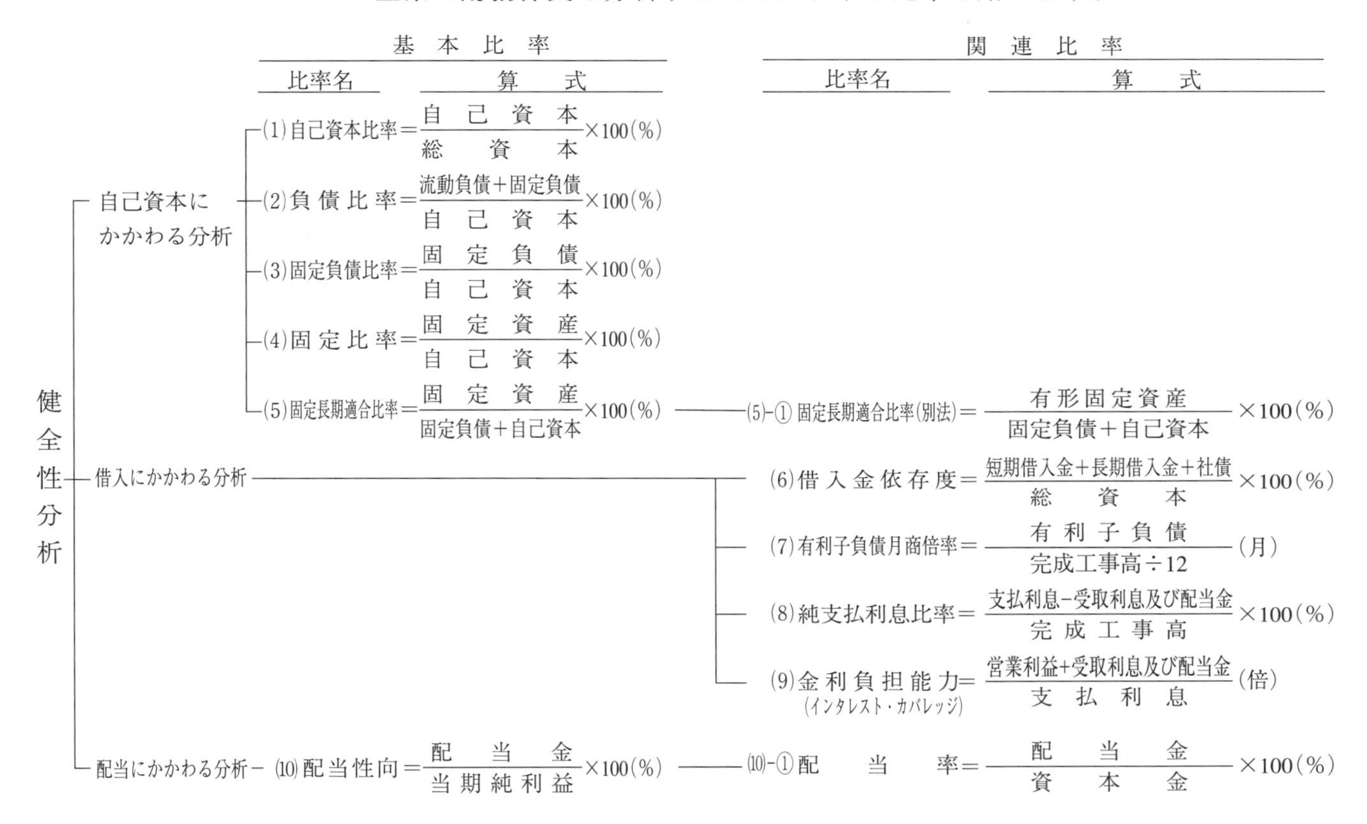

基本比率
比率名
算式
関連比率
比率名
算式
健全性分析
自己資本にかかわる分析
(1)自己資本比率＝自己資本／総資本×100(%)
(2)負債比率＝流動負債＋固定負債／自己資本×100(%)
(3)固定負債比率＝固定負債／自己資本×100(%)
(4)固定比率＝固定資産／自己資本×100(%)
(5)固定長期適合比率＝固定資産／固定負債＋自己資本×100(%)
(5)-① 固定長期適合比率(別法)＝有形固定資産／固定負債＋自己資本×100(%)
借入にかかわる分析
(6)借入金依存度＝短期借入金＋長期借入金＋社債／総資本×100(%)
(7)有利子負債月商倍率＝有利子負債／完成工事高÷12(月)
(8)純支払利息比率＝支払利息−受取利息及び配当金／完成工事高×100(%)
(9)金利負担能力＝営業利益+受取利息及び配当金／支払利息(倍)
(インタレスト・カバレッジ)
配当にかかわる分析
(10)配当性向＝配当金／当期純利益×100(%)
(10)-①配当率＝配当金／資本金×100(%)

■自己資本にかかわる分析

企業の財務体質を分析するには，自己資本に関する分析が必要になります。

(1)自己資本比率

$$\text{自己資本比率}=\frac{\text{自己資本}}{\text{総資産}}\times 100(\%)$$

総資本に対する自己資本の割合を表し，高ければ高いほど，社内に留保されている剰余金が大きいということ，つまり過去において業績をあげていたことを示します。

(2)負債比率

$$\text{負債比率}=\frac{\text{流動負債}+\text{固定負債}}{\text{自己資本}}\times 100(\%)$$

流動負債と固定負債の合計とこれを担保する自己資本との関係で，長期的な財務の安全性を測定します。この指標が100%以下にとどまることは，負債をすべて自己資本で担保しているという健全な状況を表します。

(3) 固定負債比率

$$固定負債比率 = \frac{固定負債}{自己資本} \times 100(\%)$$

高い 低い

長期的な債務負担が，それを担保する自己資本に対してどれくらいあるかを表します。

(4) 固定比率

$$固定比率^{32)} = \frac{固定資産}{自己資本} \times 100(\%)$$

高い 低い

固定資産の投資を自己資本の範囲内で実施しているかどうかを判断するための指標です。一般的には100%以下が望ましいとされています。

32) 固定比率の分子と分母を逆にしたものを，自己資本対固定資産比率といいます。

(5) 固定長期適合比率

$$固定長期適合比率 = \frac{固定資産}{固定負債 + 自己資本} \times 100(\%)$$

高い 低い

$$固定長期適合比率〈別法〉 = \frac{有形固定資産}{固定負債 + 自己資本} \times 100(\%)$$

固定資産，もしくは有形固定資産への投資が，自己資本と固定負債によってなされているかどうかを見る指標です。100%以下が望ましく，低いほど資金的に余裕があると判断されます。

	S建設会社		T建設会社	
	前　期	当　期	前　期	当　期
自己資本（百万円）	200	300	300	500
総資本（百万円）	800	1,200	1,500	2,100
流動負債（百万円）	500	600	1,100	1,250
固定負債（百万円）	100	300	100	350
固定資産（百万円）	300	400	500	600
有形固定資産（百万円）	200	300	400	500
自己資本比率	25.00%	25.00% [33)]	20.00%	23.81% [34)]
負債比率	300.00%	300.00% [35)]	400.00%	320.00% [36)]
固定負債比率	50.00%	100.00% [37)]	33.33%	70.00% [38)]
固定比率	150.00%	133.33% [39)]	166.67%	120.00% [40)]
固定長期適合比率	100.00%	66.67% [41)]	125.00%	70.59% [42)]
固定長期適合比率〈別法〉	66.67%	50.00% [43)]	100.00%	58.82% [44)]

“自己資本比率を高めて健全な財務体質にする”という当社の方針は，営業部にいた頃から知っていましたし，新聞等では“国際企業としては，30%程度にまで引き上げなければならない”といった記事も見かけます。そこで自己資本比率を算定してみると，25.00%。ライバルのT社も23.81%と大差ありません。また，負債比率も300.00%と320.00%で同じぐらいです。「業界全体が自己資本比率が低いことに問題があるのだなぁ」と清水課長は改めて感じました。

33) $25.00\% = \frac{300}{1,200} \times 100$

34) $23.81\% \fallingdotseq \frac{500}{2,100} \times 100$

35) $300.00\% = \frac{600 + 300}{300} \times 100$

36) $320.00\% = \frac{1,250 + 350}{500} \times 100$

37) $100.00\% = \frac{300}{300} \times 100$

38) $70.00\% = \frac{350}{500} \times 100$

39) $133.33\% \fallingdotseq \frac{400}{300} \times 100$

40) $120.00\% = \frac{600}{500} \times 100$

41) $66.67\% \fallingdotseq \frac{400}{300 + 300} \times 100$

42) $70.59\% \fallingdotseq \frac{600}{350 + 500} \times 100$

43) $50.00\% = \frac{300}{300 + 300} \times 100$

44) $58.82\% \fallingdotseq \frac{500}{350 + 500} \times 100$

■借入にかかわる分析

次に，借入に関する分析から，企業の財務体質を見ていきます。

(6)借入金依存度

$$借入金依存度=\frac{短期借入金+長期借入金+社債}{総資産}\times 100(\%)$$ 高い / 低い

企業活動に必要な資金のうち，借入金と社債によって調達したものがどのくらいあるかを表します。

総資本事業利益率が負債利子率(負債利子÷期中平均有利子負債)を上回っている好況の場合においては，借入金依存度は低く抑え続けることがよいとは限らず，借入を行うことで自己資本事業利益率を高めることができます。これを**財務レバレッジ**といいます。

好況の場合においては，総資本の増加にともなって売上高も増加すると考えます。総資本の増加方法を借入(他人資本)にすることによって，売上の増加から控除される金額は約定の負債利子のみであり，控除された残りは企業の利益となります。自己資本事業利益率(事業利益÷自己資本)の計算において，分母の自己資本の金額は借入前後で変動しておらず，分子の事業利益が増加するため，自己資本事業利益率は高まり，借入が株主にとって有効に働くことになります。ただし，不況の場合においては借入金依存度が高いとマイナスに働くため注意が必要です。

(7)有利子負債月商倍率

$$有利子負債月商倍率=\frac{有利子負債^{45)}}{完成工事高\div 12}(月)$$ 長い / 短い

有利子負債とは，利子を支払わなければならない負債のことです。この有利子負債が1カ月分の完成工事高に対して何カ月分あるか(＝何カ月で返済できるか)を表しています。借り入れている月数が短いほうが，他者への依存が少ないため良いといえます。

45) 有利子負債とは，以下のものを指します。
短期借入金，長期借入金，社債，新株予約権付社債，コマーシャル・ペーパー

(8)純支払利息比率

$$純支払利息比率=\frac{支払利息-受取利息及び配当金}{完成工事高}\times 100(\%)$$ 高い / 低い

この比率は，資金を借り入れたことによる費用と，資金を運用することによって生じた収益とを相殺し，残りの費用を完成工事高でどれだけ回収できるかを表します。この比率が高いということは，その企業の営業活動の規模(売上高)に比べて借入金が多いということになります。

(9)金利負担能力
(インタレスト・カバレッジ)

$$\text{金利負担能力}=\frac{\text{営業利益＋受取利息及び配当金}}{\text{支払利息}}(\text{倍})$$
＜ 1倍超 ☺ / 1倍以下 ☹

営業利益と営業外収益の中心である受取利息配当金との合計額で，他人資本のコストである支払利息を賄(まかな)っているかどうかを表します。この比率が1倍以下の場合，他人資本コスト[46]を経常的な利益以外の他の財源で負担していることを示します。

46）負債のコスト，つまり借入に対する支払利息を意味します。

	S建設会社		T建設会社	
	前　期	当　期	前　期	当　期
短期借入金(百万円)	100	100	100	150
長期借入金(百万円)	100	300	100	350
総資本(百万円)	800	1,200	1,500	2,100
完成工事高(百万円)	1,000	1,200	800	1,200
営業利益(百万円)	100	180	100	150
受取利息(百万円)	40	50	20	70
支払利息(百万円)	80	80	40	100
借入金依存度	25.00%	33.33%[47]	13.33%	23.81%[48]
有利子負債月商倍率	2.40月	4.00月[49]	3.00月	5.00月[50]
純支払利息比率	4.00%	2.50%[51]	2.50%	2.50%[52]
金利負担能力	1.75倍	2.88倍[53]	3.00倍	2.20倍[54]

金利負担能力には，まだ余裕があるものの借入金依存度は，ライバルのT社よりかなり悪い状態にある。T社に比べ借入金依存度は約10%も高い状態にある。「当社も頑張って借入金を減らしていかないと…」と清水課長は思いました。

47）$33.33\% \fallingdotseq \frac{100+300}{1,200}\times 100$

48）$23.81\% \fallingdotseq \frac{150+350}{2,100}\times 100$

49）$4.00\text{月}=\frac{100+300}{1,200\div 12}$

50）$5.00\text{月}=\frac{150+350}{1,200\div 12}$

51）$2.50\%=\frac{80-50}{1,200}\times 100$

52）$2.50\%=\frac{100-70}{1,200}\times 100$

53）$2.88\text{倍}\fallingdotseq \frac{180+50}{80}$

54）$2.20\text{倍}=\frac{150+70}{100}$

(10)負債回転期間

$$\text{負債回転期間}=\frac{\text{流動負債＋固定負債}}{\text{売上高}\div 12}(\text{月})$$
＜ 長い ☹ / 短い ☺

負債回転期間とは，負債の総額が売上高（完成工事高）の何か月分に相当するかを算定するもので，回転期間が短い（数値が低い）方が，望ましいとされています。

なお，「○○回転期間」と付く指標のほとんどは次のSectionで学ぶ活動性分析の指標ですが，この負債回転期間だけ例外的に健全性分析に分類されるため，期中平均値を用いない点に注意が必要です。

try it 例題 借入金依存度・金利負担能力

Q 次の資料により，福島建設工業株式会社の借入金依存度および金利負担能力を算定しなさい。なお，解答にさいして端数が生じた場合には小数点以下第３位を四捨五入し，第２位まで求めること。

■資　料■

短期借入金	911百万円
社債	95百万円
長期借入金	287百万円
総資本	6,024百万円

営業利益	147百万円
受取利息	11百万円
支払利息	72百万円

解答

借入金依存度　21.46(%)
金利負担能力　2.19(倍)

●借入金依存度

$21.46(\%) \fallingdotseq \frac{911+95+287}{6,024} \times 100\ (\%)$

●金利負担能力

$2.19(倍) \fallingdotseq \frac{147+11}{72}$

配当にかかわる分析

(11)配当性向（はいとうせいこう）

企業の財務体質を見るには，配当に関する分析も有効です。

$$配当性向^{55)} = \frac{配当金}{当期純利益} \times 100(\%)$$ 高い☺ 低い☹

企業がその期間に得た利益のうち，配当にあてた金額の割合を表します。株主への利益の還元率を指します。

55) 配当性向が低いと配当金の支払いに余裕があり，高いと支払いに苦しんでいるとも考えられま

配当率

$$配当率 = \frac{配当金}{資本金} \times 100(\%)$$ 高い☺ 低い☹

株主の立場から，出資に対して配当がどの程度実施されたかを見る指標です。

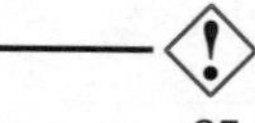

56) $27.78\% \fallingdotseq \frac{25}{90} \times 100$

57) $25.00\% = \frac{15}{60} \times 100$

58) $20.83\% \fallingdotseq \frac{25}{120} \times 100$

59) $6.82\% \fallingdotseq \frac{15}{220} \times 100$

	S建設会社		T建設会社	
	前　期	当　期	前　期	当　期
配　当　金(百万円)	10	25	10	15
当期純利益(百万円)	25	90	40	60
資　本　金(百万円)	80	120	100	220
配　当　性　向	40.00%	27.78%[56)]	25.00%	25.00%[57)]
配　当　率	12.50%	20.83%[58)]	10.00%	6.82%[59)]

前期の配当性向が40.00%と高いのは，企業のオーナーである株主に，利益の還元を十分に行っていることを示し，良いことだと清水課長は思っていましたが，飛騨財務部長は「利益を配当に回しすぎてしまうと企業としての余力をなくしてしまう」と指摘していました。

try it **例題**　**配当性向**

次の資料により，H社の当期における配当性向を算定しなさい。なお，解答にさいして端数が生じた場合には小数点第３位を四捨五入し，第２位まで求めること。

■資　料■

配　当　金	3,548 百万円
当期純利益	10,211 百万円

解答

配当性向　*34.75*(%)

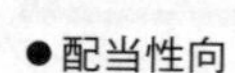

●配当性向

$34.75(\%) \fallingdotseq \frac{3,548}{10,211} \times 100(\%)$

活動性分析

はじめに 安全性の分析から流動負債の大きさが問題であることがわかりました。そして，結局この問題を解決するには，企業の資本や資産をいかに効率よく運用するかが大切だと考えた清水課長は，これらを運用するスピードにあたる回転率を算定する活動性分析を始めることにしました。

活動性分析とは

活動性分析とは，**資本や資産がある一定期間にどのくらい活動したのか**を示す分析です。

ここでは，**回転率**という概念が出てきます。回転率とは，**投下した資本や資産が一定期間に何回，収益や利益によって回収されたかを示す指数**です。また，投下した資本や資産が1回転したときに要した期間を回転期間[01]といいます。これにより，各項目が効率的に使用されたかどうかが判明します。

01）回転期間＝12カ月÷回転率

例）総資本回転期間

$$=\frac{期中平均総資本}{完成工事高÷12}$$

$$=12×\frac{期中平均総資本}{完成工事高}$$

$$=12÷総資本回転率$$

活動性比率 資本，資産の運用状況を見るために，以下の比率を用います。

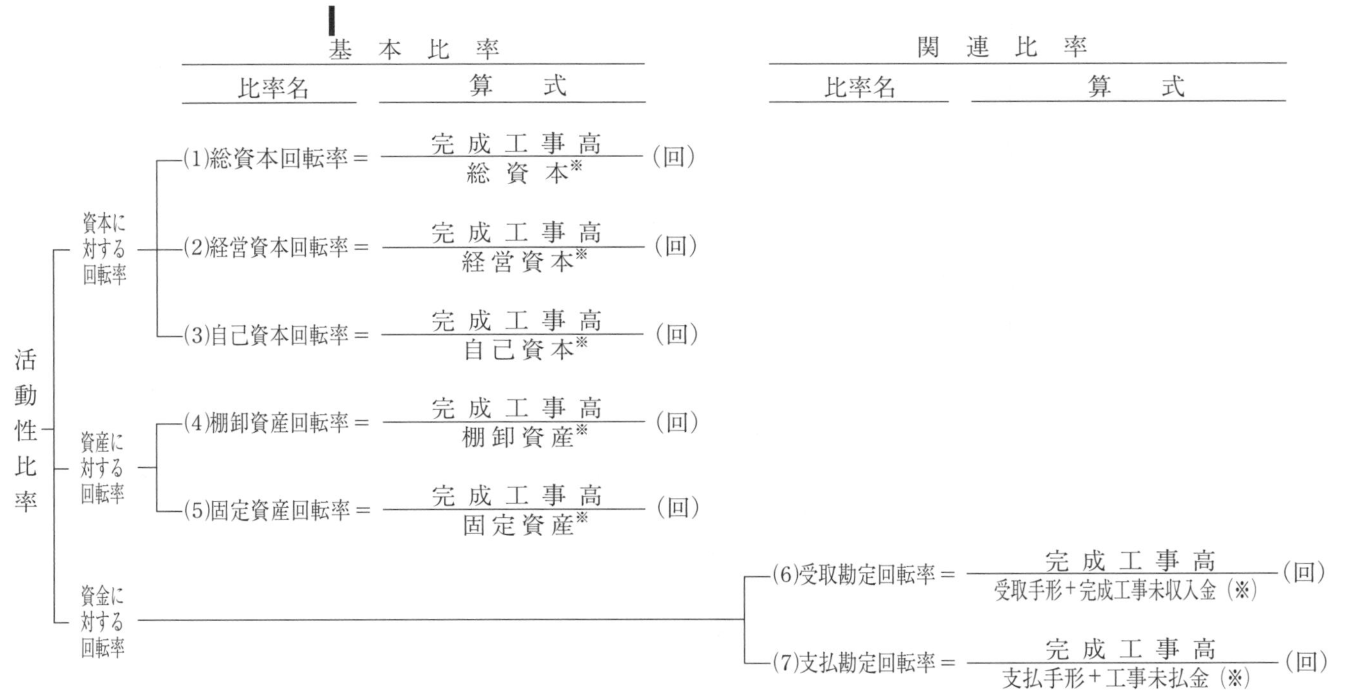

※原則として期中平均値を用いる。

資本に対する回転率

まず，資本が一定期間にどのくらい活動したかを見ていきます。

(1)総資本回転率

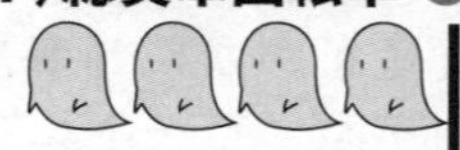

$$総資本回転率^{02)} = \frac{完成工事高}{期中平均総資本}(回) \begin{cases} 高い \\ 低い \end{cases}$$

企業に投下された総資本の運用効率を表す比率です。

02）総資本回転率は，一般に 1.0 を下回ると資金の循環が悪化するとみなされます。

(2)経営資本回転率

$$経営資本回転率 = \frac{完成工事高}{期中平均経営資本}(回) \begin{cases} 高い \\ 低い \end{cases}$$

経営資本[03)]が１年間に何回転したかを示します。つまり，企業の営業活動に直接投下された資本の運用効率を表します。

03）経営資本＝総資本－（建設仮勘定＋未稼働資産＋投資資産＋繰延資産＋その他営業活動に直接参加していない資産）

(3)自己資本回転率

$$自己資本回転率 = \frac{完成工事高}{期中平均自己資本}(回) \begin{cases} 高い \\ 低い \end{cases}$$

企業に投下された自己資本が１年間に何回転したかを示します。つまり，自己資本の運用効率を表します。

	Ｓ建設会社		Ｔ建設会社	
	前　期	当　期	前　期	当　期
完成工事高(百万円)	1,000	1,200	800	1,200
総　資　本(百万円)	800	1,200	1,500	2,100
経営資本(百万円)	700	1,100	1,400	2,000
自己資本(百万円)	200	300	300	500
総資本回転率	―――	1.20 回[04)]	―――	0.67 回[05)]
経営資本回転率	―――	1.33 回[06)]	―――	0.71 回[07)]
自己資本回転率	―――	4.80 回[08)]	―――	3.00 回[09)]

まず，総資本，経営資本，自己資本と企業の資本の回転率を算定してみましたが，ライバルのＴ社を大きく引き離していることがわかりました。
「優良企業は，総資本回転率が１回転，つまり総資本の額と完成工事高の額が１対１になる」という話を聞くと，「当社は総資本の運用効率が良いんだな…」と清水課長は感心しました。

04）$1.20回 = \frac{1,200}{(800 + 1,200) \div 2}$

05）$0.67回 \fallingdotseq \frac{1,200}{(1,500 + 2,100) \div 2}$

06）$1.33回 \fallingdotseq \frac{1,200}{(700 + 1,100) \div 2}$

07）$0.71回 \fallingdotseq \frac{1,200}{(1,400 + 2,000) \div 2}$

08）$4.80回 = \frac{1,200}{(200 + 300) \div 2}$

09）$3.00回 = \frac{1,200}{(300 + 500) \div 2}$

try it **例題** 総資本回転率

次の資料により，総資本回転率を算定しなさい(期中平均値を使用することが望ましい数値については，そのような処置をすること)。なお，解答にさいして端数が生じた場合には，小数点第３位を四捨五入し，第２位まで求めること。

	第 64 期	第 65 期
完成工事高	20,735 百万円	17,484 百万円
総資本	17,102 百万円	14,972 百万円

解答

総資本回転率　1.09(回)

●総資本回転率

$$1.09(\text{回}) \fallingdotseq \frac{17,484}{(17,102 + 14,972) \div 2}$$

資産に対する回転率

次に，資産が効率よく運用されているかどうかを見るため，資産に対する回転率について見ていきます。

(4)棚卸資産回転率

$$\text{棚卸資産回転率}^{10)} = \frac{\text{完成工事高}}{\text{期中平均棚卸資産}}(\text{回})$$

高い（笑顔）／低い（泣き顔）

未成工事支出金，材料貯蔵品などが事業活動に投資され，１年間に何回転したかを表します。

10) 棚卸資産回転率は，建設業の場合，特に未成工事支出金の回転率を算出するのが望ましいです。なぜなら，材料貯蔵品は財務分析に有用なほど発生しないからです。

(5)固定資産回転率

$$\text{固定資産回転率} = \frac{\text{完成工事高}}{\text{期中平均固定資産}}(\text{回})$$

高い（笑顔）／低い（泣き顔）

企業に投下された固定資産が１年間に何回転したかを表します。

	S 建設会社		T 建設会社	
	前期	当期	前期	当期
完成工事高(百万円)	1,000	1,200	800	1,200
棚卸資産(百万円)	200	300	300	400
固定資産(百万円)	300	400	500	600
棚卸資産回転率	―――	4.80 回[11)]	―――	3.43 回[12)]
固定資産回転率	―――	3.43 回[13)]	―――	2.18 回[14)]

11) $4.80\text{回} = \frac{1,200}{(200+300)\div 2}$

12) $3.43\text{回} \fallingdotseq \frac{1,200}{(300+400)\div 2}$

13) $3.43\text{回} \fallingdotseq \frac{1,200}{(300+400)\div 2}$

14) $2.18\text{回} \fallingdotseq \frac{1,200}{(500+600)\div 2}$

清水課長は棚卸資産，固定資産といった資産が完成工事高の獲得に支障のないレベルでの最低量の在庫や最少の設備で効率的に運用されているかどうかを調べるために，それらの回転率を算定してみました。すると棚卸資産回転率，固定資産回転率はともに効率が良いことがわかりました。

例題　棚卸資産回転率・棚卸資産回転期間

Q

次の資料により，山口建設工業株式会社の第68期における棚卸資産回転率および棚卸資産回転期間を算定しなさい。なお，解答のさいに端数が生じた場合には小数点以下第3位を四捨五入し，第2位まで求めること。

	第67期	第68期
未成工事支出金	2,138百万円	2,402百万円
材料貯蔵品	52百万円	64百万円
完成工事高	12,039百万円	13,200百万円

解答

棚卸資産回転率　*5.67*(回)

棚卸資産回転期間　*2.12*(月)

●棚卸資産回転率

5.67(回)

$$≒\frac{13,200}{\{(2,138+52)+(2,402+64)\}\div 2}$$

●棚卸資産回転期間

2.12(月)

$$≒\frac{\{(2,138+52)+(2,402+64)\}\div 2}{13,200\div 12}$$

資金に対する回転率

最後に，債権・債務の回収の速度を見ていきましょう。

(6)受取勘定回転率

$$受取勘定回転率=\frac{完成工事高}{期中平均(受取手形+完成工事未収入金)}(回)$$

〈高い☺ 低い☹

売上債権に対する完成工事高の比率により，売上債権の回転する速度を表します。

また，工事代金の一部を受け取っていることから，かかる未成工事受入金を控除した正味の受取勘定で回転率を求めることも重要です。

$$正味受取勘定回転率=\frac{完成工事高}{期中平均(受取手形+完成工事未収入金-未成工事受入金)}(回)$$

〈高い☺ 低い☹

(7)支払勘定回転率

$$支払勘定回転率=\frac{完成工事高}{期中平均(支払手形+工事未払金)}(回)$$

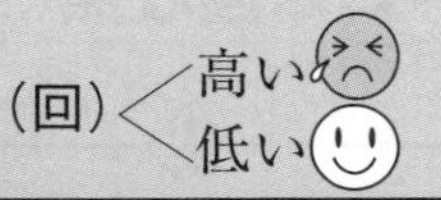

仕入債務に対する完成工事高の比率により，仕入債務の回転する速度を表します。この比率が低いということは，仕入債務の支払期間が長く，それだけ他人資本を長期間利用できていることを意味します[15)]。

15）ただし，支払勘定回転率は低ければよいというものではありません。低すぎる場合には将来の取引条件がより厳しくなる可能性があります。

	S建設会社		T建設会社	
	前　期	当　期	前　期	当　期
完成工事高(百万円)	1,000	1,200	800	1,200
受取手形(百万円)	100	200	300	450
完成工事未収入金(百万円)	100	150	200	350
支払手形(百万円)	100	200	250	300
工事未払金(百万円)	100	200	250	400
受取勘定回転率	――	4.36回[16)]	――	1.85回[17)]
支払勘定回転率	――	4.00回[18)]	――	2.00回[19)]

「受取勘定回転率，支払勘定回転率ともにT社より高い，つまり受取勘定はライバルより早く入金されて，支払勘定もライバルより早く支払っているということか。う～んそうか，これが現金の滞留期間が短くなっている原因だな」と清水課長は考えました。

16）(100＋100＋200＋150)÷2＝275

$4.36(回)≒\frac{1,200}{275}$

17）(300＋200＋450＋350)÷2＝650

$1.85(回)≒\frac{1,200}{650}$

18）(100＋100＋200＋200)÷2＝300

$4.00(回)=\frac{1,200}{300}$

19）(250＋250＋300＋400)÷2＝600

$2.00(回)=\frac{1,200}{600}$

try it 例題 支払勘定回転率

次の資料により，山口建設工業株式会社の第68期における支払勘定回転率を算定しなさい。なお，解答のさいに端数が生じる場合には小数点以下第3位を四捨五入し，第2位まで求めること。

	第67期	第68期
支払手形	974百万円	942百万円
工事未払金	840百万円	904百万円
完成工事高	12,039百万円	13,200百万円

解答

支払勘定回転率　　*7.21*(回)

●支払勘定回転率

$7.21(回)≒\frac{13,200}{\{(974+840)+(942+904)\}÷2}$

資本回収点

資本回収点とは，**収益（完成工事高）と総資本が一致する点**のことを指し，具体的には**総資本回転率が１回となる点**として分析[20]されます。

20）損益分岐点分析と同様に，関数均衡分析の一種として分析されるものです。

変動的資本と固定的資本

損益分岐点分析では，総費用を完成工事高に関連して変動する変動費と変動しない固定費に分解しました。これと同様に，資本回収点の分析においては，総資本を完成工事高に関連して変動する**変動的資本**と変動しない**固定的資本**に分解します。

変動的資本は完成工事高（請負工事高）の大きさに関連して変動する資本であり，流動資産の多くがこれに該当します[21]。

一方の固定的資本は完成工事高（請負工事高）の大きさに関係なく，企業規模の維持のために保有される資本であり，固定資産と一部の流動資産[22]が該当します。

21）特に，手許資金として保有される現金預金のほか，受取手形や完成工事未収入金などの売上債権（受取勘定）。未成工事支出金や材料などの棚卸資産の多くがこれに該当します。

22）請負工事の規模に関係なく企業の維持のために保有される一定量の在庫などがこれに該当します。

貸借対照表

借方	貸方	区分	
流動資産	変動的資本	変動的資本	総資本
	固定的資本	固定的資本	
固定資産	固定的資本		

資本回収点の算定

完成工事高と総資本の関係性を図示すると，右図のようになります[23]。

資本
完成工事高
総資本（変動的資本＋固定的資本）
資本回収点
変動的資本
固定的資本
完成工事高

完成工事高が０のときでも固定的資本に相当する総資本が存在し，完成工事高が増えるにつれて，変動的資本の分だけ総資本も増えていきます。

そして，完成工事高と総資本が等しくなった点が，資本回収点となります。

この関係性は，損益分岐点分析における完成工事高と総費用の関係性と同じであるため，資本回収点の計算も損益分岐点完成工事高と同様に，下記のように計算することができます。

23）この図を資本図表といいます。

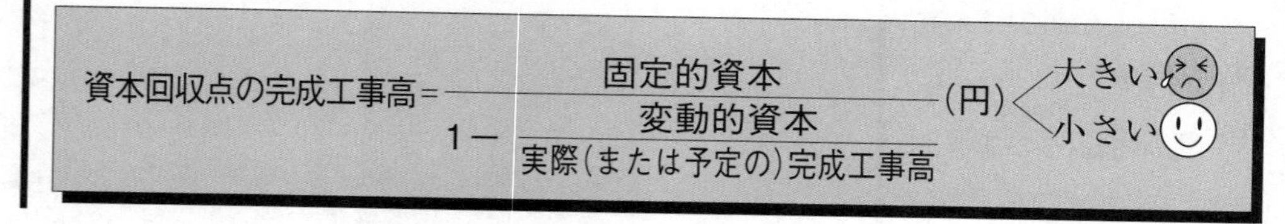

$$資本回収点の完成工事高=\frac{固定的資本}{1-\dfrac{変動的資本}{実際（または予定の）完成工事高}}（円）$$

try it **例題** **資本回収点**

次の資料により，N社の第13期における資本回収点の完成工事高を計算しなさい。ただし，N社の変動的資本は流動資産の84%とする。

■資　料■

完成工事高：560,000千円
総　資　本：472,000千円
　内 訳　流動資産：300,000千円
　　　　　固定資産：172,000千円

解答

資本回収点の完成工事高　*400,000*（千円）

●変動的資本
252,000 = 300,000 × 84%
●固定的資本
220,000 = 472,000 − 252,000
●資本回収点完成工事高

$$400{,}000 = \frac{220{,}000}{1 - \dfrac{252{,}000}{560{,}000}}$$

重要度 ◈◈◈

生産性分析

はじめに ■ 活動性の分析で当社の資本（純資産）の運用効率を見てきましたが，清水課長が，“それよりも重要なのではないだろうか”と考えているのはヒトや設備の効率です。企業はヒトで構成されているので特にヒトの効率は気になります。清水課長は労働生産性など，生産性の分析を始めることにしました。

生産性分析とは

企業の生産活動がどのくらい効率的であるかを知るための分析が生産性分析です。ヒト，モノ，カネの生産要素が，どの程度収益や利益に貢献しているかを分析します。

生産性比率 ● 生産要素の利益への貢献度を見るために以下の比率を用います。

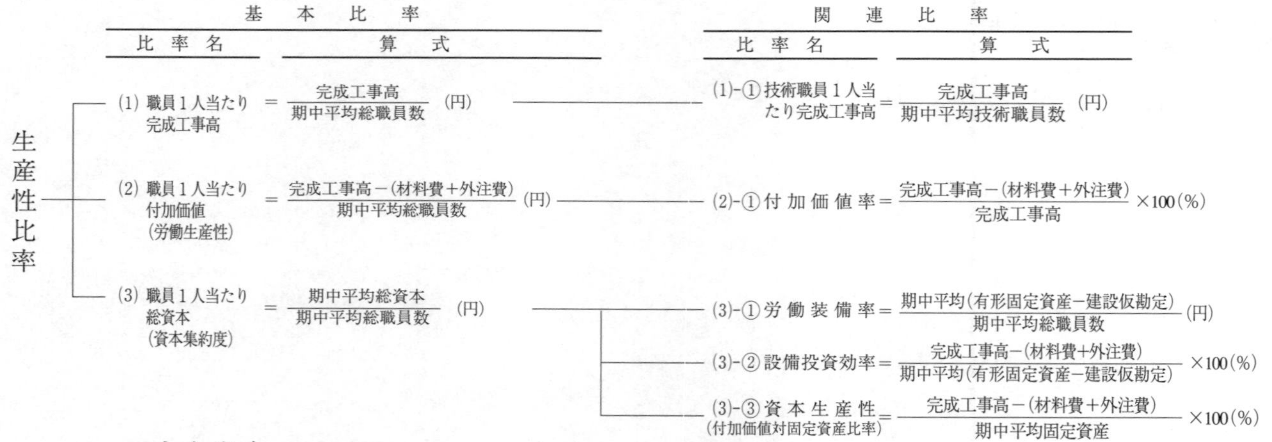

基本比率
比率名
算式
関連比率
比率名
算式
生産性比率
(1) 職員1人当たり完成工事高 ＝ 完成工事高 / 期中平均総職員数 (円)
(1)-① 技術職員1人当たり完成工事高 ＝ 完成工事高 / 期中平均技術職員数 (円)
(2) 職員1人当たり付加価値（労働生産性） ＝ 完成工事高－(材料費＋外注費) / 期中平均総職員数 (円)
(2)-① 付加価値率 ＝ 完成工事高－(材料費＋外注費) / 完成工事高 ×100(%)
(3) 職員1人当たり総資本（資本集約度） ＝ 期中平均総資本 / 期中平均総職員数 (円)
(3)-① 労働装備率 ＝ 期中平均(有形固定資産－建設仮勘定) / 期中平均総職員数 (円)
(3)-② 設備投資効率 ＝ 完成工事高－(材料費＋外注費) / 期中平均(有形固定資産－建設仮勘定) ×100(%)
(3)-③ 資本生産性（付加価値対固定資産比率） ＝ 完成工事高－(材料費＋外注費) / 期中平均固定資産 ×100(%)

付加価値（ふかかち） ● 付加価値とは，企業がその活動によって新たに産出した価値です。

企業が生産活動をいかに効率的に行っているかを見るには，この付加価値を算定し，生産要素との関係を分析していくことが必要です。

建設業経理士の試験問題では，付加価値を以下の算式で求めます。

> 付加価値＝完成工事高－(材料費＋外注費)[01]

材料費および外注費（労務外注費含む）は他の企業が作り出したものなので，付加価値を算出する際，完成工事高から減額します。一方，完成工事原価報告書の労務費，つまり現場の直接作業員の労務費は，自社が作り出したものなので，付加価値に含めます。

01）労務外注費は外注費に含めるものとします。
付加価値の計算には，付加価値に含まれないものを控除する控除法が，建設業で多く用いられ，実質的に減価償却費が含まれています。これを粗付加価値（あらふかかち）と呼びます。
これに対し，減価償却費を含めずに付加価値を計算する場合，これを純付加価値（じゅんふかかち）と呼びます。

それでは実際に付加価値を求めます。

S建設会社

完成工事原価報告書(単位：百万円)

	×10.4.1 〜×11.3.31	×11.4.1 〜×12.3.31
Ⅰ．材料費	150	150
Ⅱ．労務費	150	150
(うち労務外注費	150	150)
Ⅲ．外注費	300	400
Ⅳ．経費	100	100
計	700	800

T建設会社

完成工事原価報告書(単位：百万円)

	×10.4.1 〜×11.3.31	×11.4.1 〜×12.3.31
Ⅰ．材料費	120	200
Ⅱ．労務費	160	200
(うち労務外注費	160	200)
Ⅲ．外注費	220	400
Ⅳ．経費	80	100
計	580	900

付加価値は，次のようになります。

	S建設会社		T建設会社	
	前期	当期	前期	当期
完成工事高(百万円)	1,000	1,200	800	1,200
付加価値(百万円)	400	500 [02]	300	400 [03]

付加価値を見ると，当社はT社を上回っています。「T社よりも，1億円分社会に貢献している」と清水課長は満足しました。

02) 500(百万円)=1,200-(150+150+400)
03) 400(百万円)=1,200-(200+200+400)

(1)職員1人当たり完成工事高

$$\text{職員1人当たり完成工事高}=\frac{\text{完成工事高}}{\text{期中平均総職員数}}(\text{円})$$ 大きい☺ / 小さい☹

職員1人当たりの完成工事高を算出することで，職員1人当たりの効率を表します。

①技術職員1人当たり完成工事高

$$\text{技術職員1人当たり完成工事高}=\frac{\text{完成工事高}}{\text{期中平均技術職員数}}(\text{円})$$ 大きい☺ / 小さい☹

技術職員1人当たりの完成工事高を算出することで，技術職員1人当たりの効率を表します。

	S建設会社		T建設会社	
	前　期	当　期	前　期	当　期
完成工事高(百万円)	1,000	1,200	800	1,200
総　職　員　数	210人	190人	380人	420人
技　術　職　員　数	130人	110人	240人	260人
職員1人当たり完成工事高	——	600万円[04)]	——	300万円[05)]
技術職員1人当たり完成工事高	——	1,000万円[06)]	——	480万円[07)]

清水課長は職員１人当たりの完成工事高はライバルのＴ社に比べて300万円も高いこと，つまり当社の社員のほうがＴ社の社員より年間300万円分多く完成工事高を稼いでいて効率がいいことを知りました。

04) 600万円 $=\frac{1,200\ (百万円)}{(210+190)\div 2}$

05) 300万円 $=\frac{1,200\ (百万円)}{(380+420)\div 2}$

06) 1,000万円 $=\frac{1,200\ (百万円)}{(130+110)\div 2}$

07) 480万円 $=\frac{1,200\ (百万円)}{(240+260)\div 2}$

(2)職員１人当たり付加価値(労働生産性)

$$職員1人当たり付加価値(労働生産性)=\frac{完成工事高-(材料費+外注費)}{期中平均総職員数}(円)$$

大きい／小さい

職員１人当たりがどれだけの付加価値を産出したかを表します。

(2)−①付加価値率

$$付加価値率=\frac{完成工事高-(材料費+外注費)}{完成工事高}\times 100(\%)$$

大きい／小さい

完成工事高に占める付加価値の割合を表します。企業の加工度の大きさを示します。付加価値率が高ければ原材料等に対する価値生産活動が活発であるといえます。

	S建設会社		T建設会社	
	前　期	当　期	前　期	当　期
付加価値(百万円)	400	500	300	400
総　職　員　数	210人	190人	380人	420人
完成工事高(百万円)	1,000	1,200	800	1,200
職員1人当たり付加価値	——	250万円[08)]	——	100万円[09)]
付　加　価　値　率	40.00%	41.67%[10)]	37.50%	33.33%[11)]

「職員１人当たりの付加価値は，Ｔ社よりも150万円も上回っている。やはり，うちの職員は優秀なんだな」と清水課長は実感しました。

08) 250万円 $=\frac{500百万円}{(210+190)\div 2}$

09) 100万円 $=\frac{400百万円}{(380+420)\div 2}$

10) 41.67% $\fallingdotseq\frac{500}{1,200}\times 100$

11) 33.33% $\fallingdotseq\frac{400}{1,200}\times 100$

(2)職員1人当たり総資本（資本集約度）

$$\text{職員1人当たり総資本（資本集約度）}=\frac{\text{期中平均総資本}}{\text{期中平均総職員数}}\text{（円）}\left\langle \begin{array}{l}\text{大きい}\\ \text{小さい}\end{array}\right.$$

職員１人当たりの資本の大きさを表します。

$$\text{（労働生産性）}=\text{（資本集約度）}\times\underbrace{\text{（総資本回転率）}\times\text{（付加価値率）}}_{\text{総資本投資効率}}$$

$$\frac{\text{付加価値}}{\text{期中平均総職員数}}=\frac{\text{期中平均総資本}}{\text{期中平均総職員数}}\times\frac{\text{完成工事高}}{\text{期中平均総資本}}\times\frac{\text{付加価値}}{\text{完成工事高}}$$

労働生産性が以上のように分解できるので，資本集約度は労働生産性を向上させる１つの要素となります。

①労働装備率（ろうどうそうびりつ）

$$\text{労働装備率}=\frac{\text{期中平均（有形固定資産－建設仮勘定）}}{\text{期中平均総職員数}}\text{（円）}\left\langle \begin{array}{l}\text{大きい}\\ \text{小さい}\end{array}\right.$$

職員１人当たりの労働の設備状況を表します。大きいほど労働環境が整っていることを意味します。

②設備投資効率

$$\text{設備投資効率}=\frac{\text{完成工事高－（材料費＋外注費）}}{\text{期中平均}\underbrace{\text{（有形固定資産－建設仮勘定）}}_{\text{稼働中の有形固定資産}}}\times 100(\%)\left\langle \begin{array}{l}\text{高い}\\ \text{低い}\end{array}\right.$$

設備を投資され，稼働中となった有形固定資産がどのくらい付加価値の産出に貢献しているかを表します。

③資本生産性

$$\text{資本生産性}=\frac{\text{完成工事高 －（材料費＋外注費）}}{\text{期中平均固定資産}}\times 100(\%)\left\langle \begin{array}{l}\text{高い}\\ \text{低い}\end{array}\right.$$

固定資産がどの程度，付加価値の産出に貢献しているかを表します。

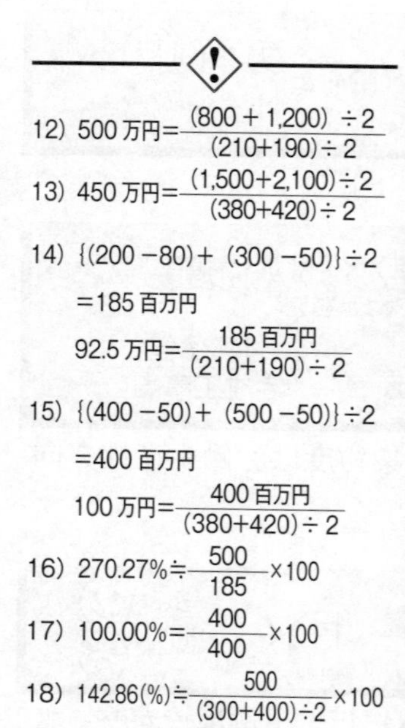

12) 500 万円 $=\dfrac{(800+1,200)\div 2}{(210+190)\div 2}$

13) 450 万円 $=\dfrac{(1,500+2,100)\div 2}{(380+420)\div 2}$

14) $\{(200-80)+(300-50)\}\div 2$
=185 百万円
92.5 万円 $=\dfrac{185\text{百万円}}{(210+190)\div 2}$

15) $\{(400-50)+(500-50)\}\div 2$
=400 百万円
100 万円 $=\dfrac{400\text{百万円}}{(380+420)\div 2}$

16) 270.27% $\fallingdotseq\dfrac{500}{185}\times 100$

17) 100.00% $=\dfrac{400}{400}\times 100$

18) 142.86(%) $\fallingdotseq\dfrac{500}{(300+400)\div 2}\times 100$

19) 72.73(%) $\fallingdotseq\dfrac{400}{(500+600)\div 2}\times 100$

	S建設会社		T建設会社	
	前　期	当　期	前　期	当　期
総資本(百万円)	800	1,200	1,500	2,100
付加価値(百万円)	400	500	300	400
有形固定資産(百万円)	200	300	400	500
建設仮勘定(百万円)	80	50	50	50
固定資産(百万円)	300	400	500	600
総職員数	210 人	190 人	380 人	420 人
職員1人当たり総資本	―――	500 万円 12)	―――	450 万円 13)
労働装備率	―――	92.5 万円 14)	―――	100 万円 15)
設備投資効率	―――	270.27% 16)	―――	100.00% 17)
資本生産性	―――	142.86% 18)	―――	72.73% 19)

清水課長は職員１人当たりの総資本の額はＴ社より上回っているのに対し，労働装備率がＴ社よりも7.5万円低いということは，自社はＴ社に比べ労働集約的な企業であると認識せざるを得なくなりました。

try it　**例題**　**従業員１人当たり付加価値（労働生産性）**

次の資料により，東北建設工業株式会社の従業員１人当たり付加価値を算定しなさい。なお，解答にさいして端数が生じた場合には小数点以下第３位を四捨五入し，第２位まで求めること。

■資　料■

完成工事高	26,842 百万円
材料費	8,534 百万円
労務費	4,106 百万円
（うち労務外注費	4,106 百万円）
外注費	7,468 百万円
経費	1,938 百万円
期中平均従業員数	255 人

解答

従業員１人当たり付加価値　　*26.41*（百万円）

●従業員１人当たり付加価値
26.41（百万円）
$\fallingdotseq\dfrac{26,842-(8,534+4,106+7,468)}{255}$

成長性分析

はじめに ■ 清水課長はこれまでに収益性，安全性，活動性，生産性と分析してきましたが，どれも当期や当期末の状況を示すものばかりで，当社の業績が上昇傾向にあるのか下降傾向にあるのかを示してくれるものではありませんでした。そこで清水課長は自社の動向を把握するため，前期のデータをベースに当期の状況を見る成長性分析を行うことにしました。

成長性分析とは

企業は長期的な維持・発展を目的としています。事業の拡大・発展を企業の成長といい，**この成長の度合またはその可能性**を企業の成長性といいます。

成長性分析は，つねに２会計期間以上のデータを比較するところにその特徴があります。

成長性比率 ● **企業の発展度合**を見るために，以下の比率を用います。

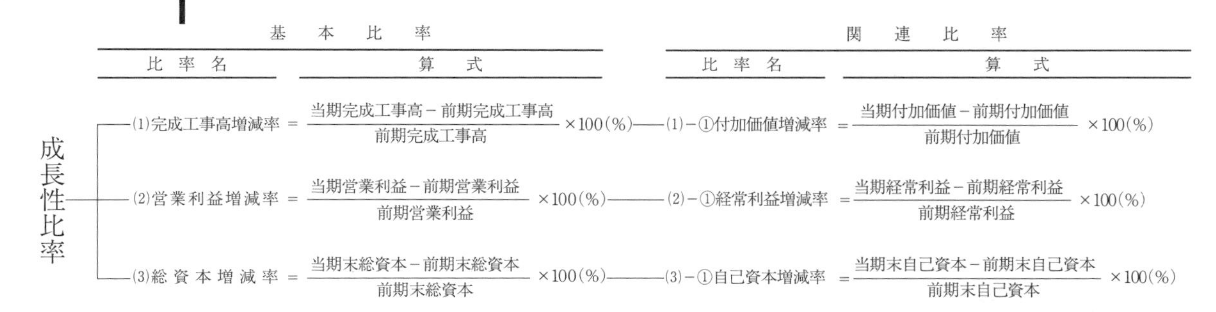

	基本比率 比率名	算式	関連比率 比率名	算式
成長性比率	(1)完成工事高増減率	$\frac{\text{当期完成工事高}-\text{前期完成工事高}}{\text{前期完成工事高}}\times 100(\%)$	(1)－①付加価値増減率	$\frac{\text{当期付加価値}-\text{前期付加価値}}{\text{前期付加価値}}\times 100(\%)$
	(2)営業利益増減率	$\frac{\text{当期営業利益}-\text{前期営業利益}}{\text{前期営業利益}}\times 100(\%)$	(2)－①経常利益増減率	$\frac{\text{当期経常利益}-\text{前期経常利益}}{\text{前期経常利益}}\times 100(\%)$
	(3)総資本増減率	$\frac{\text{当期末総資本}-\text{前期末総資本}}{\text{前期末総資本}}\times 100(\%)$	(3)－①自己資本増減率	$\frac{\text{当期末自己資本}-\text{前期末自己資本}}{\text{前期末自己資本}}\times 100(\%)$

成長性の分析 ● 企業の成長性に関する分析は，前期の財務諸表項目を基礎(分母)として，当期中の変動(当期と前期の差＝分子)の割合で判定します。

(１)完成工事高増減率 ●

$$\text{完成工事高増減率}=\frac{\text{当期完成工事高}-\text{前期完成工事高}}{\text{前期完成工事高}}\times 100(\%)$$

＜ プラス / マイナス

前期と比較して，完成工事高がどの程度増減したかを表し，企業の成長度合を完成工事高の増減率で捉える比率です。売上高（完成工事高）は企業の規模を示す指標で，かつ付加価値や利益の源泉を示すものなので，企業成長の基本的指標として重視されています。

(1)－①付加価値増減率

$$付加価値増減率＝\frac{当期付加価値－前期付加価値}{前期付加価値}\times100(\%)$$ ＜ プラス／マイナス

前期と比較して付加価値がどの程度増減したかを表し，生産性の度合を見る比率です。ただし，付加価値は人件費や支払利息※のような費用が増加した場合でも高まるものなので，この指標が高くなることが，利益の成長を反映するとは限らないという点に注意が必要です。

※人件費や支払利息が増加した場合，その分も含めて完成工事高として回収するため，結果として，付加価値が増加することになります。

	S建設会社		T建設会社	
	前　期	当　期	前　期	当　期
完成工事高(百万円)	1,000	1,200	800	1,200
付加価値(百万円)	400	500	300	400
完成工事高増減率	――	＋20.00%[01)]	――	＋50.00%[02)]
付加価値増減率	――	＋25.00%[03)]	――	＋33.33%[04)]

当社は着実に完成工事高，付加価値ともに成長を遂げていますが，ライバルのT社は，著しい成長により当社を追い越す勢いです。当社もさらに完成工事高を上げ，材料費，労務費，外注費を削除していかないと，ライバルに差をつけられてしまうことを痛感しました。そして，次に営業利益，経常利益や総資本，自己資本の増減を見ていくことにしました。

01) $+20.00\%=\frac{1,200-1,000}{1,000}\times100$

02) $+50.00\%=\frac{1,200-800}{800}\times100$

03) $+25.00\%=\frac{500-400}{400}\times100$

04) $+33.33\%\fallingdotseq\frac{400-300}{300}\times100$

(2)－営業利益増減率

$$営業利益増減率＝\frac{当期営業利益－前期営業利益}{前期営業利益}\times100(\%)$$ ＜ プラス／マイナス

前期と比較して営業利益がどの程度増減したかを表します。

〈参考〉増減率と成長率

成長性分析では、一般に増減率に関する指標を扱いますが、企業の成長性を示す比率としては、他に成長率というものがあります。

$$成長率＝\frac{当期実績値}{前期実績値}\times100(\%)$$

100%を超える数値　⇒　プラスの成長
100%を下回る数値　⇒　マイナスの成長

増減率と成長率の違いは、分子の項目にあります。増減率では分子を当期実績値と前期実績値の差額とするのに対して、成長率では当期実績値とします。

(2)－①経常利益増減率

$$\text{経常利益増減率}=\frac{\text{当期経常利益}-\text{前期経常利益}}{\text{前期経常利益}}\times 100(\%)$$ ＜ プラス／マイナス

企業の経営政策の是非を総合的に判断する場合，企業の経常的，正常的な活動の成果である経常利益の動向に注目することが大切です。

よって，経常利益増減率は企業の成長性をはかる非常に重要な指標です。

	S建設会社		T建設会社	
	前　期	当　期	前　期	当　期
営業利益(百万円)	100	180	100	150
経常利益(百万円)	60	160	90	125
営業利益増減率	――	＋80.00%[05)]	――	＋50.00%[06)]
経常利益増減率	――	＋166.67%[07)]	――	＋38.89%[08)]

営業利益増減率，経常利益増減率ともに当社のほうが上回っています。
特に経常利益増減率に着目すると，当社はいかに上手な財務活動を展開しているかがわかりました。

05) $+80.00\%=\frac{180-100}{100}\times 100$

06) $+50.00\%=\frac{150-100}{100}\times 100$

07) $+166.67\%\fallingdotseq\frac{160-60}{60}\times 100$

08) $+38.89\%\fallingdotseq\frac{125-90}{90}\times 100$

(3)総資本増減率

$$\text{総資本増減率}=\frac{\text{当期末総資本}-\text{前期末総資本}}{\text{前期末総資本}}\times 100(\%)$$ ＜ プラス／マイナス

企業の成長度合を総資本の増減率で捉えようとする比率です。一般に総資本の増加は完成工事高の増加とバランスをとりながら増加するのが望ましいとされています。

(3)－①自己資本増減率

$$\text{自己資本増減率}=\frac{\text{当期末自己資本}-\text{前期末自己資本}}{\text{前期末自己資本}}\times 100(\%)$$ ＜ プラス／マイナス

前期と比較して自己資本がどの程度増減したかを表し，安定性の基盤となる自己資本の成長度合を見る比率です。

	S建設会社		T建設会社	
	前　期	当　期	前　期	当　期
総　資　本(百万円)	800	1,200	1,500	2,100
自己資本(百万円)	200	300	300	500
総資本増減率	―――	＋50.00％[09]	―――	＋40.00％[10]
自己資本増減率	―――	＋50.00％[11]	―――	＋66.67％[12]

S社，T社ともに順調に総資本，自己資本を増やしています。総資本，自己資本が増加しているということは，それだけ会社の規模が大きくなっていることを示しています。「よーし，会社のためにもっともっと頑張るぞ！」。清水課長は，意気揚々と立ち上がりました。

09) $+50.00(\%)=\frac{1,200-800}{800}\times 100$

10) $+40.00(\%)=\frac{2,100-1,500}{1,500}\times 100$

11) $+50.00(\%)=\frac{300-200}{200}\times 100$

12) $+66.67(\%)\fallingdotseq\frac{500-300}{300}\times 100$

try it　例題　営業利益増減率

次の資料により，N社の第13期における営業利益増減率を算出しなさい。なお，解答にさいして端数が生じた場合については小数点以下第３位を四捨五入し，第２位まで求めること。

■資　料■

	第12期	第13期
完　成　工　事　高	15,269 百万円	16,319 百万円
完　成　工　事　原　価	13,161 百万円	13,561 百万円
販売費及び一般管理費	1,052 百万円	1,312 百万円

解答

営業利益増減率　　＋36.93(％)

●第12期　営業利益
15,269－(13,161＋1,052)＝1,056

●第13期　営業利益
16,319－(13,561＋1,312)＝1,446

●営業利益増減率
$+36.93\ (\%)\fallingdotseq\frac{1,446-1,056}{1,056}\times 100$

Chapter 3

資金変動性分析

これまでは，比率を算出して企業を分析してきました。

この章では，企業の資金の変動状況を表す資金計算書を作成して，企業の支払能力（安全性）を分析します。作成した資金計算書から，今まで企業がどのように資金を使ってきたのか，今手許（てもと）にどのくらいあるのかを知ることができます。

企業の資金計算書を作成するとはいえ，期首から取引ごとに記入していくのではありません。貸借対照表や帳簿から逆算することで作成します。資金の概念に注意して，資金計算書の作成方法を学んでください。

Section 1　重要度 ◈◈◈

資金変動性分析

はじめに ■「貸したお金が返ってこないから，借りたお金が返せない」。そんな言い訳は，借金した相手には通用しません。約束した期日が来れば，取立てに来ますし，支払うことができなければ，あなたは破産です。
企業も同じです。いくら利益があがっていても，売上債権が回収できなければ仕入債務を支払うことができません。ですから，黒字の企業がいきなり倒産することもあるのです。資金変動性分析は，企業の資金計算書を作成することで，企業の支払能力を見ていく分析です。

資金変動性分析とは

　資金変動性分析とは安全性分析の１つで，資金の流入および流出を分析することにより，企業の支払能力を把握するための分析です。資金変動性分析により，資金不足が予測される場合には適切に資金の調達をはかり，資金余剰が予測される場合には，その使途を計画するなど適切な対応が可能となります。

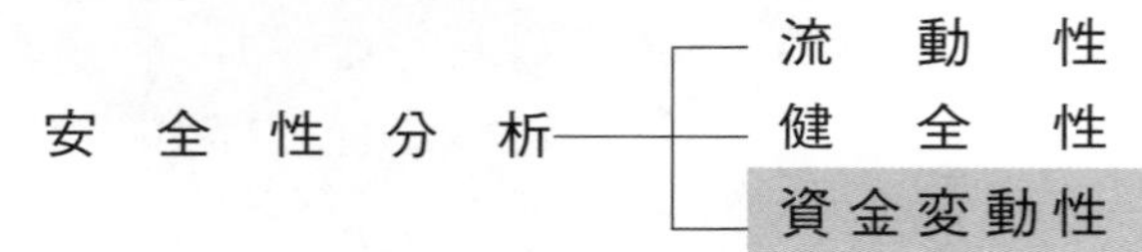

資金の概念 ● 建設業において企業は，①貨幣資本を調達し，②設備や材料，労働力に投下して，③工事を進行させます。そして，工事が完成し，引き渡すと④売上債権を得て，⑤貨幣資本が回収されます。このような貨幣資本の投下から回収までの流れが，企業の経営活動です。資金の概念は，企業の経営活動のどの側面に着目するかによって，数種類の概念があります。

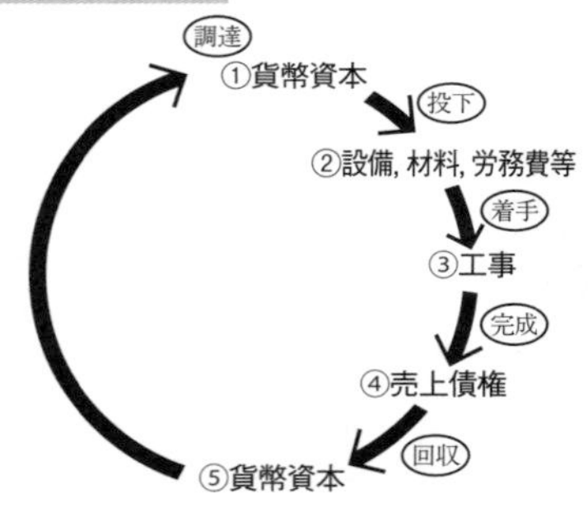

01）預金は，いつでも引き出せる要求払預金とします。
02）現金同等物とは容易に換金可能であり，かつ価値の変動について僅少なリスクしか負わない短期投資をいいます。

貸　借　対　照　表

<table>
<tr><th colspan="4">借　方</th><th colspan="4">貸　方</th></tr>
<tr><td rowspan="4">総資産</td><td rowspan="2">ⓐ流動資産</td><td>ⓒ当座資産</td><td>ⓕ現金預金 01)
現金同等物 02)　┐ⓔ現金および現金同等物
受取手形
完成工事未収入金
有価証券</td><td rowspan="2">ⓓ正味当座資産
ⓑ正味運転資本</td><td>流動負債</td><td rowspan="2">負債（他人資本）</td><td rowspan="4">総資本</td></tr>
<tr><td colspan="2">棚卸資産等</td><td>固定負債</td></tr>
<tr><td colspan="3">固定資産</td><td></td><td></td><td></td></tr>
<tr><td colspan="3">繰延資産</td><td colspan="3">自己資本</td></tr>
</table>

ⓐ流　動　資　産………　現金および短期間のうちに現金化または費消される資産。

ⓑ正味運転資本(正味流動資産)

………　流動資産から流動負債を控除したもの。企業の固定設備を変動しないものとした場合に，生産・販売などの諸活動を円滑に行うために必要とされる資金。

ⓒ当　座　資　産………　流動資産のうち，現金およびただちに現金化し得るもの。現金預金，受取手形，完成工事未収入金など。

ⓓ正味当座資産………　当座資産から流動負債の額を控除したもの。

ⓔ現金および現金同等物

………　キャッシュ・フロー計算書で規定する資金。手許現金，要求払預金の他に，短期の現金支払債務にあてるために保有された流動性の高い投資のうち，容易に換金可能なもの。

ⓕ現　金　預　金………　現金資金とも呼ばれる最狭義の資金概念。

資金計算書の種類

資金計算書とは，資金の流れを報告する計算書です。資金計算書は，資金概念の違いやその目的に応じて数種類のものがあります。

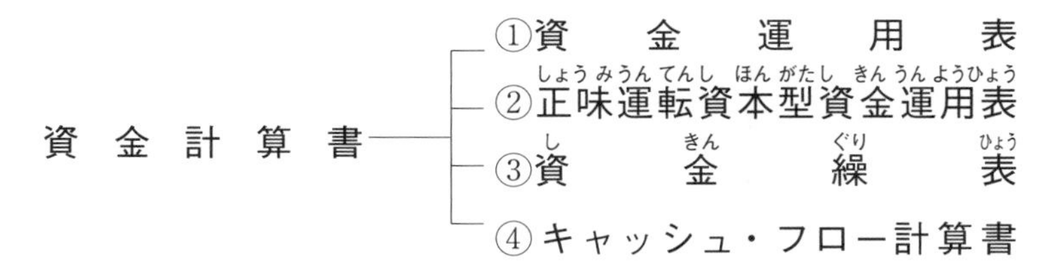

①資金運用表

資金運用表とは，連続した2期間の貸借対照表を比較することで各項目の増減を算定し，資金の源泉と運用とに区分整理した計算書です。資金運用表には，資金運用実績表と資金運用計画書があります(Section 2 参照)。

②正味運転資本型資金運用表

正味運転資本型資金運用表とは，正味運転資本を資金概念とする資金運用表です(Section 2 参照)。

③資金繰表

資金繰表とは，一定期間における現金収支をまとめた計算書です。資金繰表には，資金繰実績表と資金繰計画表(資金繰予算表)があります(Section 3 参照)。

④キャッシュ・フロー計算書

キャッシュ・フロー計算書とは，営業活動，投資活動，財務活動の3つの区分によって，資金の変動を示した計算書です。
キャッシュ・フロー計算書では，現金および現金同等物を資金概念としています(Section 4 参照)。

例題　資金の概念

Q 次の文の［　　］の中に入れるべき適当な用語を，下記の用語群の中から選び，その記号（ア～ネ）を所定の欄に記入しなさい。なお，同一の記号を２回以上用いてもよい。

資金という概念は，いろいろな意味で用いられる。

最広義では，資金は［1］と同義に用いられ，この考え方は，いわゆる［2］の変動を包括的にとらえるためのものである。これに対して，［3］から［4］を控除した［5］をもって資金とすることがある。［6］の見地から債務返済能力，すなわち［7］を測定することを目的とする［8］では，この概念をもって資金とすることが多い。

しかし，［9］の中には［10］のように，ただちに支払手段として利用できないものがあるので，資金を支払手段とする考え方からは，［11］から［12］を除いた［13］をもって資金とする考え方がとられる。さらに短期的な現金収支，とりわけ月次の現金収支をとらえる［14］では，現金と［15］の合計額をもって資金とすることがあり，これが最狭義の資金概念である。

〈用語群〉

ア 経営成績	イ 財政状態	ウ 資産	エ 流動資産
オ 要求払預金	カ 一時所有の有価証券	キ 当座資産	ク 棚卸資産
ケ 固定資産	コ 流動負債	サ 固定負債	シ 総資本
ス 正味運転資本	セ 資金移動表	ソ 資金運用表	タ 資金繰表
チ 債権者	ト 投資者	ナ 安全性	ニ 収益性
ヌ 生産性	ネ 成長性		

解答欄

1	2	3	4	5	6	7	8	9
シ	イ	エ	コ	ス	チ	ナ	ソ	エ

10	11	12	13	14	15
ク	エ	ク	キ	タ	オ

資金運用表

はじめに 前期と当期の貸借対照表を見比べてください。どの科目が減少して，どの科目が増加しているのでしょうか。これを資金の源泉（出所）と資金の運用（使い途）とに分けて示したものが，資金運用表です。
資金運用表には，「資金運用表」と「正味運転資本型資金運用表」があります。これらは，1年間（1 会計期間）の資金の動きを把握するために作成されます。

資金運用表とは

資金運用表とは，連続した2期間の貸借対照表を用いた比較貸借対照表にもとづき，必要な修正を加え，資金の源泉と運用とに区分整理した計算書です。
貸借対照表は資金の調達とその運用の状態を表しています。したがって，2つの時点の貸借対照表項目の増減を見ることによって，資金の調達や運用の具体的内容を把握できます。このために作成されるのが資金運用表です。
この資金運用表から，資金が固定化の傾向にあるか，または流動化の傾向にあるかという支払能力を判定することができます。

資金の源泉項目と運用項目

資金の源泉とは，**資金の流入**を意味します。これは，資産の減少，負債および純資産の増加によりもたらされます。
一方，**資金の運用**とは，**資金の流出**を意味します。これは，資産の増加や，負債および純資産の減少によりもたらされます。
以上のことをまとめると次のようになります。

資金の源泉

資産 ⊖	負債 ⊕
	純資産 ⊕

・資産の減少
・負債の増加
・純資産の増加

資金の運用

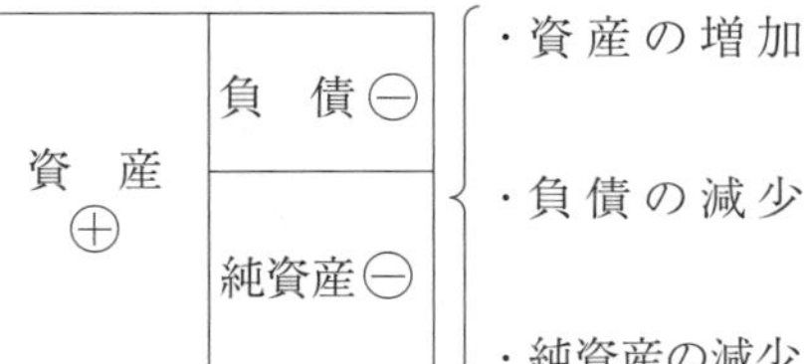

資金運用表の作成

次の資料をもとに，第 16 期の資金運用表を作成していきましょう。

■資　料■　　　　　比 較 貸 借 対 照 表　　　　（単位：千円）

借　方	第15期	第16期	貸　方	第15期	第16期
流動資産			流動負債		
現金預金	23,100	26,665	支払手形	20,679	23,869
受取手形	5,095	5,385	工事未払金	14,680	17,875
完成工事未収入金	8,742	9,305	短期借入金	21,247	22,214
未成工事支出金	47,670	50,767	未成工事受入金	27,558	28,417
材料貯蔵品	1,115	1,163	その他の流動負債	2,162	2,205
その他の流動資産	2,644	2,694	流動負債合計	(86,326)	(94,580)
流動資産合計	(88,366)	(95,979)	固定負債		
固定資産			長期借入金	22,569	21,995
有形固定資産	23,038	23,355	退職給付引当金	1,250	1,358
投資その他の資産	15,260	15,498	固定負債合計	(23,819)	(23,353)
固定資産合計	(38,298)	(38,853)	純資産		
			資本金	8,500	8,500
			利益準備金	1,200	1,302
			任意積立金	5,000	5,000
			繰越利益剰余金	1,819	2,097
			純資産合計	(16,519)	(16,899)
合　計	126,664	134,832	合　計	126,664	134,832

1. 当期の損益計算に関するデータ
   (1)減価償却費　820 千円
   (2)退職給付費用　205 千円
   (3)税引前当期純利益　2,850 千円
   (4)法人税等　1,450 千円
   (5)当期純利益　1,400 千円

2. 当期の株主資本の計数の変動に関するデータ
   (1)利益準備金の積立　102 千円
   (2)配当金の支払　1,020 千円

3. その他のデータ
   (1)受取手形に対して貸倒引当金は設定していない。
   (2)第 16 期中に有形固定資産（取得価額：1,137 千円）を購入した。
   (3)投資その他の資産の増加分は子会社への出資金である。
   (4)なお，前期の法人税等の支払はない。

資金運用精算表の作成方法

(1) 貸借対照表を２期分並べて記載します。
(2) ２期の差額を資金運用精算表の増減欄に記載します。

資　産	増加──▶借方(運用)
	減少──▶貸方(調達)
資金計算書	増加──▶貸方(調達)
	減少──▶借方(運用)

(3) 資金の増減と無関係の項目，および資金の源泉・運用を明確に表示するための項目について修正を行います。

修正項目

修正を要する項目としては，①当期純利益の資金源泉表示，②剰余金の配当等に関する修正，③減価償却費に関する修正，④退職給付引当金等の修正，⑤特別な資金調達・運用項目の表示があります。

資 金 運 用 精 算 表　(単位：千円)

	(1)第15期	(1)第16期	(2)増減		(3)修正		資金運用表	
			借方	貸方	借方	貸方	運用	調達
現金預金	23,100	26,665	3,565				3,565	
受取手形	5,095	5,385	290				290	
完成工事未収入金	8,742	9,305	563				563	
未成工事支出金	47,670	50,767	3,097				3,097	
材料貯蔵品	1,115	1,163	48				48	
その他の流動資産	2,644	2,694	50				50	
有形固定資産	23,038	23,355	317		③ 820	⑤ 1,137		
投資その他の資産	15,260	15,498	238			⑤ 238		
	126,664	134,832						
支払手形	20,679	23,869		3,190				3,190
工事未払金	14,680	17,875		3,195				3,195
短期借入金	21,247	22,214		967				967
未成工事受入金	27,558	28,417		859				859
その他の流動負債	2,162	2,205		43	① 1,450		1,407	
長期借入金	22,569	21,995	574			⑤ 574		
退職給付引当金	1,250	1,358		108	④ 205	⑤ 97		
資本金	8,500	8,500						
利益準備金	1,200	1,302		102	② 102			
任意積立金	5,000	5,000						
繰越利益剰余金	1,819	2,097		278	① 1,400	② 1,122		
	126,664	134,832	8,742	8,742				
税引前当期純利益						① 2,850		2,850
減価償却費						③ 820		820
退職給付費用						④ 205		205
剰余金の配当					② 1,020		1,020	
固定資産取得					⑤ 1,137		1,137	
投資（子会社出資）					⑤ 238		238	
長期借入金返済					⑤ 574		574	
退職給付引当金の支出					⑤ 97		97	
合計					7,043	7,043	12,086	12,086

①当期純利益の資金源泉表示

税引前当期純利益[01]は自己資金の調達にあたります。そこで，これを資金の源泉として捉えるための修正を行います。

(借) その他の流動負債[02]	1,450	(貸) 税引前当期純利益	2,850
繰越利益剰余金	1,400		

なお，設問の資料で未払法人税がその他の流動負債に含まれず，別に記載され，また繰越利益剰余金が利益剰余金に含まれて表示されているときには，次の修正仕訳を行います。

(借) 未払法人税等	1,450	(貸) 税引前当期純利益	2,850
利益剰余金	1,400		

01) 第16期の会計期間の法人税等が期末現在，確定しているので，当期純利益ではなく税引前当期純利益を用います。
02) 未払法人税1,450千円はその他の流動負債に含まれているものとして処理します。

②剰余金の配当等に関する修正

配当金は社外流出するもので，資金の流出(運用)をともないますが，利益準備金・積立金はすでに資金の調達として捉えた利益の振替えに過ぎず，資金の移動とは無関係です。そこで，利益準備金などの増加を振り戻し，配当金の支出を資金の運用として示すための修正を行います。

(借) 利益準備金	102	(貸) 繰越利益剰余金	1,122
剰余金の配当	1,020		

③減価償却費に関する修正

有形固定資産は減価償却費を控除して表示されています。そこで減価償却費分だけ有形固定資産の金額を増加させます。

(借) 有形固定資産	820	(貸) 減価償却費	820

減価償却費は支出をともなわない非資金費用[03]です。この分の資金が企業内で蓄積されるので資金の調達として計上します。

03) 有形固定資産の減価償却の他にも無形固定資産や繰延資産の償却について，非資金費用としての払戻しの修正仕訳を行います。ただし，本問ではこれらに関する資料が与えられていないため，修正の必要はありません。

④退職給付引当金等の修正

退職給付引当金や貸倒引当金，完成工事補償引当金等の増加は，資金が流入したものではないので，その増加を振り戻す修正を行う必要があります。

(借) 退職給付引当金	205	(貸) 退職給付費用	205

⑤特別な資金調達項目・資金運用項目の表示

固定資産の売却や長期借入，社債の発行，増資などの資金調達や固定資産の取得や固定負債の返済などの資金運用は，比較貸借対照表の増減として表示されます。これらを事実にもとづいて仕訳します。

[04](借) 固定資産の取得	1,137	(貸) 有形固定資産	1,137
(借) 投資(子会社出資)	238	(貸) 投資その他の資産	238
[04](借) 長期借入金返済	574	(貸) 長期借入金	574
(借) 退職給付引当金の支出	97	(貸) 退職給付引当金	97

04)
(借) 有形固定資産 1,137
(貸) 現金預金 1,137
(借) 長期借入金 574
(貸) 現金預金 574
上記の仕訳を資金運用表の項目に振り替えるための仕訳とイメージしましょう。

以上の修正をもとに資金運用表を作成すると次のようになります。

資金運用表 (単位：千円)

Ⅰ．資金の源泉		
流動負債		
支払手形の増加	3,190	
工事未払金の増加	3,195	
短期借入金の増加	967	
未成工事受入金の増加	859	8,211
税引前当期純利益		2,850
非資金費用		
減価償却費	820	
退職給付費用	205	1,025
合計		12,086
Ⅱ．資金の運用		
流動資産		
現金預金の増加	3,565	
受取手形の増加	290	
完成工事未収入金の増加	563	
未成工事支出金の増加	3,097	
材料貯蔵品の増加	48	
その他の流動資産の増加	50	7,613
流動負債		
その他の流動負債の減少		1,407
固定資産		
有形固定資産の増加	1,137	
投資その他の資産の増加	238	1,375
固定負債		
長期借入金の返済	574	
退職給付引当金の支出	97	671
剰余金の配当		
配当金の支出		1,020
合計		12,086

正味運転資本型資金運用表

次に，正味運転資本を資金概念とする正味運転資本型資金運用表の作成を行います。正味運転資本とは，流動資産から流動負債を控除したものであり，また固定負債と純資産の合計から固定資産を控除したものでもあります。

貸借対照表

正味運転資本＝流動資産－流動負債＝固定負債＋純資産－固定資産

正味運転資本型資金運用表では，流動資産および流動負債の増減額が，固定資産，固定負債および純資産の増減とは別個に示されます。この関係を示すと次のとおりです。

正味運転資本	固定負債
固定資産	純資産

資金の源泉		
①固定負債の増加	＊＊＊	
②純資産の増加	＊＊＊	
③固定資産の減少	＊＊＊	＊＊＊
資金の運用		
④固定負債の減少	＊＊＊	
⑤純資産の減少	＊＊＊	
⑥固定資産の増加	＊＊＊	＊＊＊
差引：正味運転資本の増減		×××

流動資産	流動負債
	正味運転資本

正味運転資本変動の明細		
⑦流動資産の増加	＊＊＊	
⑧流動負債の減少	＊＊＊	＊＊＊
⑨流動資産の減少	＊＊＊	
⑩流動負債の増加	＊＊＊	＊＊＊
差引：正味運転資本の増減		×××

一致

この関係からわかるように，正味運転資本型資金運用表は資本を２つの面から捉えたものです。前述の資料にもとづいた資金運用表を正味運転資本型資金運用表になおすと次のとおりです。

正味運転資本型資金運用表

（単位：千円）

1. 資金の源泉		
税引前当期純利益		2,850
非資金費用		
減価償却費	820	
退職給付費用	205	1,025
小計		3,875
2. 資金の運用		
固定資産		
有形固定資産の増加	1,137	
投資その他の資産の増加	238	1,375
固定負債		
長期借入金の返済		574
引当金等		
退職給付引当金の支出		97
剰余金の配当		
配当金の支出		1,020
小計		3,066
差引（正味運転資本の増加）		809
3. 正味運転資本変動の明細		
(1)正味運転資本の増加		
流動資産の増加		
現金預金の増加	3,565	
受取手形の増加	290	
完成工事未収入金の増加	563	
未成工事支出金の増加	3,097	
材料貯蔵品の増加	48	
その他の流動資産の増加	50	7,613
流動負債の減少		
その他の流動負債の減少		1,407
小計		9,020
(2)正味運転資本の減少		
流動負債の増加		
支払手形の増加	3,190	
工事未払金の増加	3,195	
短期借入金の増加	967	
未成工事受入金の増加	859	8,211
差引（正味運転資本の増加）		809

資金運用表の利用

資金運用表は，企業の財政状態を資金面から明らかにし，資金の調達と資金の運用状態を判定するために作成されます。資金運用表のなかでも，正味運転資本型資金運用表によれば短期的な資金の増加が明らかにされるので，**企業の支払能力**を分析することができます。

また，資金運用表は**資金管理**面においても有用です。企業の資金は運転資金と設備資金に大別されます。このうち運転資金について，資金フローを管理し，適切な対応を行うことで資本の効率化を図ることができます。

正味運転資本の増加 正味運転資本の増加は，資金に余裕があることを意味します。増加額が巨額でなければ，健全な財務状態にあると判断します。

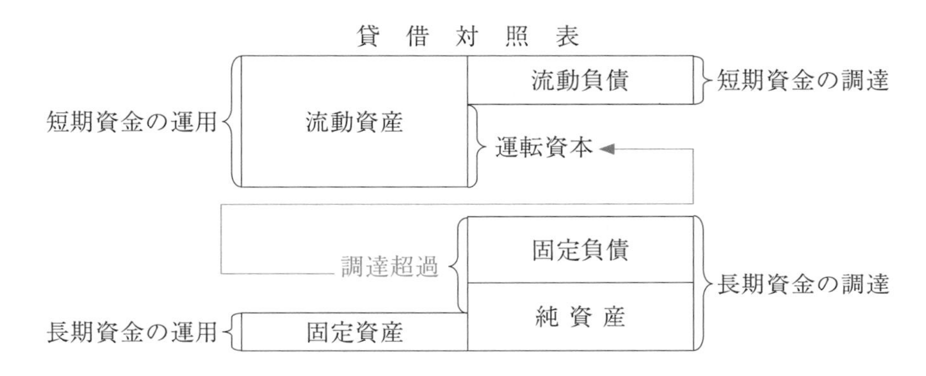

正味運転資本の減少 正味運転資本の減少は，固定資産への投資が短期的な資金調達によって行われていることを意味します。したがって，これは不健全な財務状態にあると判断します。

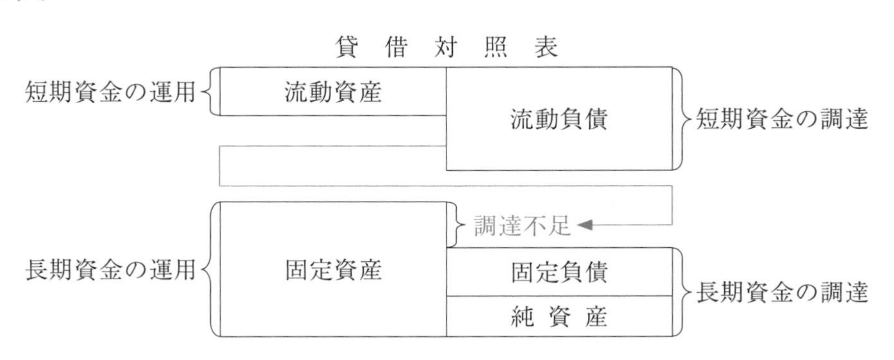

例題　資金運用表

Q　A社の二期比較貸借対照表（要約）と下記の資料を参照して，第47期資金運用表（正味運転資本型）を完成しなさい。

（単位：百万円）

借　　方	第46期	第47期	貸　　方	第46期	第47期
流動資産			流動負債		
現金預金	2,789	3,158	支払手形	2,452	2,416
受取手形	590	455	工事未払金	1,706	1,914
完成工事未収入金	1,074	1,397	短期借入金	2,519	4,591
未成工事支出金	5,721	6,874	未成工事受入金	3,174	2,955
材料貯蔵品	126	89	その他の流動負債	425	477
その他の流動資産	327	273	流動負債合計	(10,276)	(12,353)
流動資産合計	(10,627)	(12,246)	固定負債		
固定資産			長期借入金	2,711	2,503
有形固定資産	2,804	2,836	退職給付引当金	152	168
投資その他の資産	1,843	2,121	固定負債合計	(2,863)	(2,671)
固定資産合計	(4,647)	(4,957)	純資産		
			資本金	925	925
			資本剰余金	139	139
			利益剰余金	1,071	1,115
			純資産合計	(2,135)	(2,179)
合計	15,274	17,203	合計	15,274	17,203

〈資　料〉

1. 当期の損益計算に関するデータは次のとおり。

(1) 減価償却費　84百万円

(2) 退職給付費用　21百万円

(3) 税引前当期純利益　293百万円

　　法人税等　156百万円

　　当期純利益　137百万円

2. 当期の資金に変動を与えた前期の関連データは次のとおり。

(1) 法人税等の支払　121百万円

　　この支払については，資金の運用と捉えて「引当金等」の欄に記入する。

(2) 株主資本の変動

　　利益準備金の積立　9百万円

　　任意積立金の積立　20百万円

　　配当金の支払　93百万円

解答

＊1）116＝(2,836−2,804)＋84
＊2）208＝2,711－2,503

第 47 期資金運用表（正味運転資本型）

（単位：百万円）

Ⅰ．資金の源泉		
税引前当期純利益		293
非資金費用		
減価償却費	84	
退職給付費用	21	105
小　　計		398
Ⅱ．資金の運用		
固定資産		
有形固定資産の増加	116 ＊1)	
投資その他の資産の増加	278	394
固定負債		
長期借入金の返済		208 ＊2)
引当金等		
法人税等	121	
退職給付引当金からの支出	5	126
剰余金の配当		
配当金の支出		93
小　　計		821
差引　正味運転資本 の 減少		423

（注）正味運転資本変動の状況

流動資産の純増加	1619
流動負債の純増加	2042
差引（正味運転資本の減少）	423

流動負債の増加額
B／Sの増加額 2,077 百万円から未払法人税等の増加額 35 百万円（156 百万円－ 121 百万円）を引いた額となります。

Section 3　重要度 ◈◈

資金繰表

はじめに 買い物をするとき，まず買いたい品物の値段を見ます。次に，自分が今いくらもっているのかを確かめ，最後に買うかどうかの判断をします。
企業も同じような判断をします。まず，活動するためにはいくら必要なのかを算定します。次に，収入がいくら見込めるのかを確かめ，最後に活動の質や規模を決定します。この費用の算定と収入の見込みを随時把握するために作成されるのが，資金繰表です。

資金繰表

資金繰りとは，資金不足に陥らないように，支出に見合った収入を調達することです。[01)]

資金運用表は，一般的に貸借対照表の期間比較によって作成されます。しかし，これでは資金調達とその運用の実際の動きを追うことができません。

そこで，実績にもとづいた資金繰表(資金繰実績表)や計画・予定などにもとづいた資金繰表(資金繰予算表)を作成することで，資金の効果的な調達・運用に役立てます。

資金繰表の形式は，企業の規模や資金計画の目的によって異なります。しかし，一般的には，収入と支出をもとにして前期間の繰越と次期間の繰越を表示します。また，収支を一般収支と財務収支の２区分で表示する方法や，一般収支，設備関係収支，財務収支の３区分で表示する方法などがあります。

以下に，収支を２区分する方法をとる資金繰表を示します。

資金繰表

（単位：百万円）

摘要				月	月	月
前月繰越(A)						
一般収支	収入	売上代金	現金売上			
			売掛金回収			
			手形取立			
			手形割引			
			前受金			
			受取利息			
			その他			
		一般収入合計(B)				
	支出	仕入代金	現金仕入			
			買掛金支払			
			手形決済			
			その他			
			人件費			
			一般経費			
			前渡金			
			支払利息			
			設備関係支払			
			決算関係支出			
			その他			
		一般支出合計(C)				
	一般収支過不足(D＝B－C)					
財務収支	借入金					
	その他財務収入					
	借入金返済					
	その他財務支出					
	財務収支過不足(E)					
次月繰越(A±D±E)						

01）ただし，資金に余裕のある場合には借入金の返済や投資などを行って有効活用します。

キャッシュ・フロー計算書

はじめに あなたは，自分がお金をどのように使っているのかを把握していますか。日常生活や趣味にはどのくらいを費やし，また冠婚葬祭などの行事にはどれくらい費やしているのかなどを計算したことはありますか。
このように，資金の流れを活動別に分けて算定するときに利用される計算書がキャッシュ・フロー計算書です。企業の活動は主に営業活動，投資活動，財務活動に分けられるので，キャッシュ・フロー計算書はこの３つによる収支を表示します。

キャッシュ・フロー計算書とは

キャッシュ・フロー計算書とは，一会計期間における資金の流入および流出の状況を企業が行う主要な活動区分別(営業活動，投資活動，財務活動の区分別)に表示する財務諸表です。
なお，キャッシュ・フロー計算書で扱われる資金(キャッシュ)の範囲は，現金[01]および現金同等物[02]となっています。

01)手許現金および要求払預金(当座預金・普通預金など）をいいます。
02）容易に換金可能であり，かつ価値の変動について僅少なリスクしか負わない短期投資をいいます。
例）譲渡性預金，公社債投資信託

キャッシュ・フロー計算書の基本構造

以下にキャッシュ・フローの基本構造を示します。

キャッシュ・フロー計算書

Ⅰ 営業活動[03]によるキャッシュ・フロー	×××
Ⅱ 投資活動[04]によるキャッシュ・フロー	×××
Ⅲ 財務活動[05]によるキャッシュ・フロー	×××
Ⅳ 現金および現金同等物に係る換算差額[06]	×××
Ⅴ 現金および現金同等物の増減額	×××
Ⅵ 現金および現金同等物の期首残高	×××
Ⅶ 現金および現金同等物の期末残高	×××

03）営業活動とは，企業の主たる業務活動をいいます。
04）投資活動とは，固定資産などの長期性資産や株式など現金同等物に含まれない投資物件の購入や売却による活動をいいます。
05）財務活動とは，企業外部からの資金調達に関連する活動で株主資本や借入金の規模に変動をもたらす活動をいいます。
06）外貨建ての現金および現金同等物を換算したときに生じる差額です。

キャッシュ・フロー計算書の概念

キャッシュ・フロー計算書はⅠ営業活動によるキャッシュ・フロー，Ⅱ投資活動によるキャッシュ・フロー，Ⅲ財務活動によるキャッシュ・フローに区分され，それぞれの区分のキャッシュ・フロー状況を表します。
キャッシュ・フローの構成を要約すると次のとおりです。

Ⅰ　営業活動によるキャッシュ・フロー
・営業収入
・営業支出
・人件費支出
・法人税等の支払額　　等

Ⅱ　投資活動によるキャッシュ・フロー
・有形(無形)固定資産の取得支出
・有形(無形)固定資産の売却収入
・貸付金回収による収入
・貸付けによる支出　　等

Ⅲ　財務活動によるキャッシュ・フロー
・株式発行による収入
・配当金の支払による支出
・社債(借入れ)による収入
・社債(借入金)の返済による支出　　等

キャッシュ・フロー計算書の具体的な表示方法

キャッシュ・フロー計算書には「Ⅰ営業活動によるキャッシュ・フローの表示方法」の違いにより，(1)直接法と(2)間接法の２つがあります。ただ，どちらの方法とも「Ⅱ投資活動によるキャッシュ・フロー」以下は同じである点に注意してください。

(1)直接法

営業活動によるキャッシュ・フローを，営業収入と営業支出とを対比する形で表示する方法です。

○○株式会社　　キャッシュ・フロー計算書　(単位：円)

Ⅰ　営業活動によるキャッシュ・フロー	
営業収入	5,000
原材料等の仕入支出	−2,000
人件費支出	−1,000
その他の営業支出	−1,000
小　計	1,000
利息および配当金の受領額	50
利息の支払額	−200
法人税等の支払額	−400
営業活動によるキャッシュ・フロー	450

Ⅱ　投資活動によるキャッシュ・フロー	
有価証券の取得による支出	-150
有価証券の売却による収入	450
有形固定資産の取得による支出	-500
有形固定資産の売却による収入	100
貸付けによる支出	-450
貸付金の回収による収入	200
投資活動によるキャッシュ・フロー	-350
Ⅲ　財務活動によるキャッシュ・フロー	
短期借入れによる収入	300
短期借入金の返済による支出	-150
長期借入れによる収入	300
長期借入金の返済による支出	-450
社債の発行による収入	0
社債の償還による支出	-400
株式の発行による収入	500
財務活動によるキャッシュ・フロー	100
Ⅳ　現金および現金同等物に係る換算差額	-50
Ⅴ　現金および現金同等物の増加(減少)額	150
Ⅵ　現金および現金同等物期首残高	900
Ⅶ　現金および現金同等物期末残高	1,050

(2)間接法　営業活動によるキャッシュ・フローを税金等調整前当期純利益に加減する形で表示する方法です。

○○株式会社　　キャッシュ・フロー計算書　(単位：円)

Ⅰ　営業活動によるキャッシュ・フロー	
税金等調整前当期純利益	810
減価償却費	225
貸倒引当金増加額	15
受取利息および受取配当金 07)	-50
支払利息 07)	200
為替差損	20
有形固定資産売却益	-10
売上債権の増加額	-310
棚卸資産の減少額	360
仕入債務の減少額	-260
小　計	1,000

07) 受取利息および受取配当金，支払利息の区分方法は２種類あるので，比較可能性を確保するために，これらの項目はいったん除外して小計を示し，その後に戻入れを行う必要があります。

利息および配当金の受領額[07]	50
利息の支払額[07]	-200
法人税等の支払額	-400
営業活動によるキャッシュ・フロー	450
Ⅱ 投資活動によるキャッシュ・フロー(直接法と同じ)	-350
Ⅲ 財務活動によるキャッシュ・フロー(直接法と同じ)	100
Ⅳ 現金および現金同等物に係る換算差額	- 50
Ⅴ 現金および現金同等物の増加(減少)額	150
Ⅵ 現金および現金同等物期首残高	900
Ⅶ 現金および現金同等物期末残高	1,050

利息および配当金の表示区分

上記のキャッシュ・フロー計算書の例では(1)「利息および配当金の受領額」および「利息の支払額」を営業活動によるキャッシュ・フローの区分で表示していますが，(2)「利息および配当金の受領額」を投資活動によるキャッシュ・フローの区分で，また「利息の支払額」を財務活動によるキャッシュ・フローの区分で表示することもあります。

(1)の方法

	営業活動	投資活動	財務活動
受取利息	○		
受取配当金	○		
支払利息	○		
支払配当金			○

(2)の方法

	営業活動	投資活動	財務活動
受取利息		○	
受取配当金		○	
支払利息			○
支払配当金			○

営業収入と営業支出

直接法による営業活動によるキャッシュ・フローの営業収入と営業支出の具体的な方法について見ていきます。

(1)営業収入 ← (2)営業支出
- ①原材料等の仕入支出
- ②人件費支出
- ③その他の営業支出

(1)営業収入

当期の完成工事高の一部は，完成工事未収入金や受取手形として次期の現金収入となります。また前期の完成工事高の一部は，完成工事未収入金や受取手形の回収により当期の現金収入となります。これらを考慮して当期の営業収入を計算していきます[08]。

期首の売上債権＋当期完成工事高＝営業収入(現金の流入)＋期末の売上債権

08）売上債権を完成工事未収入金と受取手形とすると，営業収入は次のように求めます。
営業収入＝当期完成工事高－完成工事未収入金当期増加額－受取手形当期増加額
また，未成工事受入金が生じている場合の営業収入は次のように求めます。
営業収入＝当期完成工事高－完成工事未収入金当期増加額－受取手形当期増加額＋未成工事受入金当期増加額

図で表すと，次のとおりです。

期首の売上債権残高	当期営業収入
当期完成工事高	期末の売上債権残高

(2)営業支出

営業支出は，**①原材料等の仕入支出**，**②人件費支出**，**③その他の営業支出**からなります。

①原材料等の仕入支出

原材料仕入の一部は，工事未払金や支払手形として次期以降の支出となります。また前期の原材料仕入の一部は，工事未払金や支払手形の期限到来にともない，当期の支出となります。したがって，これらを調整し，当期の原材料仕入や完成工事原価に含まれる原材料費のうち，どれだけ現金支出をともなうかを計算する必要があります。

これを３段階に分けて説明していきます。

a）ステップ１

当期原材料仕入支出
＝当期原材料仕入高－当期仕入債務増加額[09]

この式は，右図を参考にすると理解できるでしょう。

当期原材料仕入支出	期首仕入債務
期末仕入債務	当期原材料仕入高

09）仕入債務が減少したときは，
当期原材料仕入支出
＝当期原材料仕入高
＋当期仕入債務減少額
となります。

b）ステップ２

期首の未成工事支出金と材料貯蔵品の金額に当期原材料仕入高を加算した金額は，期末の未成工事支出金および材料貯蔵品に完成工事原価の中の原材料費（以下，完成工事原価）を合計した金額に等しくなります。

期首未成工事支出金材料貯蔵品残高	期末未成工事支出金・材料貯蔵品残高
当期原材料仕入高	完成工事原価（原材料費）

当期原材料仕入高
＝完成工事原価[10]＋当期未成工事支出金[10]・材料貯蔵品増加額

10）完成工事原価，未成工事支出金は原材料にかかわるものです。

11) 仕入債務を支払手形と工事未払金とすると，当期原材料仕入支出は次の式になります。
当期原材料仕入支出
＝完成工事原価＋当期未成工事支出金・材料貯蔵品増加額－支払手形・工事未払金増加額
ただし，この式において完成工事原価，未成工事支出金，工事未払金は原材料に関するものです。

c)ステップ3

ステップ1とステップ2の関係式より，次の式が導けます[11)]。

> 当期原材料仕入支出
> ＝完成工事原価＋当期未成工事支出金・材料貯蔵品増加額－当期仕入債務増加額

当期仕入債務増加額	当期未成工事支出金・材料貯蔵品増加額
当期原材料仕入支出	完成工事原価（原材料費）

当期原材料仕入支出と当期仕入債務増加額の合計が，完成工事原価と当期未成工事支出金・材料貯蔵品の増加額の合計に等しいことを示しています。

②人件費支出 人件費支出は次のように求めます。

12) 退職金の支払額を表します。

> 人件費支出＝完成工事原価中の人件費＋営業費中の人件費
> ＋(退職給付引当金繰入－退職給付引当金増加額)[12)]

■退職給付引当金勘定■

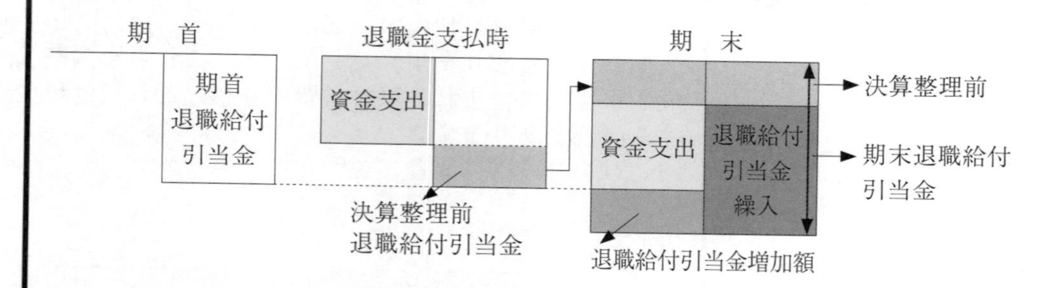

③その他の営業支出 その他の営業支出は，営業費(販売費及び一般管理費)の現金預金による支払や完成工事補償引当金の取崩に関するものがあげられます。現金預金による支払は，現金預金勘定などの資料から判断します。完成工事補償引当金は次の式[13)]で求めます。

13) この式は退職給付引当金と同様に，当期の完成工事補償引当金の資金支出を表しています。

> その他の営業支出＝完成工事補償引当金繰入－完成工事補償引当金増加額
> (完成工事補償引当金)

④営業支出のまとめ 以上より，営業支出に関する特に重要な部分をまとめると，次の式[14)]になります。

14) この式を覚えておけば過去の本試験問題に対応できます。ただし引当金に関しては③の式で理解してください。

> 営業支出＝完成工事原価＋未成工事支出金・材料貯蔵品増加額
> －支払手形・工事未払金増加額＋営業費(現金支出)

キャッシュ・フロー計算書の分析

キャッシュ・フロー計算書も財務諸表の１つであり，さまざまな財務分析の対象となります。それを見ていきます。

百分率キャッシュ・フローの計算書による分析

百分率キャッシュ・フロー計算書とは，営業収入を100%として基点にし，その他の諸項目をそれに対する割合で示したキャッシュ・フロー計算書です。このキャッシュ・フロー計算書は，企業間比較や期間比較を行う場合に有効な分析方法です。

項　　目	実数（千円）	百分率（%）
営業活動による収入	10,000	100
営業活動による支出	－8,400	－84
営業活動によるキャッシュ・フロー	1,600	16
投資活動による収入	1,400	14
投資活動による支出	－2,000	－20
投資活動によるキャッシュ・フロー	－600	－6
財務活動による収入	2,000	20
財務活動による支出	－1,800	－18
財務活動によるキャッシュ・フロー	200	2
現金および現金同等物に係る換算差額	－500	－5
現金および現金同等物の増加額	700	7

分析に用いるキャッシュ・フロー

キャッシュ・フローに関する特殊比率による分析には，(1)純キャッシュ・フローと(2)営業キャッシュ・フローを用います。

(1)純キャッシュ・フロー

純キャッシュ・フローとは，期間業績活動の中で獲得した純現金流入額を意味し，一般的に次の算式で計算されます。

純キャッシュ・フロー＝当期純利益±法人税等調整額＋当期減価償却実施額＋引当金増加額－剰余金の配当の額

例　A社の次の財務データにもとづいて純キャッシュ・フローを計算しなさい。

減価償却費	4,000円	（剰余金の分配等）	
貸倒引当金	4,740円	株主配当金	8,800円
退職給付引当金	28,600円	任意積立金	5,600円
完成工事補償引当金	3,300円		
税引前当期純利益	43,300円		
法人税等	17,200円		
法人税等調整額	2,500円		
当期純利益	23,600円		

前期の貸倒引当金，退職給付引当金，完成工事補償引当金の合計額は 36,000円であった。
＝当期純利益±法人税等調整額＋当期減価償却額＋引当金増加額－株主配当金
＝23,600円＋2,500円＋4,000円＋(36,640円－36,000円)－8,800円＝21,940円

(2)営業キャッシュ・フロー

営業キャッシュ・フローとは，キャッシュ・フロー計算書上の「営業活動によるキャッシュ・フロー」に掲載される金額をいいます。

ただし、問題にキャッシュ・フロー計算書が示されていない場合は、次の計算式で営業キャッシュ・フローを求めます。

経常利益＋減価償却実施額－法人税等＋貸倒引当金増加額－売掛債権増加額＋仕入債務増加額－棚卸資産増加額＋未成工事受入金増加額

特殊比率による分析

キャッシュ・フローにおける特殊比率による分析には次のものがあります。

(1)完成工事高キャッシュ・フロー率

$$\text{完成工事高キャッシュ・フロー率}^{15)} = \frac{\text{純キャッシュ・フロー}}{\text{完成工事高}} \times 100(\%)$$
高い／低い

完成工事高に対する純キャッシュ・フローがどのくらい生じたかを示す指標です。

15) 収益性分析の1つです。

(2)営業キャッシュ・フロー対流動負債比率

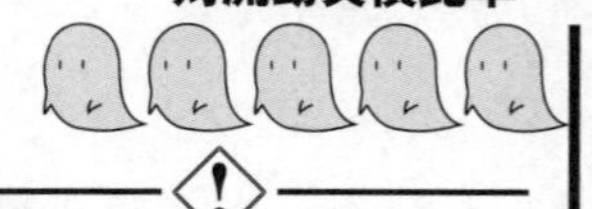

$$\text{営業キャッシュ・フロー対流動負債比率}^{16)}(\%) = \frac{\text{営業キャッシュ・フロー}}{\text{流動負債}^{17)}} \times 100$$
高い／低い

営業活動から生じた資金でどれだけ短期的債務の返済を行っているかを見る指標です。

16) 流動性分析の1つです。
17) 期中平均を使うのが理想です。

(3)営業キャッシュ・フロー対負債比率

$$\text{営業キャッシュ・フロー対負債比率}^{18)}(\%) = \frac{\text{営業キャッシュ・フロー}}{\text{負債}^{19)}} \times 100$$
高い／低い

営業活動から生じた資金でどれだけ債務の返済を行っているかを見る指標です。

18) 健全性分析の1つです。
19) 期中平均を使うのが理想です。

例　次の資料にもとづいて営業キャッシュ・フロー対流動負債比率と営業キャッシュ・フロー対負債比率をそれぞれ求めなさい。

営業キャッシュ・フロー	600 万円
流動負債	1,250 万円
固定負債	1,750 万円

営業キャッシュ・フロー対流動負債比率＝(600万円／1,250万円)×100＝48%
営業キャッシュ・フロー対負債比率{600万円／(1,250万円＋1,750万円)}×100＝20%

キャッシュ・フロー計算書の作成

下記の資料をもとにキャッシュ・フロー計算書を作成してみましょう。

■資　料■

1. 当期中に変動のあった主要な勘定科目の記入面は次のとおりである。(単位:千円)

現金預金

借方		貸方	
前期繰越	6,450	未成工事支出金	122,000
完成工事高	12,000	工事未払金	86,250
完成工事未収入金	144,500	営業費	23,650
未成工事受入金	89,450	支払利息	1,200
受取利息	2,800	借入金	2,500
借入金	4,150	次期繰越	23,750
	259,350		259,350

完成工事未収入金

借方		貸方	
前期繰越	11,550	現金預金	144,500
完成工事高	150,200	次期繰越	17,250
	161,750		161,750

工事未払金

借方		貸方	
現金預金	86,250	前期繰越	24,500
次期繰越	30,600	未成工事支出金	92,350
	116,850		116,850

未成工事受入金

借方		貸方	
完成工事高	82,350	前期繰越	23,500
次期繰越	30,600	現金預金	89,450
	112,950		112,950

2. キャッシュ・フロー計算書の作成にかかわる関連勘定残高およびその他の取引内容は次のとおりである。
   (1) 未成工事支出金の期首残高は 42,050 千円である。
   (2) 借入金の期首残高は 16,200 千円である。
   (3) 損益計算書に表示されている完成工事高は 244,550 千円，完成工事原価は 206,900 千円である。
   (4) 当社の原価および費用に減価償却費および諸引当金の繰入は算入されていない。また，営業費は現金支出以外の発生はなかった。
   (5) 利息の受取と支払はすべて預金の増減となっている。
   (6) 利息および配当金の受領額ならびに利息の支払額は営業活動によるキャッシュ・フローの区分で表示し，支払配当金は財務活動によるキャッシュ・フローの区分で表示する。

キャッシュ・フロー計算書の項目ごとに，**Ⅰ営業活動によるキャッシュ・フロー**，**Ⅱ財務活動によるキャッシュ・フロー**の順に見ていきます。

Ⅰ　営業活動によるキャッシュ・フロー

①営業収入

営業収入＝完成工事高－完成工事未収入金の増加＋未成工事受入金の増加

＝ 244,550 千円－(17,250 千円－11,550 千円)＋(30,600 千円－23,500 千円)

＝ 245,950千円

②原材料等の仕入支出
＝完成工事原価＋未成工事支出金の増加－工事未払金の増加

資料に未成工事支出金に関するものがありません。したがって，与えられた条件をもとに，未成工事支出金の分析を行う必要があります。
206,900千円＋(49,500千円－42,050千円)－(30,600千円－24,500千円)＝208,250千円

未成工事支出金　（単位：千円）

前期繰越	42,050	完成工事原価	206,900
現金預金	122,000	次期繰越	49,500
工事未払金	92,350		
	256,400		256,400

③その他の営業支出
現金預金勘定の貸方より，営業費 23,650千円
④受取利息
現金預金勘定の借方より，受取利息 2,800千円
⑤支払利息
現金預金勘定の貸方より，支払利息 1,200千円

Ⅱ　財務活動によるキャッシュ・フロー
①借入金による収入
現金預金勘定の借方より，借入金による調達 4,150千円
②借入金の返済による支出
現金預金勘定の貸方より，借入金の返済 2,500千円

Ⅰ 営業活動によるキャッシュ・フロー	
営業収入	245,950
原材料等の仕入支出	-208,250
その他の営業支出	- 23,650
小　計	14,050
利息の受取額	2,800
利息の支払額	- 1,200
営業活動によるキャッシュ・フロー	15,650
Ⅱ 財務活動によるキャッシュ・フロー	
借入れによる収入	4,150
借入金の返済による支出	- 2,500
財務活動によるキャッシュ・フロー	1,650
Ⅲ 現金および現金同等物の増加(減少)額	17,300
Ⅳ 現金および現金同等物期首残高	6,450
Ⅴ 現金および現金同等物期末残高	23,750

参考

経営事項審査と財務分析との関係性

経営事項審査と財務分析

建設会社が公共工事の入札に参加するためには，経営事項審査(通称：経審)を受審しなければなりません。この経営事項審査は，建設会社の経営状況，経営規模，技術力，その他の社会性等[01]を数値化した「評点」によって，建設会社を総合的に評価するもので，この評点が高い方が一般的に有利となります。

様々な観点から評価される経営事項審査ですが，このうち経営状況の評点を算出するために，本書で学ぶ財務分析指標が使われます。

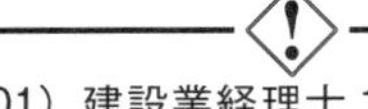

01）建設業経理士１級・２級合格者の在籍人数は、その他の社会性等の評価項目として、経営事項審査の加点対象となっています。

経営事項審査のＹ評点と８つの指標

経営事項審査において，経営状況の評点はＹ評点と呼ばれ，４つの観点からそれぞれ２つずつ，計８つの指標をもとに，建設会社の経営状況が数値化され，経営事項審査における総合的な評点を決める１要素となります。

観点	指標
負債抵抗力	純支払利息比率
	負債回転期間
収益性・効率性	総資本売上総利益率
	売上高経常利益率
財務健全性	自己資本対固定資産比率[02]
	自己資本比率
絶対的力量	営業キャッシュ・フロー
	利益剰余金

実際には，これらの指標の数値に一定の係数(ウェイト)[03]を掛けるなど，さらに追加の計算を行って最終的なＹ評点を計算します。

ただし，係数(ウェイト)などの細かい数値は制度改正などによって見直されることもあることから，試験対策上は経営事項審査と財務分析との関係性の概要を押さえておけば十分です。

02）固定比率の逆数です。

03）重要な指標の数値の影響が大きくなるようにウェイト付けがなされます。また、数値が低い方が望ましい比率についてはマイナスの数値を掛けることで総合的な評価ができるようにしています。このような方法を『考課法』といいます。

コラム 財務分析で学んだ知識を活かすには

建設業経理士１級に合格することだけを考えれば、このコラムの内容は必要ありませんが、第１部の最後に、せっかく身に付けた財務分析の知識や技術を現実のビジネスシーンに活かす場面で必要となることをお伝えしたいと思います。

現実のビジネスシーンで財務分析を行う目的として、最も大きなものは「自社の経営課題の把握」でしょう。「競合他社と比べて収益性で劣っている」とか、「前期よりも流動性や健全性が低下している」といったことは、本書で学ぶ財務分析の知識があれば分析可能です。

ただ、財務分析は「分析したら終わり」ではありません。
総資本当期純利益率や自己資本比率を計算して、その数値の良し悪しを語るだけではなく、「どうすれば改善するのか」ということを考え、それを実行することも必要です。
建設業経理士１級『財務分析』の試験でそこまでのことが問われることはほとんどないため忘れがちですが、改善案を考えて実行するところまでがセットでなければ、財務分析の真価は発揮できません。

では、改善案を考えて実行するために必要な知識は何かといえば、業界や最新技術の動向、現場の状況なども必要ですが、実は『財務諸表』と『原価計算』という、『財務分析』とともに建設業経理士１級合格のために学習する２科目の知識も不可欠です。

ある改善策を実行したとき、その結果が財務諸表の数値に対してどのような影響を与えるのかを知るには、『財務諸表』の科目で学習する会計処理・仕訳の知識が不可欠です。
また、企業にとっては収益よりも圧倒的に費用・原価の方がコントロールしやすいため、改善策の多くは「原価の改善」となりがちです。そのため、自ずと『原価計算』の科目で学習する知識も不可欠となる場面が多くなります。

そのように考えると、建設業経理士１級の試験が『財務諸表』・『財務分析』・『原価計算』の３科目から成り立っている意味も、建設業経理士１級を目指す皆さんに期待されている役割も、段々とお分かりいただけるのではないでしょうか。

第２部　過去問題編

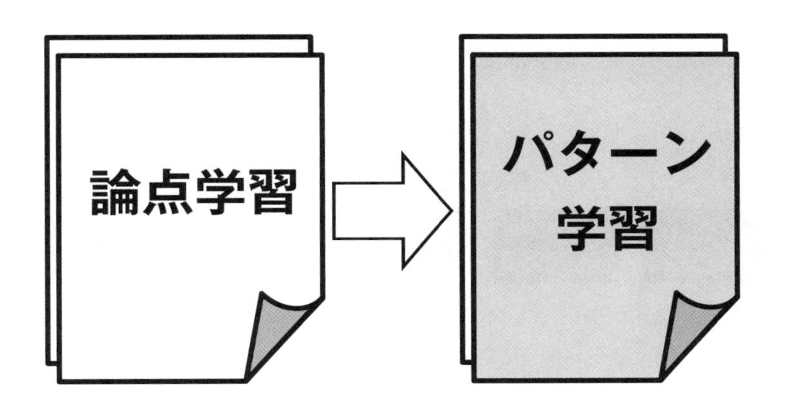

過去問題編では，パターン学習を行います。パターン学習とは，論点学習で蓄えた知識を建設業経理士の試験に反映させるために過去問題（参考問題）をパターンごとに解く学習法です。パターン学習を効率的に進めるために，過去問題集は次のように構成されています。

①各問題の冒頭には，「解き方」が示されています。どんな問題が過去に出題されているかを分析し，解法を示すことで，過去問題を解きやすくしています。

②過去問題編では各問題に「ヒント」を示しました。解答は，解くきっかけがあれば作成できるものです。わからなくなったときには，「ヒント」を見ながら解答してください。

③解答には，間違えやすいポイントを指摘した「ここに注意」を載せています。間違えたときには，必ずチェックしてください。
さらに，テキストに戻って学習しやすいように，「テキスト参照ページ」も示しています。ご自身の状況に合わせてご活用ください。

論述問題

第１問対策

第１問で問われるのはこれだ！

知識を得点につなげるためには、まず出題内容を把握しよう！
過去12回分の出題パターンは次のとおりです。

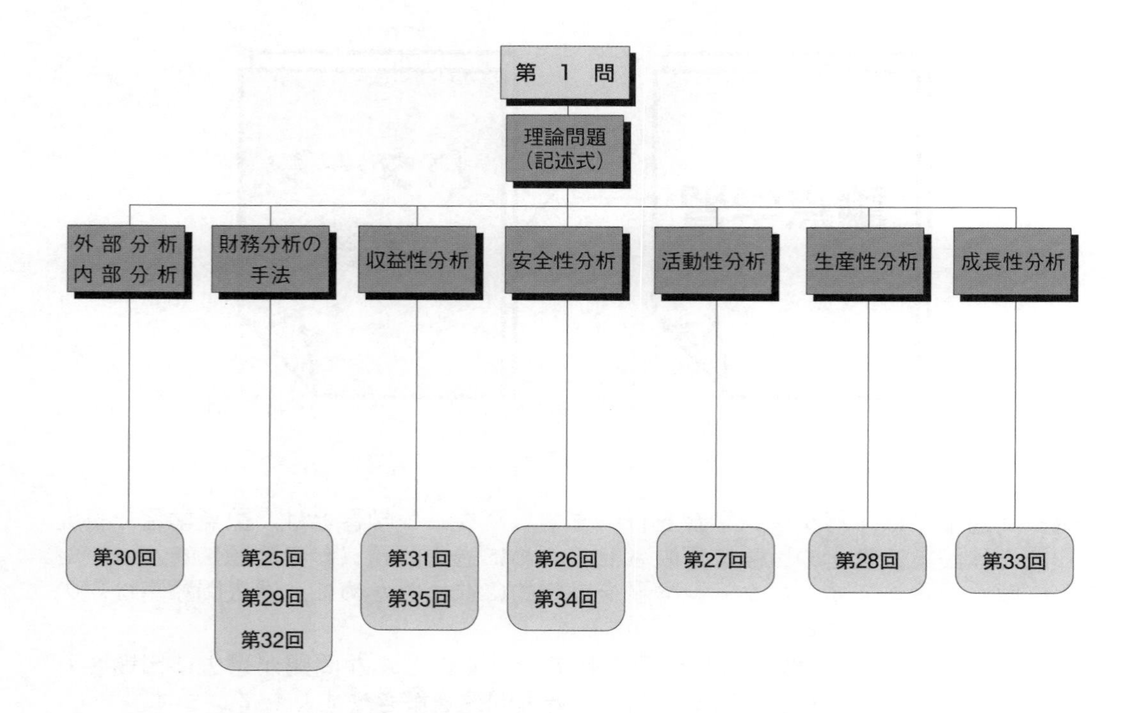

第１問では，毎回400字から500字程度の記述問題が出題されており，収益性分析や安全性分析などの各分析目的に関する問題の他に分析手法に関する出題も見られます。
出題された時に点差の出やすい財務分析の手法については，分析手法の意義をマスターし，長所と短所を把握し，自分の言葉で説明できるようにしておきましょう。

第１問対策 これで得点アップ！

知識を得点に変えるための解き方をマスターしよう！
「分析手法」の意義、長所・短所をまとめておきます。

<table>
<tr><th colspan="2">手　法</th><th>意　義</th><th>長所や短所</th></tr>
<tr><td colspan="2" rowspan="2">実数法</td><td rowspan="2">財務諸表項目等の数値を実数（金額等）のままで分析する方法。</td><td>（長所）・金額等をそのまま分析するのでわかりやすい。</td></tr>
<tr><td>（短所）・規模に差のある企業間の比較では意味をなさない。</td></tr>
<tr><td rowspan="6">比率法</td><td></td><td>財務諸表等から各項目間の比率を求めて分析する方法。</td><td></td></tr>
<tr><td>構成比率法</td><td>財務諸表の全体の数値における構成要素の割合を求めて分析する方法。
※百分率貸借対照表，百分率損益計算書</td><td>（長所）・企業の構成的特徴が容易に把握できる。
・期間比較や企業間比較が容易に行える。
・粉飾の発見に役立つことがある。</td></tr>
<tr><td rowspan="2">特殊比率法</td><td rowspan="2">財務諸表上関連ある２項目間の比率を求めて分析する方法。</td><td>（長所）・企業間の比較が容易に行える。</td></tr>
<tr><td>（短所）・異なる産業に属する企業間の比較が難しい。
・異なる会計処理基準を用いる企業間の比較が難しい。</td></tr>
<tr><td rowspan="2">趨勢法</td><td rowspan="2">ある年度の財務諸表項目を100としてその後の年度の数値をその百分率として分析する方法。</td><td>（長所）・各項目の変動傾向が容易に把握できる。
・比率が容易に算定できる。</td></tr>
<tr><td>（短所）・現状の経営上の問題点がつかみにくい。
・基準の年度により，変動を把握できないことがある。</td></tr>
<tr><td rowspan="6">総合評価法</td><td></td><td>各比率の結果を総合して，経営内容を評価する方法。</td><td></td></tr>
<tr><td rowspan="3">（ウォールの）指数法</td><td rowspan="2">標準状態の指数を100として，分析対象が100を上回るかどうかで経営内容を評価する方法。</td><td>（長所）・経営全体の評価が評点によって明確化される。
・企業間比較が可能になる。</td></tr>
<tr><td>（短所）・恣意性が介入する恐れがある。
・経営を多角化している企業では，その分類が困難となる。</td></tr>
<tr><td colspan="2">手順　①比率を選択→②比率にウエイトづけ→③比率ごとに標準比率を求める。
→④比率を算定し，標準比率との関係比率を算出→⑤評点を求める。</td></tr>
<tr><td rowspan="2">図表法</td><td rowspan="2">図や表により，総合的に企業を評価する方法。※レーダーチャートによる方法，フェイスによる方法。</td><td>（長所）・ひと目でわかる。</td></tr>
<tr><td>（短所）・恣意性が介入する恐れがある。</td></tr>
</table>

第13回 第16回 第17回 第１問対策

Q 13回

▶解答用紙→P. 1
▶解答・解説→2－42

標準時間	25分

次の設問に答えなさい。解答にあたっては，各設問とも指定した字数以内で記入すること。（20点）

問１　一般的にいう付加価値の意義と２つの計算方法について説明しなさい。（250字以内）

問２　付加価値を分子とする生産性についての基本指標を２つ挙げ，その内容を説明しなさい。（200字以内）

建設業における付加価値の意義や計算方法から考えてみる。

Q 16回

▶解答用紙→P. 2
▶解答・解説→2－44

標準時間	20分

企業の総合評価の手法を２つ挙げて，それぞれの内容を説明しなさい。（各250字以内）（20点）

図形化による総合評価や点数化による総合評価法などについての具体的な評価方法を説明する。

Q 17回

▶解答用紙→P. 3
▶解答・解説→2－46

標準時間	20分

次の設問に答えなさい。解答にあたっては各設問とも指定した字数以内で記入すること。（20点）

問１　自己資本利益率について説明しなさい。（200字以内）

問２　自己資本利益率を高めるためにはどうすれば良いかについて説明しなさい。（250字以内）

問１　総資本利益率や経営資本利益率は，資本を利用する企業の観点からの収益性の尺度といえる。同様に自己資本がどのような観点から用いられるかを考える。

問２　資本利益率は総合的な指標であるため，分解して分析することができる。

Q 21回

▶解答用紙→P.　4
▶解答・解説→２－48

標準時間	20 分

次の設問に答えなさい。解答にあたっては，各設問とも指定した字数以内で記入すること。
（20点）

問１　キャッシュ・フロー分析の意義を説明しなさい。(250字以内)
問２　キャッシュ・フロー計算書の構成比率分析について説明しなさい。
(250字以内)

問１　そもそも，なぜ貸借対照表や損益計算書だけではなく，キャッシュ・フロー計算書を作成する必要があるのかという観点からその意義を考える。

問２　構成比率とは，財務諸表における特定の項目（例えば総資産）を100とした場合の各項目の割合のこと。

Q 22回

▶解答用紙→P.　5
▶解答・解説→２－50

標準時間	20 分

次の設問に答えなさい。解答にあたっては，各設問とも指定した字数以内で記入すること。
（20点）

問１　ＣＶＰ分析について説明しなさい。(200字以内)
問２　建設業における慣行的な固定費と変動費の区分を説明し，損益分岐点比率の求め方について説明しなさい。(300字以内)

問２　建設業は受注産業であるため，固変分解の区分が他の製造業と異なる。また，建設業では資金調達の重要性が他の製造業に比べて高い。

選択問題

第２問 対　策

第２問で問われるのはこれだ！

知識を得点につなげるためには、まず出題内容を把握しよう！
過去12回分の出題パターンは次のとおりです。

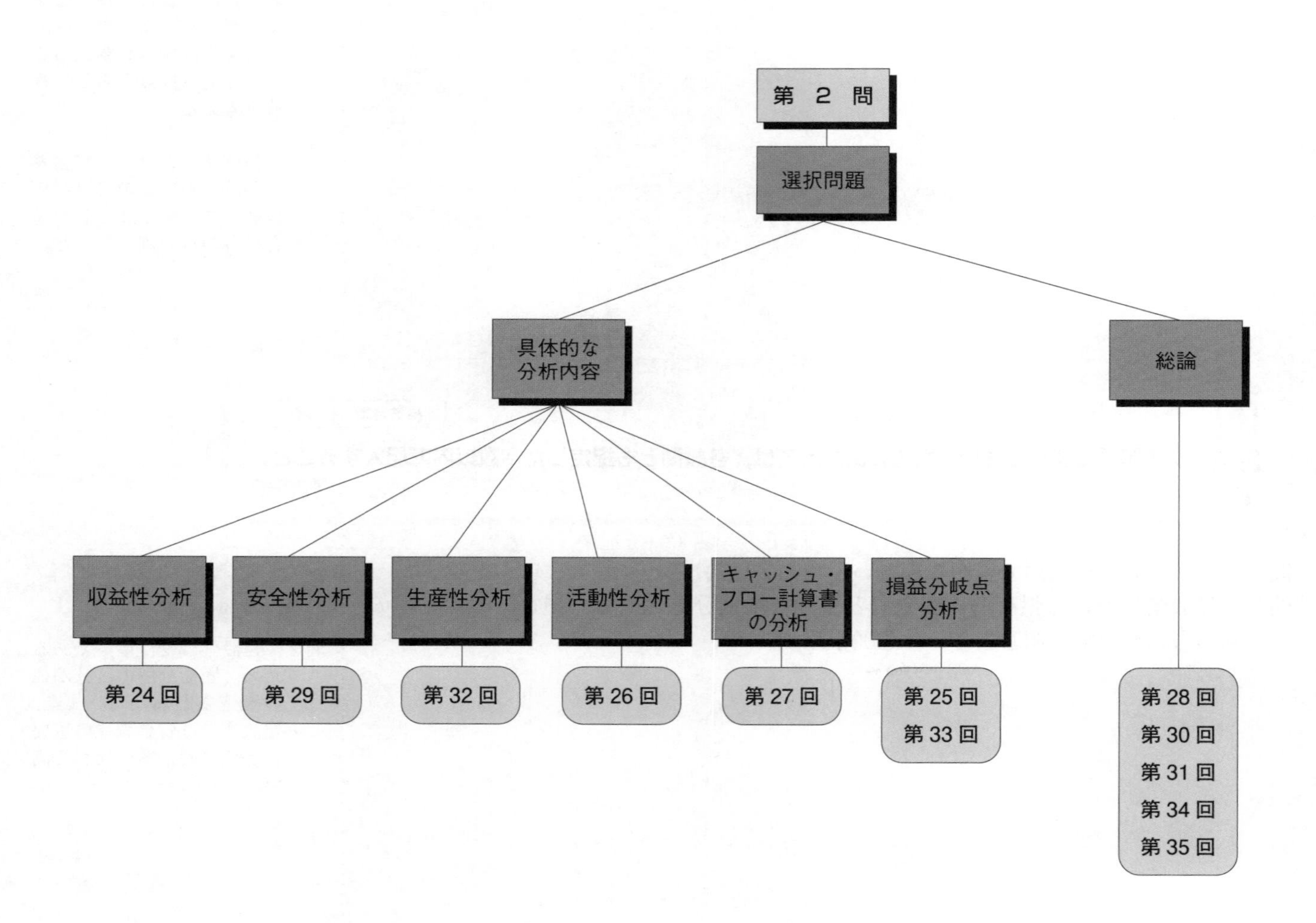

第２問では語群選択の穴埋め問題が多く出題されています。
このパターンの問題で，数多くの単語から１つの正解を探し出すと考えたのでは，いろいろな単語が正しく思えて迷いやすく，得点できるところもできなくなってしまいます。
そこで次の解き方をマスターし，語群選択の穴埋め問題に強くなってください。

第２問対策 これで得点アップ！

知識を得点に変えるための解き方をマスターしよう！
「穴埋め問題」の解き方を示します。参考にしてください。

①用語群は，××率，××性，B/S 項目，P/L 項目，その他の５種類に分けられます。

②問題文を読み進めます。

用語が特定できるものは解答用紙にすぐ記入し，そうでないものは予想される用語群の種類を考えます。また，解答の鍵になる keyword に下線を引いて[ ]に矢印をつけておくのもいいでしょう。

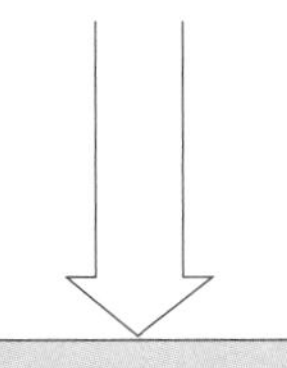

③わかる所からうめていきます。

この段階で，選択肢が少なくなっているので，正解を出せる確率が飛躍的に上がっています。

Q 次の文の[ ]の中に，下記の用語群（ア～ニ）の中から適当なものを選び，その記号を解答用紙の所定の欄に記入しなさい。同一の用語を２度以上使ってもよい。

財務分析における[1]の分析は，[2]とそれによって得られた[3]との比率で求められる資本利益率に集約される。資本利益率はその構成要素から[4]と[5]に分割して考えることができる。このうち前者は資本利益率とともに企業財務の[6]分析の中心となるものであり，後者はこれを支えているということができる。

また，後者は企業の[7]分析の中心をなすものであり，それは[8]や，その運用形態である[9]が，[10]にどの程度運動したかを示すものである。この分析の指標としては，一般に[11]率と[12]が利用される。

〈用語群〉

ア 生産性	イ 回転	ウ 資産	エ 一定期間
オ 資本	カ 総資本利益率	キ 効率性	ク 負債
ケ 簿外資産	コ 資本回転率	サ 資本金	シ 収益性
ス 売上高利益率	セ 売上原価	ソ 利益	タ 一定時点
チ 安全性	ト 売上高	ナ 活動性	ニ 回転期間

財務分析における[1]の分析は，[2]と<u>それによって得られた</u>[3]との比率で求められる資本利益率は<u>その構成要素から</u>[4]と[5]に分割して考えることができる。このうち前者は資本利益率とともに企業財務の[6]分析の中心となるものであり，後者はこれを支えているということができる。

また，後者は企業の[7]分析の中心をなすものであり，それは[8]や，その<u>運用形態である</u>[9]が，[10]にどの程度運動したかを示すものである。この分析の指標としては，一般に[11]率と[12]が利用される。

例 2，3 →「資本利益率」という keyword から２と３の関係がわかる。
∴２ →資本（オ），３→利益（ソ）

例 1 →「××の分析」と２と３の関係より分析の性質を表すものに特定される。
∴１ →収益性（シ）

例 4，5 →「資本利益率」の構成要素であることから４，５も率に関係するものであることがわかる。前者，後者に注意して判断する。
∴４ →売上高利益率（ス），５→資本回転率（コ）

このように選択肢を狭くして，さらに文脈から推定して解答していきましょう。

解 答

記号（ア～ニ）	1	2	3	4	5	6
	シ	オ	ソ	ス	コ	シ

	7	8	9	10	11	12
	ナ	オ	ウ	エ	イ	ニ

▶解答用紙→P. 6
▶解答・解説→2－53

標準時間	10分

Q 15回 **次の文の［　　］の中に入る適当な用語を下記の〈用語群〉の中から選び，その記号（ア～ハ）を解答用紙の所定の欄に記入しなさい。　（15点）**

生産に使用された諸要素が，その活動の成果に有効に利用された度合いを示す指標を［１］という。［１］の指標は，企業の生産効率の測定に有効であると同時に，［２］が合理的に実施されたかの判断にも利用されている。

［１］の分子となる要素には，通常は［３］が採用される。収益性を高めるために企業内の人件費を削減した場合，他の条件が同じであれば，［３］は［４］。

［１］の分母となる要素は，一般的には従業員数と設備資本投下額であり，従業員数を使った指標を［５］，設備資本投下額を使った指標を［６］と呼ぶ。［５］は，１人当たり完成工事高と［７］に分解して分析したり，工事現場の機械化の水準を示す［８］と［９］に分解して分析することができる。

［10］は人件費を［３］で除した比率であり，この数値が［11］ことは一面では望ましいが，それが過度である場合には，企業活動の弾力性を失い，長期的には企業体質の弱体化を招く。

〈用語群〉

ア　大きくなる	イ　活動性	ウ　活動成果の配分	エ　変わらない
オ　完成工事高	カ　固定資産回転率	キ　固定比率	ク　資本集約度
コ　資本生産性	サ　自己資本	シ　生産性	ス　成長性
セ　設備投資効率	ソ　総資本	タ　総資本回転率	チ　総資本投資効率
ト　小さくなる	ナ　付加価値	ニ　付加価値率	ネ　付加価値分配率
ノ　労働生産性	ハ　労働装備率		

ヒント

空欄に入る用語を説明している文章や，前後の文章から関連する用語を考えてみる。

付加価値を求める計算式から，人件費の削減が与える影響を考えてみる。

▶解答用紙→P. 6
▶解答・解説→２－55

標準時間	10分

Q 16回

次の文の□の中に入る適当な用語を下記の〈用語群〉の中から選び，その記号（ア～ヘ）を解答用紙の所定の欄に記入しなさい。（15点）

資本利益率は，[1]と[2]に分解することができる。[1]が収益性分析の中核をなすものであるのに対して，[2]は最終的には収益性を高めるための要素ではあるが，それ自体は[3]の中心概念である。

[3]の指標として一般に[4]と[5]が利用されるが，[4]は一定期間に資産や資本等が入れ替わった回数をいい，これによって当該項目の利用度が明らかにされる。[4]と[5]は逆数の関係にあり，たとえばある資産が１年間に３回，新旧交替する場合，[5]は[6]となる。

[7]は，受取手形や完成工事未収入金などの売上債権が回収される速さを示す指標であり，この比率が低いほど，資本の運用効率が[8]ことを意味する。また，通常は工事代金の一部を前受けしているので，この計算式の分母から[9]の額を控除して算定することもある。さらに，工事進行基準に基づく売上債権の[4]をあらわす指標として，[10]もある。固定資産の[5]は，他の比率と同様に，一般的には分母に[11]を使って算定することが多いが，厳密には，分母に[12]を使用すべきである。

〈用語群〉

ア	受取勘定回転率	イ	売上原価	ウ	売上高利益率
エ	回転期間	オ	回転率	カ	活動性
キ	完成工事高	ク	減価償却費	コ	自己資本比率
サ	自己資本利益率	シ	資本回転率	ス	生産性
セ	高い	ソ	棚卸資産回転率	タ	低い
チ	付加価値率	ト	未収施工高回転率	ナ	未成工事受入金
ニ	未成工事支出金	ネ	未成工事支出金回転率	ノ	未成工事収支比率
ハ	0.25か月	フ	３回	ヘ	４か月

ヒント

空欄に入る用語を説明している文章や，前後の文章から関連する用語を考えてみる。

用語群に多数ある回転率や回転期間を分析するのは何分析？

▶解答用紙→P. 6
▶解答・解説→２－57

標準時間	10分

17回 **次の文の［　］の中に入る適当な用語を下記の〈用語群〉の中から選び，その記号（ア～フ）を解答用紙の所定の欄に記入しなさい。（15点）**

建設業は，受注請負生産業で，生産期間が長期にわたるという特徴があるため，一般的な製造業の流動資産のひとつである［ 1 ］という資産に相当する［ 2 ］や［ 3 ］という負債に相当する［ 4 ］などの特有の勘定が使用されており，工事完成基準によれば両者の構成比が［ 5 ］という特徴がある。

また，建設業においては，固定資産の構成比が相対的に低く，その効率性が［ 6 ］である一方，［ 7 ］が低いことが多く，［ 8 ］分析上の課題があるといえる。

損益計算書に目を向けると，一般的な製造業と比べ，下請制度に依存することが多いため，売上原価の構成比が高く，そのうち［ 9 ］の構成比が極めて［ 5 ］という特徴がある。

〈用語群〉

ア　安全性	イ　完成工事高	ウ　売掛金
エ　運転資本	オ　買掛金	カ　外注費
キ　完成工事未収入金	ク　減価償却費	コ　工事未払金
サ　固定費	シ　材料費	ス　仕掛品
セ　生産性	ソ　高い	タ　労働装備率
チ　棚卸資産	ト　販売費及び一般管理費	ナ　低い
ニ　前受金	ネ　未成工事受入金	ノ　未成工事支出金
ハ　良好	フ　劣悪	

ヒント

用語群中の建設業特有の勘定科目は限られているため，こちらを先に考える。

効率性を算定する際の分母にあたる固定資産の金額が小さいということは？

▶解答用紙→P．７
▶解答・解説→２－59

標準時間	10分

Q 20回 **次の文の［　　］の中に入る適当な用語を下記の〈用語群〉の中から選び，その記号（ア～ハ）を解答用紙の所定の欄に記入しなさい。**　**（15点）**

キャッシュ・フロー計算書は，企業の［1］を適切に行い，企業活動の実態を把握する上で重要な意味をもっている。キャッシュ・フロー計算書が対象とする資金の範囲は，［2］および［3］であり，［2］とは手許現金および［4］をいう。［3］とは容易に換金可能であり，かつ価値の変動について僅少なリスクしか負わない［5］をいう。

キャッシュ・フロー計算書は，企業の経営活動に応じて，［6］によるキャッシュ・フロー，［7］によるキャッシュ・フロー，［8］によるキャッシュ・フローの３つの区分に分けて表示される。貸付けによる支出は［7］によるキャッシュ・フローの区分に表示され，配当金の受取額は［6］または［7］によるキャッシュ・フローの区分に表示される。

キャッシュ・フロー計算書のデータを使った指標には，短期的な［9］を判定する指標として，貸借対照表のデータのみを使った流動比率に対して，一年間のキャッシュ・フロー計算書のデータも使った［10］がある。また建設業における経営事項審査の総合評価では，経営状況の絶対的力量を示す実数データとして，［11］とともに，キャッシュ・フロー計算書の数値に基づく［12］が要求されており，キャッシュ・フロー計算書を作成していない企業も同様のデータを算定する必要がある。

〈用語群〉

ア　営業活動　　イ　活動性　　ウ　営業キャッシュ・フロー
エ　現金　　オ　現金同等物
カ　営業キャッシュ・フロー対流動負債比率　　キ　現金預金手持月数
ク　財務活動　　コ　完成工事高キャッシュ・フロー率
サ　資金管理　　シ　支払能力　　ス　純キャッシュ・フロー
セ　収益性　　ソ　損益計算　　タ　短期投資
チ　当座資産　　ト　投資活動　　ナ　未成工事収支比率
ニ　有価証券　　ネ　要求払預金　　ノ　利益剰余金
ハ　利払前税引前償却前利益

空欄に入る用語を説明している文章や，前後の文章から関連する用語を考えてみる。
用語群を実数データ，比率，キャッシュ・フロー計算書の数値などに分類すれば，ある程度解答を絞ることができる。

▶解 答 用 紙→P.　7
▶解答・解説→２－62

標準時間	10 分

Q 22回　次の文の［　］の中に入る適当な用語を下記の〈用語群〉の中から選び，その記号（ア～ナ）を解答用紙の所定の欄に記入しなさい。　（15 点）

企業の活動性分析とは，資本やその運用たる資産等が，ある一定期間の間にどの程度運動したかを示すものであり，回転率や回転期間が用いられる。

年間の［ 1 ］を資産総額の期中平均額で除したものが［ 2 ］回転率である。わが国の製造業では［ 2 ］回転率が１回転に満たない業界が多いが，建設業界全体でもおおよそ１回転である。このほかにも，企業の営業活動に直接投下された資本の運用効率をあらわすのが［ 3 ］回転率である。なお，［ 3 ］とは［ 2 ］から建設仮勘定・繰延資産・未稼働資産の他に［ 4 ］などを控除して求められる。［ 2 ］回転率と［ 3 ］回転率は，ともに数値が高いほど良好であることを意味するが，必ずしも高いのが望ましいとはいえないのが［ 5 ］回転率である。なぜなら，それは［ 6 ］に依存しすぎていることを意味するからである。

一般の製造業でいえば仕掛品回転率に相当するものが，［ 7 ］回転率である。ただし，その回転率をとらえるためには本来的には，分子に［ 8 ］を用いるべきである。企業の仕入，販売，代金回収活動に関する回転期間を総合的に判断する指標が［ 9 ］であり，この数値は［ 10 ］方が望ましい。

〈用語群〉

ア　投資資産	イ　未成工事受入金	ウ　総資本
エ　経営資本	オ　棚卸資産	カ　完成工事高
キ　自己資本	ク　他人資本	コ　未収施工高
サ　未成工事支出金	シ　大きい	ス　小さい
セ　支払勘定	ソ　工事未払金	
タ　キャッシュ・コンバージョン・サイクル		
チ　正味受取勘定	ト　完成工事未収入金	ナ　完成工事原価

ヒント

空欄に入る用語を説明している文章や，前後の文章から関連する用語を考えてみる。

［ 9 ］仕入，販売，代金回収活動に関する回転「期間」を判断する指標があてはまる。用語群の中で「期間」を示す指標はどれか。

計算問題

第3問 対 策

第３問で問われるのはこれだ！

知識を得点につなげるためには、まず出題内容を把握しよう！
過去12回分の出題パターンは次のとおりです。

第 3 問は，計算問題が出題されています。
第 5 問と同様に特殊比率を覚えることによって，問題を解くことができます。
「特殊比率の覚え方」（P.2 － 28 ～ 30）に目を通してから第 3 問を解いてみてください。

第３問対策　これで得点アップ！

知識を得点に変えるための解き方をマスターしよう！
「計算問題」の解答手順を示します。

①問題文を読む。

端数処理や比率計算に用いる数値について指示があります。

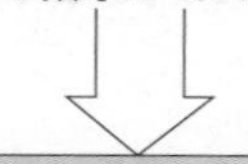

②資料に目をとおす。

資料に目をとおし，解答要求の部分と不明部分を確認する。
解答要求の部分は，振り分けられた記号順に解けるわけではありません。

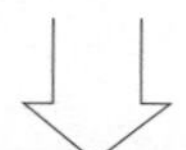

③関連データを用い，金額・数値を求めていく。

数値や比率が関連データとして与えられています。

次の〈資料〉に基づいて［　　］の中に入る金額を算定しなさい。ただし，算定にあたって期中平均値を使用することが望ましい比率についても，期末残高の数値を用いて算定すること。なお，この会社の会計期間は１年である。また，解答に際しての端数処理については，解答用紙の指定のとおりとする。

〈資　料〉

1．損益計算書

損 益 計 算 書

（単位：千円）

完 成 工 事 高	（各自計算）
完成工事原価	A
完成工事総利益	（各自計算）
販売費及び一般管理費	（各自計算）
営 業 利 益	（各自計算）
営 業 外 収 益	1,200
営 業 外 費 用	2,220
経 常 利 益	B
特 別 利 益	2,820
特 別 損 失	9,900
税引前当期純利益	（各自計算）
法人税，住民税及び事業税	4,000
当 期 純 利 益	（各自計算）

2．関連データ（期末残高の数値およびその数値を用いて算定した比率）

流動資産合計	606,000 千円	完成工事高総利益率	8.6％
固定資産合計	190,000 千円	総資本経常利益率	1.85％
繰延資産合計	4,000 千円	自己資本回転率	4.0 回
固定負債合計	144,000 千円	自己資本比率	22.5％

1．完成工事原価（A）の求め方

① 関連データに完成工事原価を直接求められる比率はありません。
よって，計算可能な比率から各金額を推定していき，最終的に完成工事原価の金額を導き出します。
関連データに与えられている比率は計算した結果であるため，次の式がなりたちます。

$$\text{自己資本比率} = \frac{\text{自己資本}}{\text{総資本 800,000 千円*}} = 22.5\%$$

＊総資本＝流動資産 606,000 千円＋固定資産 190,000 千円＋繰延資産 4,000 千円＝ 800,000 千円

ポイントは，分母または分子のどちらか一方の金額がわかれば，もう一方の金額が導き出せるということです。
上記の自己資本比率の式により，自己資本 180,000 千円を求めることができます。

② 自己資本の金額を用いて，自己資本回転率の式から完成工事高を求めます。

$$\text{自己資本回転率} = \frac{\text{完成工事高}}{\text{自己資本 180,000 千円}} = 4.0\text{ 回}$$

完成工事高＝ 720,000 千円

③ 完成工事高の金額を用いて，完成工事高総利益率の式から完成工事総利益を求めます。

$$\text{完成工事高総利益率} = \frac{\text{完成工事総利益}}{\text{完成工事高 720,000 千円}} = 8.6\%$$

完成工事総利益＝ 61,920 千円

④ 完成工事原価（A）は完成工事高から完成工事総利益を差し引いて求めます。
完成工事原価＝ 720,000 千円－ 61,920 千円＝ 658,080 千円

2．経常利益（B）の求め方

総資本経常利益率から次の式がなりたちます。

$$\text{総資本経常利益率} = \frac{\text{経常利益}}{\text{800,000 千円}} = 1.85\%$$

経常利益＝ 14,800 千円

▶解答用紙→P. 8
▶解答・解説→２－64

標準時間	20分

Q 13回 次の〈資料〉に基づいて(A)～(D)の金額を算定するとともに，棚卸資産滞留月数も算定し，解答用紙の所定の欄に記入しなさい。なお，この会社の会計期間は１年である。また，解答に際しての端数処理については，解答用紙の指定のとおりとする。（20点）

〈資料〉

1．貸借対照表

貸借対照表　（単位：百万円）

（資産の部）		（負債の部）	
現金預金	×××	支払手形	×××
受取手形	5,900	工事未払金	7,100
完成工事未収入金	（ A ）	短期借入金	1,780
未成工事支出金	21,395	未払法人税等	420
材料貯蔵品	235	未成工事受入金	（ C ）
流動資産合計	35,950	流動負債合計	×××
建物	×××	長期借入金	×××
機械装置	2,200	固定負債合計	×××
工具器具備品	1,000	負債合計	×××
車両運搬具	400	（純資産の部）	
建設仮勘定	（ B ）	資本金	8,000
投資有価証券	6,200	資本剰余金	5,000
固定資産合計	×××	利益剰余金	4,000
		純資産合計	17,000
資産合計	×××	負債純資産合計	×××

2．損益計算書（一部抜粋）

損益計算書

（単位：百万円）

完成工事高	×××
完成工事原価	×××
完成工事総利益	×××
販売費及び一般管理費	（ D ）
営業利益	1,575
営業外収益	
受取利息配当金	×××
その他	121
営業外費用	
支払利息	240
その他	175
経常利益	×××

3．関連データ（注１）

総資本経常利益率	2.75%
完成工事高経常利益率	2.20%
流動比率（注２）	102.50%
受取勘定滞留月数	2.40月
金利負担能力	7.00倍
経営資本営業利益率	3.60%
完成工事原価率	86.50%
固定比率	85.00%
借入金依存度	7.50%

（注１）期中平均値を使用することが望ましい比率についても，便宜上，期末残高の数値を用いて算定している。

（注２）流動比率の算定は，建設業特有の勘定科目の金額を控除する方法によっている。

各指標に，判明している数字をあてはめ，逆算して不明部分を計算する。計算が可能だと思われるところから推定していく。必ずしもすべての×××を計算する必要はない。

期中平均値を使用することが望ましい比率についても，便宜上期末残高の数値を用いること。

Q 15回

▶解答用紙→P. 8
▶解答・解説→２－67

標準時間	20分

次の〈資料〉に基づいて(A)～(D)の金額を算定するとともに，立替工事高比率も算定し，解答用紙の所定の欄に記入しなさい。なお，この会社の会計期間は１年である。また，解答に際しての端数処理については，解答用紙の指定のとおりとする。　（20点）

〈資料〉

1．貸借対照表

貸借対照表　（単位：百万円）

（資産の部）		（負債の部）	
現金預金	×××	支払手形	7,000
受取手形	6,200	工事未払金	×××
完成工事未収入金	（ A ）	短期借入金	54,560
未成工事支出金	22,500	未払法人税等	1,440
材料貯蔵品	2,500	未成工事受入金	×××
流動資産合計	×××	流動負債合計	×××
建物	41,000	長期借入金	×××
機械装置	15,500	固定負債合計	×××
工具器具備品	5,800	負債合計	×××
車両運搬具	×××	（純資産の部）	
建設仮勘定	×××	資本金	40,000
投資有価証券	78,500	資本剰余金	20,000
固定資産合計	152,800	利益剰余金	×××
		純資産合計	（ B ）
資産合計	×××	負債純資産合計	×××

2．損益計算書（一部抜粋）

損益計算書　（単位：百万円）

完成工事高	×××
完成工事原価	（ C ）
完成工事総利益	×××
販売費及び一般管理費	26,820
営業利益	×××
営業外収益	
受取利息配当金	（ D ）
その他	×××
営業外費用	
支払利息	3,600
その他	500
経常利益	×××

3．関連データ（注１）

経営資本営業利益率	5.25%
流動比率（注２）	112.35%
固定長期適合比率（注３）	95.50%
経営資本回転期間	6.50月
有利子負債月商倍率	2.47月
棚卸資産回転率	23.04回
支払勘定回転率	4.00回
現金預金手持月数	0.75月
金利負担能力	5.40倍

（注１）期中平均値を使用することが望ましい比率についても，便宜上，期末残高の数値を用いて算定している。
（注２）流動比率の算定は，建設業特有の勘定科目の金額を控除する方法によっている。
（注３）固定長期適合比率の算定は，一般的な方法によっている。

ヒント

各指標に，判明している数字をあてはめ，逆算して不明部分を計算する。計算が可能だと思われるところから推定していく。必ずしもすべての×××を計算する必要はない。

期中平均値を使用することが望ましい比率についても，便宜上期末残高の数値を用いること。

▶解 答 用 紙→P.　9
▶解答・解説→２－70

標準時間	20 分

17回

次の〈資料〉に基づいて(A)～(E)の金額を算定し，解答用紙の所定の欄に記入しなさい。この会社の会計期間は１年である。なお，解答に際しての端数処理については，解答用紙の指定のとおりとする。（20 点）

〈資料〉

1．貸借対照表

貸　借　対　照　表　　（単位：百万円）

（資産の部）		（負債の部）	
現金預金	×××	支払手形	200
受取手形	900	工事未払金	×××
完成工事未収入金	（　A　）	短期借入金	（　C　）
未成工事支出金	76,960	未払法人税等	14,000
材料貯蔵品	×××	未成工事受入金	（　D　）
流動資産合計	224,200	流動負債合計	116,000
建物	17,500	長期借入金	×××
機械装置	2,500	固定負債合計	×××
工具器具備品	900	負債合計	×××
車両運搬具	1,900	（純資産の部）	
土地	×××	資本金	30,000
建設仮勘定	4,000	資本剰余金	24,000
投資有価証券	（　B　）	利益剰余金	×××
固定資産合計	×××	純資産合計	×××
資産合計	×××	負債純資産合計	×××

2．損益計算書（一部抜粋）

損　益　計　算　書

（単位：百万円）

完成工事高	×××
完成工事原価	×××
完成工事総利益	159,300
販売費及び一般管理費	×××
営業利益	×××
営業外収益	
受取利息配当金	1,600
その他	4,500
営業外費用	
支払利息	1,500
その他	×××
経常利益	（　E　）

3．関連データ（注１）

自己資本経常利益率	44.80%
完成工事高総利益率	29.50%
当座比率（注２）	195.00%
受取勘定滞留月数	0.62 月
借入金依存度	29.375%
経営資本営業利益率	20.00%
自己資本回転率	4.32 回
現金預金手持月数	2.50 月
負債比率	156.00%
金利負担能力	36.0 倍

（注１）算定にあたって期中平均値を使用することが望ましい比率についても，便宜上，期末残高の数値を用いて算定している。
（注２）当座比率の算定は，建設業特有の勘定科目の金額を控除する方法によっている。

ルール

各指標に，判明している数字をあてはめ，逆算して不明部分を計算する。計算が可能だと思われるところから推定していく。必ずしもすべての×××を計算する必要はない。

期中平均値を使用することが望ましい比率についても，便宜上期末残高の数値を用いること。

▶解答用紙→P. 9
▶解答・解説→２－74

標準時間 20分

Q 21回 **次の〈資料〉に基づいて，(A)～(D)の金額を算定するとともに，純支払利息比率も算定し，解答用紙の所定の欄に記入しなさい。この会社の会計期間は１年である。なお，解答に際しての端数処理については，解答用紙の指定のとおりとする。　(20点)**

〈資料〉

1．貸借対照表

貸　借　対　照　表　(単位：百万円)

(資産の部)		(負債の部)	
現金預金	×××	支払手形	8,200
受取手形	9,500	工事未払金	×××
完成工事未収入金	38,251	短期借入金	33,000
未成工事支出金	×××	未払法人税等	250
材料貯蔵品	100	未成工事受入金	(A)
流動資産合計	×××	流動負債合計	×××
建物	5,000	長期借入金	×××
機械装置	1,000	固定負債合計	(B)
車両運搬具	300	負債合計	×××
土地	8,200	(純資産の部)	
建設仮勘定	×××	資本金	12,000
投資有価証券	4,700	資本剰余金	5,800
長期貸付金	3,500	利益剰余金	×××
固定資産合計	×××	純資産合計	×××
資産合計	×××	負債純資産合計	×××

2．損益計算書

損　益　計　算　書

(単位：百万円)

科目	金額
完成工事高	140,760
完成工事原価	122,000
完成工事総利益	18,760
販売費及び一般管理費	×××
営業利益	×××
営業外収益	
受取利息配当金	462
その他	123
営業外費用	
支払利息	(C)
その他	1,193
経常利益	(D)
特別利益	580
特別損失	2,831
税引前当期純利益	×××
法人税等	297
当期純利益	×××

3．関連データ（注１）

総資本経常利益率	3.50%
流動比率（注２）	125.00%
完成工事高営業利益率	5.00%
自己資本比率	20.00%
現金預金手持月数	1.30月
資本集約度	70百万円
固定負債比率	50.00%
棚卸資産回転率	12.24回
金利負担能力	2.50倍
総職員数	1,400人
自己資本当期純利益率	4.50%

（注１）算定にあたって期中平均値を使用することが望ましい比率についても，便宜上，期末残高の数値を用いて算定している。

（注２）流動比率の算定は,建設業特有の勘定科目の金額を控除する方法によっている。

ルール

期中平均値を使用することが望ましい比率についても，便宜上，期末残高の数値を用いること。

各指標に，判明している数字をあてはめ，逆算して不明部分を計算する。計算が可能だと思われるところから推定していく。必ずしもすべての×××を計算する必要はない。

第４問対策

第４問で問われるのはこれだ！

損益分岐点分析
生産性分析

知識を得点につなげるためには、まず出題内容を把握しよう！
過去12回分の出題パターンは次のとおりです。

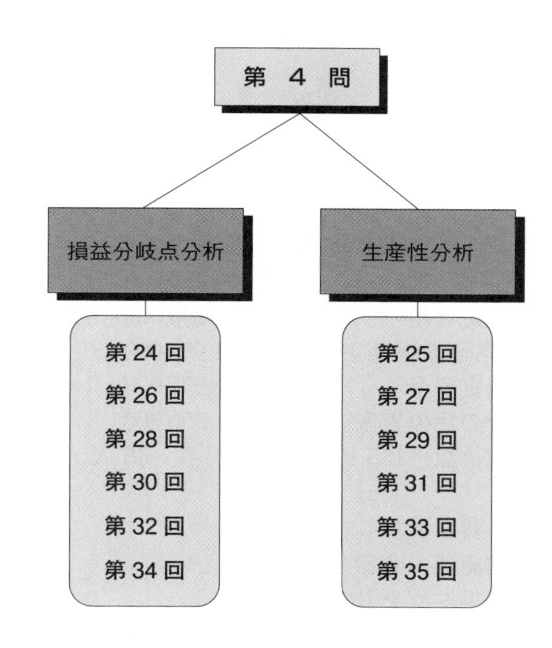

第４問では，損益分岐点分析と生産性分析が主に出題されています。損益分岐点分析は，費用を固定費と変動費に分解することが重要ですので，テキストでも確認しておきましょう。生産性分析は，第４問以外でも頻出の分析ですので，解き方をマスターしてから過去問を解き進めていきましょう。

第４問対策 これで得点アップ！

知識を得点に変えるための解き方をマスターしよう！
「生産性分析」の解答手順を示します。

①問題文を読む。

問題文全体に目を通します。また，必ずしも問１から順番に解答する必要はありませんので，解答し易い所から解答していきましょう。

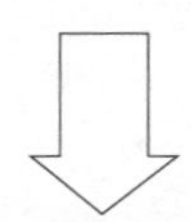

②問題文より，特殊比率の中から，どの特殊比率を使用すべきかを確認する。

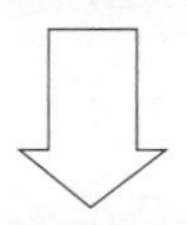

③②の確認が終わったら，各設問を解答していく。

次の<資料>に基づき，下の設問に答えなさい。なお，期中平均値を使用すべき場合であっても，期末の数値を用いて計算すること。また，解答に際しての端数処理については，問１～問４は円未満を切り捨て，問５は小数点第３位を四捨五入すること。

<資料>

1．完成工事高　　　　　￥ 23,800,000
2．完成工事原価の内訳
　　材　料　費　　　　　￥　　？
　　労　務　費　　　　　￥ 2,696,000
　　　（うち労務外注費　￥ 1,500,000）
　　外　注　費　　　　　￥ 7,650,000
　　経　　　費　　　　　￥ 1,580,000
　　　（うち人件費　　　￥ 280,000）
　なお，完成工事原価率は75％である。
3．流 動 資 産　　　　　￥ 24,320,000
4．有形固定資産　　　　￥ 52,240,000
　　（うち建設仮勘定　　￥ 1,995,000）
5．無形固定資産　　　　￥ 3,532,000
6．投資その他の資産　　￥ 550,000
7．技術職員数　155 人，事務職員数　45 人

問１　材料費を計算しなさい。
問２　付加価値の金額を計算しなさい。
問３　資本集約度を計算しなさい。
問４　労働生産性は，［　　　］×付加価値率の二つの要因に分解することができる。［　　　］の要因の数値を計算しなさい。
問５　労働生産性は，労働装備率×［　　　］×付加価値率の三つの要因に分解することができる。［　　　］の要因の数値を計算しなさい。

問１　5,924,000 円
問２　8,726,000 円
問３　403,210 円
問４　119,000 円
問５　0.47 回

1．材料費の算定

完成工事原価率を使用して，完成工事原価の総額を算定します。その金額から差額で材料費を求めます。

$$完成工事原価率（\%）= \frac{完成工事原価}{完成工事高} \times 100$$

完成工事原価＝23,800,000円×0.75 ＝ 17,850,000円
材料費＝17,850,000円－(2,696,000円＋7,650,000円＋1,580,000円)＝5,924,000円

２．付加価値の算定

付加価値は次の算式により求めます。

付加価値（円）＝完成工事高－材料費－外注費（労務外注費含む）

付加価値＝23,800,000円－5,924,000円－7,650,000円－1,500,000円＝8,726,000円

３．資本集約度の算定

総資本：24,320,000円＋52,240,000円＋3,532,000円＋550,000円＝80,642,000円
総職員数：155人＋45人＝200人
上記の数値を，以下の算式に当てはめ労働集約度を求めます。

$$\text{労働集約度（円）} = \frac{\text{総資本}}{\text{総職員数}}$$

$$\text{労働集約度} = \frac{80{,}642{,}000\text{円}}{200\text{人}} = 403{,}210\text{円}$$

４．労働生産性の算定①

問題文の文章をヒントに算式を考えます。

$$\text{労働生産性} = \underbrace{\frac{\text{完成工事高}}{\text{総職員数}}}_{\text{1人当たり完成工事高}} \times \underbrace{\frac{\text{付加価値}}{\text{完成工事高}}}_{\text{付加価値率}}$$

$$\text{1人当たり完成工事高} = \frac{23{,}800{,}000\text{円}}{200\text{人}} = 119{,}000\text{円}$$

５．労働生産性の分解②

４と同様に問題文の文章をヒントに算式を考えます。

$$\text{労働生産性} = \underbrace{\frac{\text{有形固定資産}}{\text{総職員数}}}_{\text{労働装備率}} \times \underbrace{\frac{\text{完成工事高}}{\text{有形固定資産}}}_{\text{有形固定資産回転率}} \times \underbrace{\frac{\text{付加価値}}{\text{完成工事高}}}_{\text{付加価値率}}$$

算式の中の有形固定資産は建設仮勘定を除きます。

$$\text{有形固定資産回転率} = \frac{23{,}800{,}000}{52{,}240{,}000\text{円} - 1{,}995{,}000\text{円}} = 0.473\cdots \rightarrow 0.47\text{回}$$

第４問対策　これで得点アップ！

知識を得点に変えるための解き方をマスターしよう！
「CVP分析」の解答手順を示します。

①問題文を読む。

ここで，変動費と固定費の区分がどのようになっているか？ 注意します。

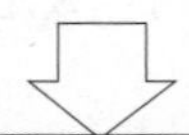

②費用が固定費と変動費に分かれていない場合は固変分解を行う。

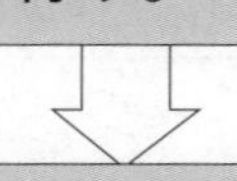

③限界利益率を算定する。

限界利益率を算定しておくと，損益分岐点売上高や目標利益達成売上高の算定がしやすくなります。

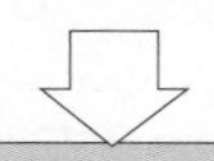

④各設問を解答していく。

次の損益計算書データに基づき，下の設問に答えなさい。
なお，解答に際しての端数処理については，問３，問４については小数点第３位を四捨五入すること。

損益計算書

（単位：百万円）

完成工事高	825,000	（@ 825 × 1,000 個）
変動費	495,000	（@ 495 × 1,000 個）
限界利益	330,000	③限界利益率＝ 0.4
固定費	280,000	
営業利益	50,000	

問１　損益分岐点の完成工事高を求めなさい。
問２　目標利益 ¥70,000 を達成するための完成工事高を求めなさい。
問３　分子に安全余裕の金額を用いた場合の安全余裕率を計算しなさい。
問４　問３で求めた安全余裕率と整合した損益分岐点比率を計算しなさい。

問１　700,000 円
問２　875,000 円
問３　15.15％
問４　84.85％

１．損益分岐点完成工事高の算定

損益分岐点は，利益も損失もでない分岐点です。営業利益が「ゼロ」になるため，限界利益と固定費が等しくなります。

$$\text{損益分岐点完成工事高} = \frac{\text{固定費}}{1 - \dfrac{\text{変動費}}{\text{実際の完成工事高}}}\ \text{(円)}$$

ここで，分母は**限界利益率**なので

損益分岐点完成工事高＝ 280,000 円 ÷ $\underset{③より}{\underline{0.4}}$ ＝ 700,000 円

２．目標利益達成完成工事高の算定

目標利益を固定費にプラスして算定します。
目標利益達成完成工事高＝（280,000 円＋ 70,000 円）÷ 0.4 ＝ 875,000 円

３．安全余裕率の算定

$$\text{安全余裕率} = \frac{\text{実際の完成工事高} - \text{損益分岐点完成工事高}}{\text{実際の完成工事高}}$$

$$\text{安全余裕率} = \frac{825{,}000\text{円} - 700{,}000\text{円}}{825{,}000\text{円}} \times 100 = 15.151\cdots \rightarrow 15.15\%$$

４．損益分岐点比率の算定

$$\text{損益分岐点比率} = \frac{700{,}000\ \text{円}}{825{,}000\ \text{円}} \times 100 = 84.848\cdots \rightarrow 84.85\%$$

または，

損益分岐点比率＝１－安全余裕率

より
損益分岐点比率＝ 100％ － 15.15％ ＝ 84.85％

▶解答用紙→P. 10
▶解答・解説→２－77

標準時間	10分

Q 16回 次の〈資料〉に基づき，下記の設問に答えなさい。なお，期中平均値を使用すべき場合であっても，期末の数値を用いて計算すること。また，解答に際しての端数処理については，解答用紙の指定のとおりとする。（20点）

〈資料〉

1．完成工事高	¥ 18,000,000
2．完成工事原価の内訳	
材　料　費	¥ 3,375,000
労　務　費	2,160,000
（うち労務外注費	1,620,000）
外　注　費	6,750,000
経　　　費	1,215,000
合　計	¥ 13,500,000
3．販売費及び一般管理費	¥ 3,972,000
4．営業外収益	
受取利息配当金のみ	¥ 220,000
5．営業外費用	
支払利息のみ	¥ 193,400
6．資産の内訳	
有形固定資産	¥ 2,800,000
（うち建設仮勘定	¥ 210,000）
無形固定資産	¥ 98,000
投資その他の資産	¥ 2,250,000
7．職員数	
技術系	110人
事務系	40人

問１　付加価値率を計算しなさい。

問２　労働装備率を計算しなさい。

問３　設備投資効率を計算しなさい。

問４　建設業における慣行的な固定費・変動費の区分に基づいて，経常利益段階での損益分岐点比率を計算しなさい。

問２，３　建設仮勘定はどうする？

問４　固定費と変動費の区分において，建設業では慣行的に固定費として扱う項目がある。

▶解 答 用 紙→P.　10
▶解答・解説→２－78

標準時間	10 分

17回　**次の〈資料〉に基づき，下記の設問に答えなさい。なお，解答に際しての端数処理については，解答用紙の指定のとおりとする。**　**（15 点）**

〈資料〉

第４期の完成工事高，損益分岐点比率および固定費

	完成工事高	損益分岐点比率	固　定　費
第４期	¥36,000,000	80%	¥12,960,000

問１　損益分岐点の完成工事高を求めなさい。

問２　分子に安全余裕の額を用いて，第４期の安全余裕率を求めなさい。

問３　第４期の変動費を求めなさい。

問４　第５期の目標利益を ¥7,200,000 としたときの完成工事高を求めなさい。
なお，変動費率と固定費は第４期と同じとする。

問５　第５期の完成工事高営業利益率 18%として，これを達成するための完成工事高を求めなさい。なお，変動費率と固定費は第４期と同じとする。

問３　固定費と問１で算定した損益分岐点完成工事高の関係から限界利益率を算定し，そこから変動費を導く。

問５　損益分岐点完成工事高を求める公式を変形して算式を考える。または，目標完成工事高をＳとおいて，目標利益率 18％はＳを用いてどのように表せるかを考える。

▶解答用紙→P. 11
▶解答・解説→2－80

Q 19回

標準時間	10分

次の〈資料〉に基づき，下記の設問に答えなさい。なお，解答に際しての端数処理については，解答用紙の指定のとおりとする。（15点）

〈資料〉

1．完成工事高	¥ 27,500,000
2．完成工事原価の内訳	
材料費	¥ 3,146,000
労務費	1,694,000
（うち労務外注費	1,573,000）
外注費	15,488,000
経費	3,872,000
（うち人件費	1,210,000）
合計	¥ 24,200,000
3．販売費及び一般管理費	¥ 1,155,000
4．固定資産の内訳（期中平均）	
有形固定資産	¥ 2,450,000
（うち建設仮勘定	¥ 180,000）
無形固定資産	¥ 224,000
投資その他の資産	¥ 5,450,000
5．従業員数（期中平均）	
技術系職員	170人
事務系職員	80人

問１　付加価値率を計算しなさい。

問２　労働生産性を計算しなさい。

問３　当期の資本集約度は¥125,000であった。総資本回転率を計算しなさい。

問４　前期の営業利益は¥2,316,000であった。営業利益増減率を計算しなさい。なお，増減率がプラスの場合は「A」，マイナスの場合は「B」を解答用紙の所定の欄に記入すること。

ヒント

問３　総資本回転率を求めるために，資本集約度が与えられているということは両者の比率で共通する項目があるということ。

問４　増減率は前期を基準とする。それでは分母は前期営業利益と当期営業利益のどちらを用いるか？

▶解 答 用 紙→P.　11
▶解答・解説→２－81

標準時間 10分

Q 21回 **次の〈資料〉に基づき，下記の設問に答えなさい。なお，解答に際しての端数処理については，解答用紙の指定のとおりとする。　（15点）**

〈資料〉

第７期・第８期の完成工事高および総費用

	完成工事高	総　費　用
第７期	¥15,400,000	¥14,320,000
第８期	¥16,400,000	¥15,140,000

問１　高低２点法によって費用分解を行い，第８期の固定費を求めなさい。

問２　第８期の限界利益を求めなさい。

問３　損益分岐点の完成工事高を求めなさい。

問４　分子に安全余裕の金額を用いて，第８期の安全余裕率を求めなさい。

問５　第９期には経営能力拡大のため，¥228,000の固定費の増加が見込まれている。第９期の目標利益を¥1,500,000とした場合の完成工事高を求めなさい。なお，変動費率は一定である。

ヒント

問１　変動費率は完成工事高の変化分に対して総費用がどれだけ変化したかを考える。

問４　安全余裕の金額は当期の完成工事高と損益分岐点完成工事高の差額のこと。

第５問対策

計算問題＋選択問題

第５問で問われるのはこれだ！

知識を得点につなげるためには、まず出題内容を把握しよう！
過去12回分の出題パターンは次のとおりです。

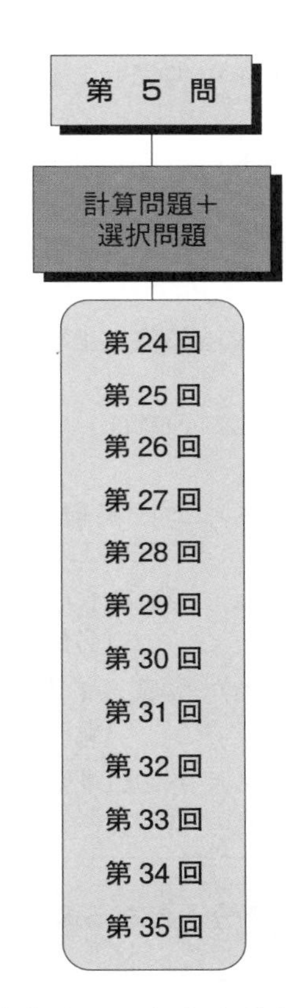

第５問は特殊比率を覚えていないと解けません。しかも特殊比率の公式は「財務分析主要比率表」によると68個もあります。

これをいちいち覚えるには莫大な努力と人並み外れた記憶力が必要です。

しかし，次の例を見てください。

(1)合格率：全受験者数における合格者数の割合＝$\frac{合格者数}{全受験者数}\times 100$

(2)クラス合格率：クラス在籍者数における合格者数の割合＝$\frac{合格者数}{クラス在籍者数}\times 100$

単に○○率という (1)は全体における合格者数の割合を示しており，分母に全体，分子に○○の数となります。また××○○率という (2)は××における○○の割合を示しており，分母に××，分子に○○となります。

つまり，一定のルールさえ把握していれば，率の名前を見ただけで，公式など覚えていなくても導き出せるものなのです。次にそのルールを示しておきますので是非ご覧ください。

第５問対策 これで得点アップ！

知識を得点に変えるための解き方をマスターしよう！
「特殊比率の覚え方」は次のとおりです。

タイプ１

名前の前半が分母，後半が分子を示す××○○率

$$××○○率＝\frac{○○}{××}×100$$

タイプ１に該当する比率一覧

①総資本経常利益率 $=\frac{経常利益}{総資本（※）}×100(\%)$

②総資本営業利益率 $=\frac{営業利益}{総資本（※）}×100(\%)$

③総資本事業利益率 $=\frac{事業利益}{総資本（※）}×100(\%)$

④総資本当期純利益率 $=\frac{当期純利益}{総資本（※）}×100(\%)$

⑤経営資本営業利益率 $=\frac{営業利益}{経営資本（※）}×100(\%)$

⑥自己資本当期純利益率 $=\frac{当期純利益}{自己資本（※）}×100(\%)$

⑦自己資本事業利益率 $=\frac{事業利益}{自己資本（※）}×100(\%)$

⑧自己資本経常利益率 $=\frac{経常利益}{自己資本（※）}×100(\%)$

⑨資本金経常利益率 $=\frac{経常利益}{資本金（※）}×100(\%)$

⑩完成工事高経常利益率 $=\frac{経常利益}{完成工事高}×100(\%)$

⑪完成工事高総利益率 $=\frac{完成工事総利益}{完成工事高}×100(\%)$

⑫完成工事高営業利益率 $=\frac{営業利益}{完成工事高}×100(\%)$

⑬完成工事高一般管理費率 $=\frac{販売費及び一般管理費}{完成工事高}×100(\%)$

⑭職員１人当たり完成工事高 $=\frac{完成工事高}{総職員数（※）}$（円）

⑮技術職員１人当たり完成工事高 $=\frac{完成工事高}{技術職員数（※）}$（円）

⑯職員１人当たり付加価値（労働生産性） $=\frac{完成工事高－（材料費＋外注費）}{総職員数（※）}$（円）

⑰職員１人当たり総資本（資本集約度） $=\frac{総資本（※）}{総職員数（※）}$（円）

⑱完成工事高キャッシュ・フロー率（キャッシュ・フロー対売上高比率） $=\frac{純キャッシュ・フロー}{完成工事高}×100(\%)$

タイプ２

××が分子となる××率

$$××率＝\frac{××}{?}×100$$

タイプ２に該当する比率一覧

①流動比率（本法） $=\frac{流動資産－未成工事支出金}{流動負債－未成工事受入金}×100(\%)$

②当座比率（本法） $=\frac{当座資産}{流動負債－未成工事受入金}×100(\%)$

③流動負債比率（本法） $=\frac{流動負債－未成工事受入金}{自己資本}×100(\%)$

④自己資本比率 $=\frac{自己資本}{総資本}×100(\%)$

⑤負債比率 $=\frac{流動負債＋固定負債}{自己資本}×100(\%)$

⑥固定負債比率 $=\frac{固定負債}{自己資本}×100(\%)$

⑦固定比率 $=\frac{固定資産}{自己資本}×100(\%)$

⑧配当率 $=\frac{配当金}{資本金}×100(\%)$

⑨付加価値率 $=\frac{完成工事高－（材料費＋外注費）}{完成工事高}×100(\%)$

⑩純支払利息比率 $=\frac{支払利息－受取利息配当金}{完成工事高}×100(\%)$

⑪労働装備率 ＝ $\frac{\text{有形固定資産－建設仮勘定（※）}}{\text{総職員数（※）}}$（円）

⑫流動比率（別法）＝ $\frac{\text{流動資産}}{\text{流動負債}}\times 100$（％）

⑬当座比率（別法）＝ $\frac{\text{当座資産}}{\text{流動負債}}\times 100$（％）

⑭流動負債比率（別法）＝ $\frac{\text{流動負債}}{\text{自己資本}}\times 100$（％）

⑮営業キャッシュ・フロー対流動負債比率 ＝ $\frac{\text{営業キャッシュ・フロー}}{\text{流動負債（※）}}\times 100$（％）

(注) ⑫～⑭の別法の比率は流動資産から未成工事支出金，流動負債から未成工事受入金をそれぞれ控除すると本法となります。
単に「流動」とするときは「流動資産」を，「固定」とするときは「固定資産」を示しています。

タイプ３

××月数または××月商倍率の分母は１カ月当たりの完成工事高，分子は××

$$\text{××月数}=\text{××月商倍率}=\frac{\text{××}}{\text{完成工事高}\div 12}$$

タイプ３に該当する比率一覧

①運転資本保有月数 ＝ $\frac{\text{流動資産－流動負債}}{\text{完成工事高}\div 12}$（月）

②現金預金手持月数 ＝ $\frac{\text{現金預金}}{\text{完成工事高}\div 12}$（月）

③受取勘定滞留月数（受取勘定月商倍率）＝ $\frac{\text{受取手形＋完成工事未収入金}}{\text{完成工事高}\div 12}$（月）

④完成工事未収入金滞留月数 ＝ $\frac{\text{完成工事未収入金}}{\text{完成工事高}\div 12}$（月）

⑤棚卸資産滞留月数 ＝ $\frac{\text{棚卸資産}}{\text{完成工事高}\div 12}$（月）

⑥必要運転資金月商倍率 ＝ $\frac{\text{必要運転資金}}{\text{完成工事高}\div 12}$（月）

⑦有利子負債月商倍率 ＝ $\frac{\text{有利子負債}}{\text{完成工事高}\div 12}$（月）

タイプ４

分子は完成工事高，分母は○○

$$\text{○○回転率}=\frac{\text{完成工事高}}{\text{○○}}$$

タイプ４に該当する比率一覧

①総資本回転率 ＝ $\frac{\text{完成工事高}}{\text{総資本（※）}}$（回）

②経営資本回転率 ＝ $\frac{\text{完成工事高}}{\text{経営資本（※）}}$（回）

③自己資本回転率 ＝ $\frac{\text{完成工事高}}{\text{自己資本（※）}}$（回）

④棚卸資産回転率 ＝ $\frac{\text{完成工事高}}{\text{棚卸資産（※）}}$（回）

⑤固定資産回転率 ＝ $\frac{\text{完成工事高}}{\text{固定資産（※）}}$（回）

⑥受取勘定回転率 ＝ $\frac{\text{完成工事高}}{\text{（受取手形＋完成工事未収入金）（※）}}$（回）

⑦支払勘定回転率 ＝ $\frac{\text{完成工事高}}{\text{（支払手形＋工事未払金）（※）}}$（回）

タイプ５

△△が前期に対して何％増減したかを見る△△増減率

$$\text{△△増減率}=\frac{\text{当期△△－前期△△}}{\text{前期△△}}\times 100$$

タイプ５に該当する比率一覧

①完成工事高増減率 ＝ $\frac{\text{当期完成工事高－前期完成工事高}}{\text{前期完成工事高}}\times 100$（％）

②営業利益増減率 ＝ $\frac{\text{当期営業利益－前期営業利益}}{\text{前期営業利益}}\times 100$（％）

③経常利益増減率 ＝ $\frac{\text{当期経常利益－前期経常利益}}{\text{前期経常利益}}\times 100$（％）

④付加価値増減率 ＝ $\frac{\text{当期付加価値－前期付加価値}}{\text{前期付加価値}}\times 100$（％）

⑤総資本増減率 ＝ $\frac{\text{当期末総資本－前期末総資本}}{\text{前期末総資本}}\times 100$（％）

⑥自己資本増減率 ＝ $\frac{\text{当期末自己資本－前期末自己資本}}{\text{前期末自己資本}}\times 100$（％）

タイプ６ 損益分岐点に関係する比率

損益分岐点の計算を学習するプロセスとして覚えておきましょう。

タイプ６に該当する比率一覧

①限界利益率 $= \left(1 - \dfrac{\text{変動費}}{\text{完成工事高}}\right) \times 100(\%)$

（または（１－変動費率）×100）

②損益分岐点完成工事高 $= \dfrac{\text{固定費}}{1 - \dfrac{\text{変動費}}{\text{完成工事高}}}$（円）

③損益分岐点比率 $= \dfrac{\text{損益分岐点の完成工事高}}{\text{実際（あるいは予定）の完成工事高}} \times 100(\%)$

④損益分岐点比率（別法） $= \dfrac{\text{販売費及び一般管理費＋支払利息}}{\text{完成工事総利益＋営業外収益－営業外費用＋支払利息}} \times 100(\%)$

⑤安全余裕率 $= \dfrac{\text{実際（あるいは予定）の完成工事高}}{\text{損益分岐点の完成工事高}} \times 100(\%)$

または

$\dfrac{\text{安全余裕額}}{\text{実際（あるいは予定）の完成工事高}} \times 100(\%)$

（注）①の限界利益率は，現在の「財務分析主要比率表」から外れていますが，②の損益分岐点完成工事高の計算に関わるなど，必要性はあるので，ここでは残しておきます。

その他 この８個はこのまま覚えましょう。

その他

①未成工事収支比率 $= \dfrac{\text{未成工事受入金}}{\text{未成工事支出金}} \times 100(\%)$

②借入金依存度 $= \dfrac{\text{短期借入金＋長期借入金＋社債}}{\text{総資本}} \times 100(\%)$

③金利負担能力（インタレスト・カバレッジ） $= \dfrac{\text{営業利益＋受取利息及び配当金}}{\text{支払利息}}$（倍）

④固定長期適合比率 $= \dfrac{\text{固定資産}^{\text{注1)}}}{\text{固定負債＋自己資本}} \times 100(\%)$

⑤立替工事高比率 $= \dfrac{\text{受取手形＋完成工事未収入金＋未成工事支出金－未成工事受入金}}{\text{完成工事高＋未成工事支出金}} \times 100(\%)$

⑥設備投資効率 $= \dfrac{\text{完成工事高－（材料費＋外注費）}}{\text{（有形固定資産－建設仮勘定）（※）}} \times 100(\%)$

⑦資本生産性（付加価値対固定資産比率） $= \dfrac{\text{完成工事高－（材料費＋外注費）}}{\text{固定資産（※）}} \times 100(\%)$

⑧配当性向 $= \dfrac{\text{配当金}}{\text{当期純利益}} \times 100(\%)$

注１）有形固定資産とすることもあります。

1．(※)を付した項目は，原則として期中平均値を使用する。

2．下記の項目は，原則として次のようにして求めたものをいう。

(1) 経営資本＝総資本－(建設仮勘定＋未稼働資産＋投資資産＋繰延資産＋その他営業活動に直接参加していない資産)
(2) 当座資産＝現金預金＋{(受取手形(割引分，裏書分を除く)＋完成工事未収入金－それらを対象とする貸倒引当金}＋有価証券
(3) 棚卸資産＝未成工事支出金＋材料貯蔵品
(4) 支払利息＝借入金利息＋社債利息＋その他他人資本に付される利息
(5) 受取利息及び配当金＝受取利息＋受取配当金
(6) 事業利益＝経常利益＋(4)に規定する支払利息
(7) 安全余裕額＝実際(あるいは予定)の完成工事高－損益分岐点の完成工事高
(8) 総職員数＝技術職員数＋事務職員数
(9) 必要運転資金＝受取手形＋完成工事未収入金＋未成工事支出金－支払手形－工事未払金－未成工事受入金
(10) 純キャッシュ・フロー＝税引後当期純利益±法人税等調整額＋当期減価償却実施額＋引当金増減額－剰余金の配当の額
(11) 営業キャッシュ・フロー＝キャッシュ・フロー計算書上の「営業活動によるキャッシュ・フロー」に掲載される金額
　ただし，キャッシュ・フロー計算書を作成していない場合には「経常利益＋減価償却実施額－法人税等＋貸倒引当金増加額－売掛債権増加額＋仕入債務増加額－棚卸資産増加額＋未成工事受入金増加額」で代用する。
(12) 有利子負債＝短期借入金＋長期借入金＋社債＋新株予約権付社債＋コマーシャル・ペーパー
(13) 自己資本＝純資産額
(14) 生産性比率および成長性比率における「付加価値」の計算は，労務外注費を外注費として扱う。

▶解答用紙→P. 12
▶解答・解説→２－83

標準時間	25 分

Q 16回 **土佐建設株式会社の第 25 期（決算日：平成 X7 年３月 31 日）及び第 26 期（決算日：平成 X8 年３月 31 日）の財務諸表並びにその関連データは〈別添資料〉のとおりであった。次の設問に解答しなさい。（30 点）**

問１　第 26 期について，次の諸比率（A～J）を算定しなさい。ただし，流動比率は，建設業特有の勘定科目の金額を控除する方法により算定すること。

また，期中平均値を使用することが望ましい数値については，そのような処置をすること。なお，解答に際しての端数処理については，解答用紙の指定のとおりとする。

A	経営資本営業利益率	B	自己資本当期純利益率
C	自己資本事業利益率	D	流動比率
E	立替工事高比率	F	現金預金手持月数
G	固定比率	H	配当性向
I	支払勘定回転率	J	資本集約度

問２　同社の財務諸表とその関連データを参照しながら，次に示す文の ＿＿ の中に入れるべき最も適当な用語・数値を下記の〈用語・数値群〉の中から選び，記号（ア～ム）で解答しなさい。期中平均値を使用することが望ましい数値については，そのような処置をし，小数点第３位を四捨五入している。

資金概念には広狭さまざまなものがあるが，このうち［ 1 ］の概念は，流動資産から［ 2 ］を控除したものであり，第 26 期の［ 1 ］は［ 3 ］千円である。この［ 1 ］の概念は［ 4 ］が作成されるようになるまでは，［ 5 ］分析たる資金分析の主流としての資金概念であった。

資金分析の伝統的な手法の１つは［ 6 ］の分析であり，［ 6 ］は連続する２期間の［ 7 ］項目の増減を基礎とし，それに減価償却費といった［ 8 ］，剰余金の配当といった［ 9 ］等の修正を行い作成される。

近年，［ 4 ］の台頭とともに，企業業績の１指標として，利益とともにキャッシュ・フローが注目されているが，第 26 期の完成工事高キャッシュ・フロー率は［ 10 ］である。

〈用語・数値群〉

ア	正味運転資本	イ	貸倒引当金	ウ	株主資本等変動計算書
エ	株主資本の増加	オ	現金の増加	カ	キャッシュ・フロー計算書
キ	現金及び現金同等物	ク	財務収支	コ	資金運用表
サ	支払能力	シ	社外流出項目	ス	生産性
セ	貸借対照表	ソ	当座資産	タ	非資金費用
チ	必要運転資金	ト	付加価値	ナ	流動性
ニ	流動負債	ネ	遊休資産	ノ	11,000
ハ	175,100	フ	696,800	ヘ	1.56％
ホ	2.04％	ム	4.91％		

ルール

数値の算定にあたり，平均するものは期中平均値を使う。
端数処理は，解答用紙の指示に従う。

問１
A　経営資本の算定において，控除するものは？
D　建設業特有の勘定科目の金額を控除する方法とは？

問２
10　分子の純キャッシュ・フローの算定において，法人税等調整額はどうする？

改題のポイント

「税効果会計に係る会計基準」の一部改正に伴い，流動資産に計上される繰延税金資産を削除した。

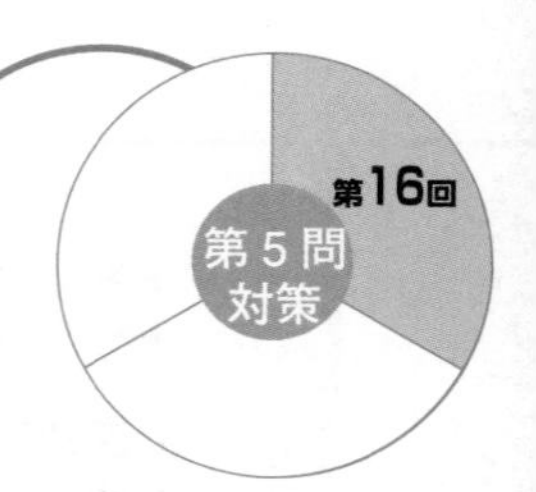

第５問〈別添資料〉

土佐建設株式会社の第25期及び第26期の財務諸表並びにその関連データ

貸借対照表

（単位：千円）

	第25期 平成×7年3月31日現在	第26期 平成×8年3月31日現在
（資産の部）		
Ⅰ　流動資産		
現金預金	221,600	230,600
受取手形	23,800	21,000
完成工事未収入金	759,800	734,200
有価証券	118,000	116,000
未成工事支出金	144,400	111,000
材料貯蔵品	280	300
短期貸付金	190	180
その他流動資産	139,830	149,420
貸倒引当金	△ 2,600	△ 2,400
［流動資産合計］	1,405,300	1,360,300
Ⅱ　固定資産		
1．有形固定資産		
建物	86,200	120,800
構築物	2,200	2,800
機械装置	980	1,400
車両運搬具	520	600
工具器具備品	4,200	6,600
土地	204,600	213,800
建設仮勘定	36,800	6,400
有形固定資産合計	335,500	352,400
2．無形固定資産		
借地権	3,200	3,000
ソフトウェア	2,400	2,600
無形固定資産合計	5,600	5,600
3．投資その他の資産		
投資有価証券	406,600	549,000
関係会社株式	56,800	56,800
長期貸付金	15,800	14,720
破産更生債権等	6,200	6,300
繰延税金資産	15,000	－
その他投資	17,200	15,480
貸倒引当金	△ 13,000	△ 11,600
投資その他の資産合計	504,600	630,700
［固定資産合計］	845,700	988,700
資産合計	2,251,000	2,349,000

	第25期 平成×7年3月31日現在	第26期 平成×8年3月31日現在
（負債の部）		
Ⅰ　流動負債		
支払手形	24,000	19,800
工事未払金	695,400	668,400
短期借入金	222,000	199,600
コマーシャル・ペーパー	－	20,000
未払金	6,400	32,600
未払法人税等	6,600	－
未成工事受入金	198,400	167,000
完成工事補償引当金	5,400	6,200
工事損失引当金	47,600	70,800
その他流動負債	400	800
［流動負債合計］	1,206,200	1,185,200
Ⅱ　固定負債		
社債	140,000	140,000
長期借入金	185,000	170,000
繰延税金負債	－	51,000
退職給付引当金	111,000	106,000
［固定負債合計］	436,000	467,000
負債合計	1,642,200	1,652,200
（純資産の部）		
Ⅰ　株主資本		
1．資本金	180,000	180,000
2．資本剰余金		
資本準備金	86,000	86,000
資本剰余金合計	86,000	86,000
3．利益剰余金		
利益準備金	45,000	45,000
その他利益剰余金	211,900	212,600
利益剰余金合計	256,900	257,600
4．自己株式	△ 2,200	△ 2,200
［株主資本合計］	520,700	521,400
Ⅱ　評価・換算差額等		
その他有価証券評価差額金	88,100	175,400
［評価・換算差額等合計］	88,100	175,400
純資産合計	608,800	696,800
負債純資産合計	2,251,000	2,349,000

〔付記事項〕

1．流動資産中の貸倒引当金は，受取手形と完成工事未収入金に対して設定されたものである。
2．その他流動資産は営業活動に伴うものであるが，当座の支払能力を有するものではない。
3．投資その他の資産は，すべて営業活動に直接関係していない資産である。
4．引当金及び有利子負債に該当する項目は，貸借対照表に明記したもの以外にはない。
5．第26期において繰越利益剰余金を原資として実施した配当の額は11,000千円である。

損益計算書

（単位：千円）

	第25期 自 平成×6年４月１日 至 平成×7年３月31日		第26期 自 平成×7年４月１日 至 平成×8年３月31日	
Ⅰ 完成工事高		2,368,800		2,434,800
Ⅱ 完成工事原価		2,223,800		2,315,200
完成工事総利益		145,000		119,600
Ⅲ 販売費及び一般管理費		112,600		114,600
営業利益		32,400		5,000
Ⅳ 営業外収益				
受取利息	980		1,280	
有価証券利息	260		220	
受取配当金	13,600		19,800	
為替差益	−		4,430	
その他営業外収益	3,800	18,640	4,420	30,150
Ⅴ 営業外費用				
支払利息	6,200		5,280	
社債利息	1,560		1,220	
為替差損	2,120		−	
その他営業外費用	6,020	15,900	4,160	10,660
経常利益		35,140		24,490
Ⅵ 特別利益		5,300		9,380
Ⅶ 特別損失		9,660		15,180
税引前当期純利益		30,780		18,690
法人税，住民税及び事業税	13,540		820	
法人税等調整額	6,100	19,640	6,170	6,990
当期純利益		11,140		11,700

〔付記事項〕

1．第 26 期における有形固定資産の減価償却費及び無形固定資産の償却費の合計額は 13,600 千円である。

2．その他営業外費用には，他人資本に付される利息は含まれていない。

完成工事原価報告書

（単位：千円）

	第25期 自 平成×6年４月１日 至 平成×7年３月31日	第26期 自 平成×7年４月１日 至 平成×8年３月31日
Ⅰ 材料費	242,500	232,120
Ⅱ 労務費	202,160	226,440
（うち労務外注費）	（126,480）	（126,340）
Ⅲ 外注費	1,405,700	1,479,060
Ⅳ 経費	373,440	377,580
完成工事原価	2,223,800	2,315,200

各期末時点の総職員数

	第25期	第26期
総職員数	21,400 人	21,200 人

▶解答用紙→P. 13
▶解答・解説→２－86

標準時間	25分

Q 19回 **薩摩建設株式会社の第12期（決算日:平成×4年３月31日）及び第13期（決算日:平成×5年３月31日）の財務諸表並びにその関連データは〈別添資料〉のとおりであった。次の設問に解答しなさい。（30点）**

問１　第13期について，次の諸比率（Ａ～Ｊ）を算定しなさい。ただし，期中平均値を使用することが望ましい数値については，そのような処置をすること。なお，解答に際しての端数処理については，解答用紙の指定のとおりとする。

Ａ　総資本事業利益率　　Ｂ　自己資本当期純利益率
Ｃ　完成工事高キャッシュ・フロー率　　Ｄ　損益分岐点比率
Ｅ　流動負債比率　　Ｆ　運転資本保有月数　　Ｇ　固定比率
Ｈ　配当性向　　Ｉ　受取勘定回転期間（日）　　Ｊ　支払勘定回転率

問２　同社の財務諸表とその関連データを参照しながら，次に示す文の［　　］の中に入れるべき最も適当な用語・数値を下記の〈用語・数値群〉の中から選び，記号（ア～へ）で解答しなさい。期中平均値を使用することが望ましい数値については，そのような処置をし，小数点第3位を四捨五入している。

(1)　企業の本来の営業活動に投下された資本の運用効率を示す比率を［ 1 ］といい，この比率が高いほど，営業活動に投下された資本の収益性が良好であることを意味する。［ 1 ］は［ 2 ］と，対完成工事高比率の１つである［ 3 ］とに分解して分析することができる。第13期の［ 1 ］は［ 4 ］，［ 2 ］は［ 5 ］である。

(2)　負債総額と，これを担保する自己資本との比率を［ 6 ］といい，長期的な財務の安全性を測定する指標である。［ 6 ］が［ 7 ］%以下にとどまることとは，他人資本のすべてを自己資本で担保している健全な状況にあることを示している。第13期の［ 6 ］は［ 8 ］%である。短期的な支払能力を見る指標の１つである［ 9 ］は，投資活動や財務活動による資金調達に依存することなく，企業が営業活動から内部的に創出した資金で負債の返済を行うことができる割合を示す指標である。同社の個別財務諸表ではキャッシュ・フロー計算書が開示されないため，貸借対照表，損益計算書及びその関連データを利用して算定した第13期の［ 9 ］は［ 10 ］%である。

〈用語・数値群〉

ア	完成工事高経常利益率	イ	完成工事高営業利益率				
ウ	営業キャッシュ・フロー対流動負債比率			エ	経営資本営業利益率		
オ	経営資本回転率	カ	財務レバレッジ				
キ	自己資本経常利益率	ク	自己資本比率			コ	当座比率
サ	負債比率	シ	フリー・キャッシュ・フロー			ス	1.54回
セ	3.42倍	ソ	3.09%	タ	3.53%	チ	2.28
ト	2.73	ナ	10.34	ニ	29.21	ネ	50
ノ	100	ハ	102.17	フ	200	へ	242.37

数値の算定にあたり，平均するものは期中平均値を使う。
端数処理は，解答用紙の指示に従う。

Ｃ　分子のキャッシュ・フローの算定において，法人税等調整額はどうする？

Ｄ　建設業における慣行的な区分では固定費は，販売費及び管理費と支払利息である。

Ｉ　問われているのは回転期間の日数。

改題のポイント

「税効果会計に係る会計基準」の一部改正に伴い，流動資産に計上される繰延税金資産を削除した。

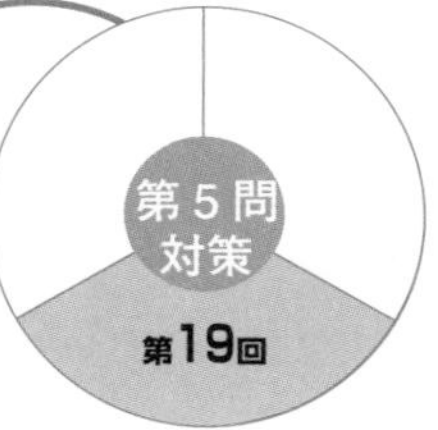

第５問〈別添資料〉

薩摩建設株式会社の第12期及び第13期の財務諸表並びにその関連データ

貸　借　対　照　表

（単位：百万円）

	第12期 平成×4年3月31日現在	第13期 平成×5年3月31日現在
（資産の部）		
Ⅰ　流　動　資　産		
現　金　預　金	84,300	100,400
受　取　手　形	11,360	14,220
完成工事未収入金	419,500	412,500
有　価　証　券	42,000	66,000
未成工事支出金	53,680	62,300
材　料　貯　蔵　品	210	200
短　期　貸　付　金	100	100
その他流動資産	30,300	35,860
貸　倒　引　当　金	△ 1,200	△ 970
［流動資産合計］	640,250	690,610
Ⅱ　固　定　資　産		
1．有形固定資産		
建　物	58,740	69,870
構　築　物	1,400	1,460
機　械　装　置	590	970
車　両　運　搬　具	370	340
工　具　器　具　備　品	3,080	3,180
土　地	104,000	108,000
建　設　仮　勘　定	20,250	3,170
有形固定資産合計	188,430	186,990
2．無形固定資産		
借　地　権	1,580	1,580
その他無形資産	1,560	1,530
無形固定資産合計	3,140	3,110
3．投資その他の資産		
投資有価証券	294,380	385,980
関係会社株式	27,730	32,610
長期貸付金	6,830	6,830
破産更生債権等	3,230	1,120
繰延税金資産	0	0
そ　の　他　投　資	7,860	7,490
貸　倒　引　当　金	△ 5,850	△ 2,490
投資その他の資産合計	334,180	431,540
［固定資産合計］	525,750	621,640
資　産　合　計	1,166,000	1,312,250

	第12期 平成×4年3月31日現在	第13期 平成5年3月31日現在
（負債の部）		
Ⅰ　流　動　負　債		
支　払　手　形	11,830	10,390
工　事　未　払　金	363,810	386,700
短　期　借　入　金	95,430	89,130
コマーシャル・ペーパー	450	370
未　払　費　用	10,370	11,300
未　払　金	5,090	3,050
未払法人税等	0	19,520
未成工事受入金	98,350	77,370
完成工事補償引当金	3,030	30,400
工事損失引当金	28,620	28,440
その他流動負債	250	260
［流動負債合計］	617,230	656,930
Ⅱ　固　定　負　債		
社　債	70,000	90,000
長　期　借　入　金	95,000	81,000
繰延税金負債	33,630	57,580
退職給付引当金	45,500	43,460
［固定負債合計］	244,130	272,040
負　債　合　計	861,360	928,970
（純資産の部）		
Ⅰ　株　主　資　本		
1．資　本　金	80,000	80,000
2．資本剰余金		
資本準備金	45,000	45,000
資本剰余金合計	45,000	45,000
3．利益剰余金		
利益準備金	20,000	20,000
その他利益剰余金	59,900	71,020
利益剰余金合計	79,900	91,020
4．自　己　株　式	△ 1,050	△ 1,110
［株主資本合計］	203,850	214,910
Ⅱ　評価・換算差額等		
その他有価証券評価差額金	100,790	168,370
［評価・換算差額等合計］	100,790	168,370
純資産合計	304,640	383,280
負債純資産合計	1,166,000	1,312,250

〔付記事項〕

1．流動資産中の貸倒引当金は，受取手形と完成工事未収入金に対して設定されたものである。
2．その他流動資産は営業活動に伴うものであるが，当座の支払能力を有するものではない。
3．投資その他の資産は，すべて営業活動に直接関係していない資産である。
4．引当金及び有利子負債に該当する項目は，貸借対照表に明記したもの以外にはない。
5．第13期において繰越利益剰余金を原資として実施した配当の額は5,400百万円である。

損益計算書

（単位：百万円）

	第12期 自 平成×3年４月１日 至 平成×4年３月31日		第13期 自 平成×4年４月１日 至 平成×5年３月31日	
Ⅰ 完成工事高		1,212,850		1,301,700
Ⅱ 完成工事原価		1,140,200		1,218,120
完成工事総利益		72,650		83,580
Ⅲ 販売費及び一般管理費		54,730		53,800
営業利益		17,920		29,780
Ⅳ 営業外収益				
受取利息	450		590	
有価証券利息	90		100	
受取配当金	8,170		6,360	
為替差益	900		2,300	
その他営業外収益	1,100	10,710	1,200	10,550
Ⅴ 営業外費用				
支払利息	2,280		2,120	
社債利息	640		660	
租税公課	340		650	
その他営業外費用	800	4,060	1,350	4,780
経常利益		24,570		35,550
Ⅵ 特別利益		920		1,900
Ⅶ 特別損失		1,290		4,170
税引前当期純利益		24,200		33,280
法人税，住民税及び事業税	2,190		21,160	
法人税等調整額	6,850	9,040	△4,400	16,760
当期純利益		15,160		16,520

〔付記事項〕

1．第13期における有形固定資産の減価償却費及び無形固定資産の償却費の合計額は7,730百万円である。

2．その他営業外費用には，他人資本に付される利息は含まれていない。

完成工事原価報告書

（単位：百万円）

	第12期 自 平成×3年４月１日 至 平成×4年３月31日		第13期 自 平成×4年４月１日 至 平成×5年３月31日	
Ⅰ 材料費		119,210		133,270
Ⅱ 労務費		69,190		68,620
（うち労務外注費）	（69,190）		（68,620）	
Ⅲ 外注費		758,130		812,350
Ⅳ 経費		193,670		203,880
完成工事原価		1,140,200		1,218,120

各期末時点の総職員数

	第12期	第13期
総職員数	10,710 人	10,550 人

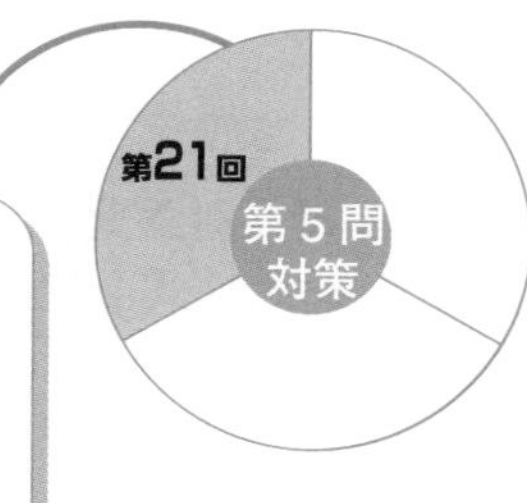

▶解 答 用 紙→P. 14
▶解答・解説→２－90

標準時間	25 分

Q 21回 **大阪建設株式会社の第 21 期（決算日：平成×８年３月 31 日）及び第 22 期（決算日：平成×９年３月 31 日）の財務諸表並びにその関連データは〈別添資料〉のとおりであった。次の設問に解答しなさい。（30 点）**

問１　第 22 期について，次の諸比率（A～J）を算定しなさい。期中平均値を使用することが望ましい数値については，そのような処置をすること。なお，解答に際しての端数処理については，解答用紙の指定のとおりとする。

A　総資本事業利益率　　B　運転資本保有月数
C　有利子負債月商倍率　　D　完成工事高キャッシュ・フロー率
E　負債比率　　F　立替工事高比率　　G　棚卸資産回転期間
H　未成工事収支比率　　I　固定長期適合比率　　J　労働装備率

問２　同社の財務諸表とその関連データを参照しながら，次に示す文章の［　　］の中に入れるべき最も適当な用語・数値を下記の〈用語・数値群〉の中から選び，記号（ア～ヤ）で解答しなさい。期中平均値を使用することが望ましい数値については，そのような処置をし，小数点第３位を四捨五入している。

(1)　資本利益率と売上高利益率は，企業財務の収益性分析の中核をなすものであるが，これを支えるのが［ 1 ］であり，企業の活動性の中心概念である。活動数を示す回転は，大まかに資本，資産，負債の回転に区分することができる。［ 1 ］の中で，企業の営業活動に直接投下された資本の運用効率を表しているのが［ 2 ］である。第 22 期の同比率は［ 3 ］回である。［ 1 ］の中で，売上債権の回転速度を示す比率が［ 4 ］である。第 22 期の同比率は［ 5 ］回である。なお，通常は，工事代金の一部を前受けしていることから，かかる［ 6 ］の額を控除した回転率を算定することも必要である。さらに，とりわけ建設業にあっては，［ 7 ］の回転率を見ることが重要である。なぜなら，同比率は工事進行基準に基づく売上債権の回転率をあらわしていると解されるからである。

(2)　生産性の測定においては，まず［ 8 ］が適正に把握されなければならない。その額の計算には，控除法と加算法の二つがあるが，第 22 期において，その額は［ 9 ］百万円である。建設業において採用される生産性分析の基本指標は，［ 8 ］労働生産性であり，第 22 期において，その額は［ 10 ］百万円である。

〈用語・数値群〉

ア　総資本回転率　　イ　資本回転率　　ウ　経営資本回転率
エ　自己資本回転率　　オ　正味受取勘定回転率　　カ　受取勘定回転率
キ　支払勘定回転率　　ク　未成工事受入金　　コ　未成工事支出金
サ　完成工事未収入金　　シ　施工高　　ス　未収施工高
セ　建設仮勘定　　ソ　総合生産性　　タ　資本生産性　　チ　付加価値
ト　1.28　　ナ　1.31　　ニ　1.33　　ネ　2.85　　ノ　3.01
ハ　3.18　　フ　12.61　　ヘ　13.61　　ホ　13.78　　ム　35,500
モ　38,800　　ヤ　41,400

ルール

数値の算定にあたり，平均するものは期中平均値を使う。
端数処理は，解答用紙の指示に従う。

問１
D　分子のキャッシュ・フローの算定において，法人税等調整額はどうする？
G　問われているのは回転期間の月数。

問２
[7]「工事進行基準に基づく」売上債権ということは，完成工事未収入金ではない？

改題のポイント
「税効果会計に係る会計基準」の一部改正に伴い，流動資産に計上される繰延税金資産を削除した。

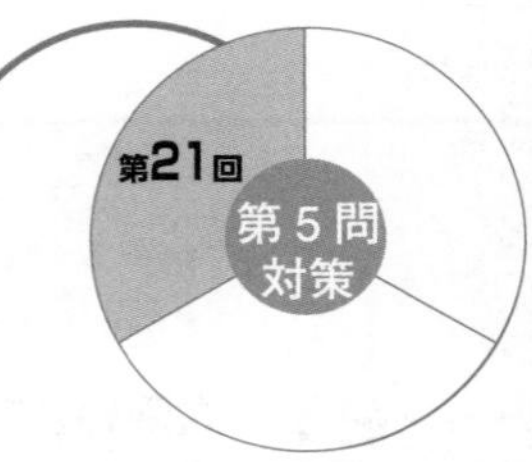

第５問〈別添資料〉

大阪建設株式会社の第21期及び第22期の財務諸表並びにその関連データ

貸借対照表

（単位：百万円）

	第21期 平成×8年3月31日現在	第22期 平成×9年3月31日現在
（資産の部）		
Ⅰ 流動資産		
現金預金	26,000	26,500
受取手形	4,200	4,700
完成工事未収入金	53,200	59,300
有価証券	2,500	2,900
未成工事支出金	6,900	7,300
材料貯蔵品	80	90
短期貸付金	6,300	5,500
その他流動資産	12,060	9,910
貸倒引当金	△ 240	△ 200
［流動資産合計］	111,000	116,000
Ⅱ 固定資産		
1．有形固定資産		
建物	8,000	7,000
構築物	400	500
機械装置	300	300
車両運搬具	100	130
工具器具備品	300	400
土地	16,200	16,000
建設仮勘定	2,000	3,570
有形固定資産合計	27,300	27,900
2．無形固定資産		
借地権	600	580
ソフトウェア	500	520
無形固定資産合計	1,100	1,100
3．投資その他の資産		
投資有価証券	20,000	23,000
関係会社株式	3,500	3,800
長期貸付金	500	400
破産更生債権等	30	20
繰延税金資産	2,100	1,800
その他投資	1,470	3,880
貸倒引当金	△ 1,000	△ 900
投資その他の資産合計	26,600	32,000
［固定資産合計］	55,000	61,000
資産合計	166,000	177,000

	第21期 平成×8年3月31日現在	第22期 平成×9年3月31日現在
（負債の部）		
Ⅰ 流動負債		
支払手形	800	500
工事未払金	42,000	43,000
短期借入金	11,300	10,800
コマーシャル・ペーパー	5,100	5,600
１年以内償還の社債	400	400
未払金	1,100	1,300
未払法人税等	830	790
未成工事受入金	10,900	10,000
完成工事補償引当金	360	370
工事損失引当金	1,500	1,600
その他流動負債	8,210	10,040
［流動負債合計］	82,500	84,400
Ⅱ 固定負債		
社債	2,900	3,000
長期借入金	8,700	8,100
繰延税金負債	4,700	6,600
退職給付引当金	6,700	6,100
［固定負債合計］	23,000	23,800
負債合計	105,500	108,200
（純資産の部）		
Ⅰ 株主資本		
1．資本金	14,600	14,600
2．資本剰余金		
資本準備金	7,000	7,000
資本剰余金合計	7,000	7,000
3．利益剰余金		
利益準備金	2,800	2,800
その他利益剰余金	32,000	35,800
利益剰余金合計	34,800	38,600
4．自己株式	△ 1,500	△ 1,500
［株主資本合計］	54,900	58,700
Ⅱ 評価・換算差額等		
その他有価証券評価差額金	5,600	10,100
［評価・換算差額等合計］	5,600	10,100
純資産合計	60,500	68,800
負債純資産合計	166,000	177,000

〔付記事項〕

1．流動資産中の貸倒引当金は，受取手形と完成工事未収入金に対して設定されたものである。
2．その他流動資産は営業活動に伴うものであるが，当座の支払能力を有するものではない。
3．投資その他の資産は，すべて営業活動に直接関係していない資産である。
4．引当金及び有利子負債に該当する項目は，貸借対照表に明記したもの以外にはない。
5．第22期において繰越利益剰余金を原資として実施した配当の額は1,000百万円である。

損益計算書

（単位：百万円）

	第21期 自 平成×7年４月１日 至 平成×8年３月31日		第22期 自 平成×8年４月１日 至 平成×9年３月31日	
Ⅰ 完成工事高		183,000		182,500
Ⅱ 完成工事原価		167,000		165,000
完成工事総利益		16,000		17,500
Ⅲ 販売費及び一般管理費		9,800		10,000
営業利益		6,200		7,500
Ⅳ 営業外収益				
受取利息	180		180	
受取配当金	300		340	
その他営業外収益	510	990	310	830
Ⅴ 営業外費用				
支払利息	330		300	
社債利息	60		60	
為替差損	80		40	
その他営業外費用	120	590	130	530
経常利益		6,600		7,800
Ⅵ 特別利益		700		800
Ⅶ 特別損失		600		700
税引前当期純利益		6,700		7,900
法人税，住民税及び事業税	2,200		2,500	
法人税等調整額	△ 170	2,030	△ 470	2,030
当期純利益		4,670		5,870

〔付記事項〕

1．第22期における有形固定資産の減価償却費及び無形固定資産の償却費の合計額は500百万円である。

2．その他営業外費用には，他人資本に付される利息は含まれていない。

キャッシュ・フロー計算書（要約）

（単位：百万円）

	第21期 自 平成×７年４月１日 至 平成×８年３月31日	第22期 自 平成×８年４月１日 至 平成×９年３月31日
Ⅰ 営業活動によるキャッシュ・フロー	6,000	4,200
Ⅱ 投資活動によるキャッシュ・フロー	△1,200	△1,500
Ⅲ 財務活動によるキャッシュ・フロー	△2,400	△2,500
Ⅳ 現金及び現金同等物の増加額	2,400	200
Ⅴ 現金及び現金同等物の期首残高	23,600	26,300
Ⅵ 現金及び現金同等物の期末残高	26,000	26,500

完成工事原価報告書

（単位：百万円）

	第21期 自 平成×7年４月１日 至 平成×8年３月31日	第22期 自 平成×8年４月１日 至 平成×9年３月31日
Ⅰ 材料費	15,500	15,000
Ⅱ 労務費	18,000	18,500
（うち労務外注費）	（14,500）	（15,200）
Ⅲ 外注費	108,500	113,500
Ⅳ 経費	16,000	18,000
完成工事原価	158,000	165,000

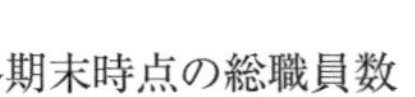

各期末時点の総職員数

	第21期	第22期
総職員数	2,780 人	2,850 人

コラム『論述問題に挑戦しよう』

１級建設業経理士の試験では、３科目ともに第１問で論述問題が出題されます。
どの科目も20点の配点が振られているため、この問題を白紙で提出してしまうと、第２問から第５問までの４題、80点満点の問題で70点の合格ラインを目指すことになってしまい、かなり厳しい戦いを強いられることになります。

そのため、まず受験生の皆さんに意識して頂きたいことは、「第１問を白紙で提出しない」ということです。

ただ、そのようなアドバイスを聞くと、「過去問の模範解答が覚えられない」というコメントをたくさん頂きますが、これも大きな誤解を含んでいます。

ネットスクールはもちろんのこと、他の学校が公表している模範解答は、あくまでも“模範”でなければならないため、慎重を期して、様々な参考文献を確認しながら、時間を掛けて複数人でチェックしたものを“模範解答”として公開しています。
それと全く同じものを、本試験という緊張感に満ちた環境の中、限られた時間内に、１人で、何も見ずに再現するということは至難の業で、一部の凄い方を除いて、そんな真似をするのは現実的な方法とは言えません。

それでも、１級の各科目の合格率は20～30%台で推移している（高いときは50%近いこともあります）ことを考えれば、模範解答どおりの解答が書けなくても、十分に合格できるはずなのです。

また、計算問題や記号問題は基本的に正解が１つしかなく、それ以外の数値や記号を書いてしまえば不正解ですが、論述問題は点数がもらえる答案の“幅”が広いので、部分点をもらえる可能性は高いはずです。
したがって、論述問題は「満点を狙うのは難しいが、努力の分だけ得点できる可能性もある」問題だと言えますし、この論述問題で稼いだ部分点が合否を分けることだって考えられるのです。

合格の可能性を高めるためにも、ぜひ論述問題に挑戦して、白紙にしないように心掛けて下さい。

ネットスクール建設業経理士WEB講座
担当講師　藤本拓也

第2部 解答・解説

この解答例は，ネットスクールで作成したものです。

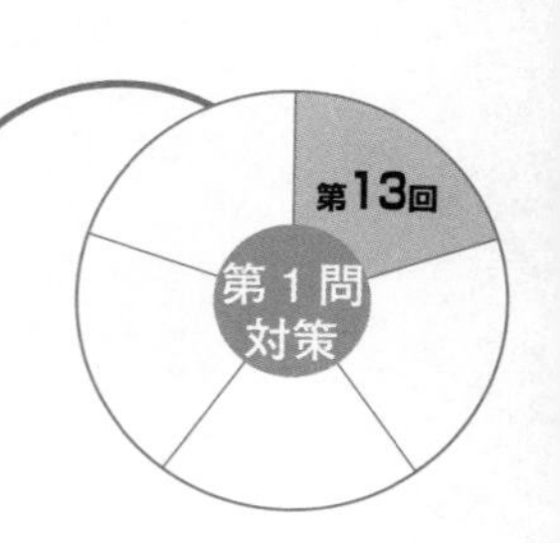

第13回出題

解答 解答にあたっては，指定した字数以内（句読点含む）で記入すること。

問１

付加価値とは，企業が外部から購入した材料に対して加
工し，その結果，市場において新たな価値を形成するこ
とになったその追加的な価値のことを言う。☆☆計算方法と
しては，企業活動の成果から付加価値としないものを控
除して算定する控除法と，付加価値とみなす項目を加算
して算定する加算法がある。☆付加価値に減価償却費を含
めたものは粗付加価値，控除して算定したものは純付加
価値と呼ばれる。☆建設業においては，粗付加価値が一般
的な付加価値とされ，完成工事高から材料費，外注費，
労務外注費を控除して算定される。☆☆

問２

付加価値を分子とする生産性の基本指標としては，労働
生産性と資本生産性が挙げられる。☆労働生産性は，生産
要素として労働力を用いた指標であり，付加価値を総職
員数で除して算定される。☆また，資本生産性は，生産要
素として設備資本を用いた指標であり，付加価値を固定
資産額で除して算定される。☆付加価値は，一定期間に渡
って生み出されたものであるため，用いる生産要素の数
値は，当該期間の平均値であることが望ましい。☆

予想採点基準
☆の前の文の内容が
正解で２点×10＝20点

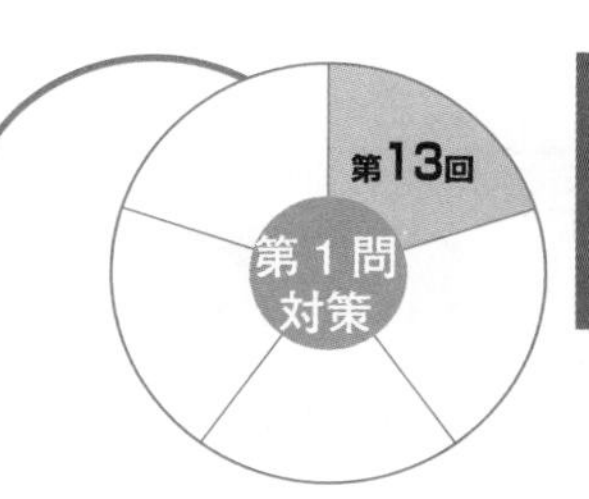

解 説

問１　付加価値の意義と計算方法

企業が外部から購入した材料に加工を加えることによって，市場において新たな価値が形成されますが，この追加的に生じた価値のことを付加価値といいます。

市場価値	価値の増殖（利益など）	付加価値 ⇒企業が新たに生み出した価値
	加工活動※	
	材　　料	

※　外注による部分を除く

付加価値の計算方法は，分析の目的や対象とする業種，企業規模によって異なります。建設業においては，減価償却費を含めた粗付加価値が一般的な付加価値と考えられ，その測定方法は，おおよそ控除法によっており，次の算式により計算されます。

建設業の付加価値＝完成工事高－（材料費＋労務外注費＋外注費）

問２　付加価値を分子とする生産性についての指標

生産性分析は，一定期間における投入された生産諸要素の有効利用の程度を分析するものであり，生産性は投入（インプット）と産出（アウトプット）の関数で表現されます。

$$\text{生産性}=\frac{\text{産出（アウトプット）}}{\text{投入（インプット）}}=\frac{\text{付加価値や完成工事高}}{\text{生産諸要素}}$$

企業における一般的な生産諸要素は，労働力と設備資本であると考えられます。そのため，労働生産性と資本生産性が付加価値を分子とする生産性の基本的な指標といえます。

(1)　労働生産性

生産性を労働力の視点から分析するものであり，建設業においては付加価値を総職員数で除して算定されます。

$$\text{労働生産性（円）}=\frac{\text{付加価値}}{\text{期中平均総職員数}}$$

(2)　資本生産性

生産性を設備資本の視点から分析するものであり，建設業においては付加価値を固定資産額で除して算定されます。資本生産性は，投下資本の有効利用の程度である生産的効率だけではなく，投下資本の収益性に及ぶ投資効率を分析する側面も有しています。

$$\text{資本生産性（\%）}=\frac{\text{付加価値}}{\text{期中平均固定資産}}\times 100$$

$$\text{設備投資効率（\%）}=\frac{\text{付加価値}}{\text{期中平均（有形固定資産－建設仮勘定）}}\times 100$$

テキスト参照ページ
問１　⇒　P. 1 － 62
問２　⇒　P. 1 － 64

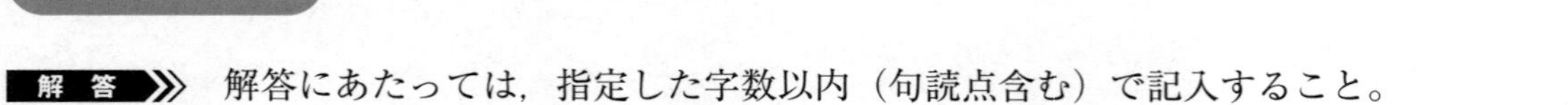

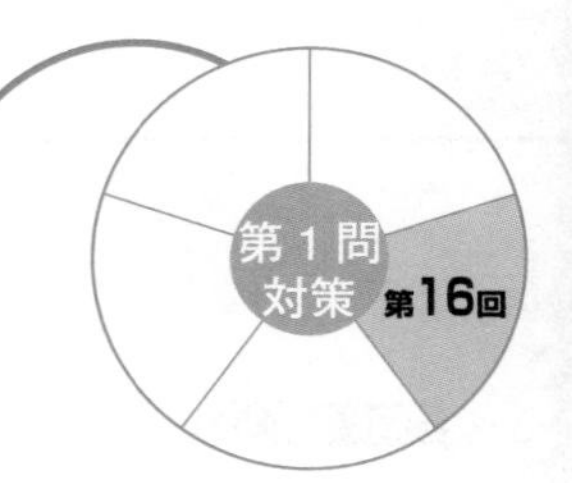

第 16 回出題

解 答 解答にあたっては，指定した字数以内（句読点含む）で記入すること。

名称	点数化による総合評価法
説明	点数化による総合評価法には指数法と考課法がある。指 数法は標準状態にある企業の指数を百として，分析対象 の企業の指数が百を上回るか否かによりその経営状態を 総合的に評価する方法である☆☆また考課法とは，いくつ かの適切な分析指標を選択し，各指標ごとに経営考課表 を作成し，この中に企業の実績値を当てはめて評価しよ うとする方法である☆☆いずれの方法も点数化の過程にお いて，標準比率の選択や各指標のウェイト付けに恣意性 が混入する可能性があり，適切なデータの選択によって ，できるだけ精度を高めなければならない☆

名称	図形化による総合評価法
説明	図形化による総合評価法とは，選択された指標を図表に よって表現し，判断する者の視覚に訴えた方法である。 図形としてはレーダー・チャートと人間の顔に見立てた もの（フェイス）がある☆レーダー・チャート法は，円 形の図形の中に，選択された分析指標を記入し，平均値 との乖離具合を凹凸状況によって視覚的に確認しようと するものである☆☆また，フェイス分析法は人間の表情を 総合評価に利用した方法である。髪の多少（経常利益増 減率），眉のつり具合（営業利益増減率），顔の長さ（ 売上高）などで総合的な状態を評価するものである☆☆

予想採点基準
☆の前の文の内容が
正解で２点× 10 ＝ 20 点

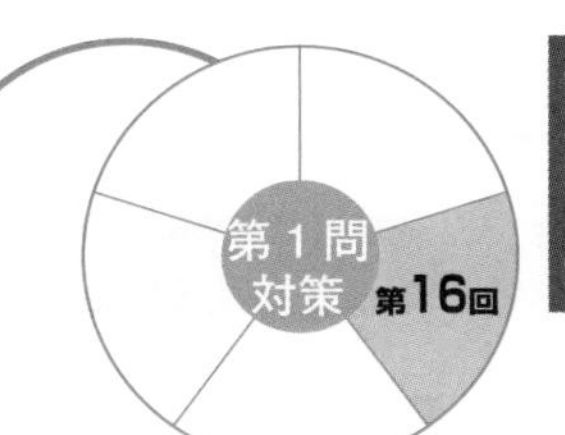

解説

本問は財務分析の手法のうち，総合評価の手法に関する問題です。

総合評価の手法	具体的な手法
①点数化による総合評価法	**指数法**
	考課法など
②図形化による総合評価法	**レーダー・チャート法**
	象形法（**フェイス分析法**など）
③多変量解析を利用する総合評価法	因子分析法
	判別分析法など
④財務諸表データに基づく企業評価法	純資産額法
	収益還元価値法

解答例においては点数化による総合評価法と図形化による総合評価法を挙げそれぞれの内容を説明しましたが，具体的な手法の名称を２つ挙げ，それぞれの内容を説明しても正答になると思われます。

①点数化による総合評価法
あらかじめ，各指標をウェイト付けしたり，実績値をランク付けして評価する表（考課表）を作成しておくなどして，これに企業の実績データをあてはめて総合的に評価しようとする方法です。

②図形化による総合評価法
選択された指標を図表によって表現し，判断する者の視覚に訴える方法です。図形としては，グラフだけでなく人間の顔（フェイス分析法）に見立てた象形的なものも採用されます。

③多変量解析を利用する総合評価法（参考）
数理統計学の多変量解析法を用いて，企業の総合評価データを整理する方法です。

④財務諸表データに基づく企業評価法
財務諸表の実績データから純資産額や収益還元価値といった数値を算出して，これを企業評価の指標とする方法です。

テキスト参照ページ
⇒ P. 1 − 26

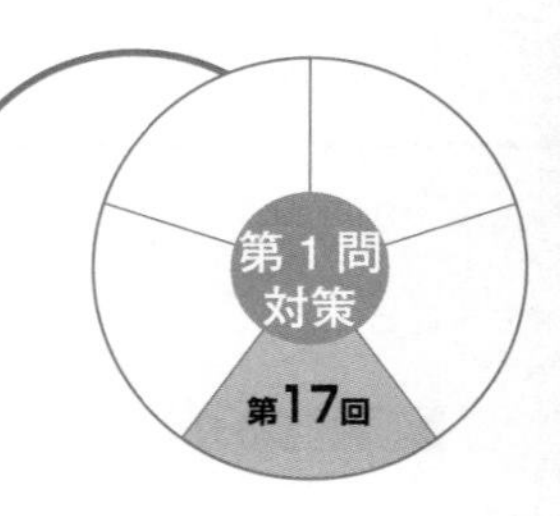

第 17 回出題

解答 解答にあたっては，指定した字数以内（句読点含む）で記入すること。

問１

自己資本利益率とは，自己資本に対する利益の比率をいい，資本主の出資に対する企業の収益性を表す指標である。☆すなわち，株式会社であれば株主に対する企業の貢献度を表しているといえる。☆この比率の分子には，一般に当期純利益が用いられるが，これは自己資本に対する理論的成果報酬を示すと考えられるためである。☆ただし，自己資本に対する経営効率を測定する観点から自己資本営業利益率などを用いることもある。☆

問２

自己資本利益率は完成工事高と総資本を用いて収益性の指標である完成工事高利益率，活動性の指標である総資本回転率，そして健全性の指標である自己資本比率の逆数である財務レバレッジに分解することができ，同時にこれらの指標に影響を受けることになる。☆☆そのため，利益率，回転率，財務レバレッジを高めることで自己資本利益率を高めることができるといえる。☆☆ただし，このうち財務レバレッジが高いということは他人資本の割合が高く，健全性が低いことを意味し，収益性が悪化した場合には逆効果になるという欠点がある。☆☆

予想採点基準

☆の前の文の内容が
正解で２点×10 ＝ 20点

解説

問１　自己資本利益率の意義

自己資本利益率とは，自己資本に対する利益の比率をいい，資本主の出資に対する企業の収益性を表す指標です。すなわち，株式会社であれば株主に対する企業の貢献度を表しているといえます。

$$自己資本利益率(\%) = \frac{利\quad益}{自己資本} \times 100$$

この比率の分子には，一般に当期純利益が用いられますが，これは自己資本に対する理論的成果報酬を示すと考えられるためです。ただし，実務上は自己資本に対する経営効率を測定する観点から自己資本営業利益率，自己資本経常利益率，自己資本当期純利益率，など複数の比率が分析に用いられています。

テキスト参照ページ
問１　⇒　P. 1 − 35

問２　自己資本利益率を高める方法

自己資本利益率は完成工事高と総資本を用いて，次のように分解することができます。

$$\frac{利\quad益}{自己資本} = \frac{利\quad益}{完成工事高} \times \frac{完成工事高}{総資本} \times \frac{総資本}{自己資本}\ [財務レバレッジ]$$

〈自己資本利益率〉〈完成工事高利益率〉×〈総資本回転率〉÷〈自己資本比率〉

そのため，完成工事高利益率，総資本回転率，財務レバレッジ（自己資本比率の逆数）の比率を高めることで自己資本利益率を高めることができます。また，完成工事高利益率と総資本回転率をまとめて総資本利益率とすると次のような式になります。

$$\frac{利\quad益}{自己資本} = \frac{利\quad益}{総資本} \times \frac{総資本}{自己資本}\ [財務レバレッジ]$$

〈自己資本利益率〉〈総資本利益率〉÷〈自己資本比率〉

他人資本を積極的に利用することで，財務レバレッジが高まり，総資本利益率に対してちょうど梃子のように作用して自己資本利益率を大きく高めることができます。これをレバレッジ効果といいます。ただし，財務レバレッジの比率が高いということは，他人資本の割合が高く健全性が低いことを意味しており，不景気などで収益性が悪化した場合には逆効果となるという欠点があります。これは，有利子負債が増えることで支払利子（社債利息を含む）の額が膨らむためです。具体的には，下記のような関係があります。

総資本利益率 ＞ 負債利子率の場合 … 正（プラス）のレバレッジ効果が働く
総資本利益率 ＜ 負債利子率の場合 … 負（マイナス）のレバレッジ効果が働く

テキスト参照ページ
問２　⇒　P. 1 − 36
P. 1 − 53

第 21 回出題

解 答 解答にあたっては，指定した字数以内（句読点含む）で記入すること。

問１

キャッシュ・フロー計算書の財務数値に基づく財務分析をキャッシュ・フロー分析という。☆発生主義会計の下では売上収益の計上と売上債権の回収，仕入費用の計上と仕入債務の決済との間には時間的ずれが生じる。☆☆そのため，損益面では業績がよくても売上債権の回収や仕入債務の決済等，キャッシュ・フローの管理が適切に行われる必要がある。☆そこでキャッシュ・フロー計算書を通じて資金管理を適切に行うとともに，財務分析においてもキャッシュ・フロー分析を適切に行う必要がある。☆

問２

キャッシュ・フロー計算書の構成比率分析とは，全体に対する部分の割合を表す比率に基づきキャッシュ・フローの状況を分析する方法である。☆☆具体的には，実数欄と百分率欄を設けた百分率キャッシュ・フロー計算書を作成することによって行う。☆また当社と他の企業を並べる形で示す方がよい。営業収入は１００％とし，その他の項目はそれに対する割合で示される。☆構成比率分析は，企業間比較や期間比較を行う場合にとりわけ有効な分析方法と言える。☆

解 説

予想採点基準
☆の前の文の内容が
正解で２点×10＝20点

問１　キャッシュ・フロー分析の意義

(1)　資金管理の重要性

企業の存続・発展のためには，損益を黒字化することが必要ですが，それだけでは十分ではありません。なぜなら，利益を計上していたとしても債権の回収が滞れば，支払債務の支払い等が行えず「黒字倒産」に陥ってしまうことがあるからです。したがって，企業が存続・発展するうえで，損益の黒字化とならび資金管理を適切に行うことがとても重要になってきます。

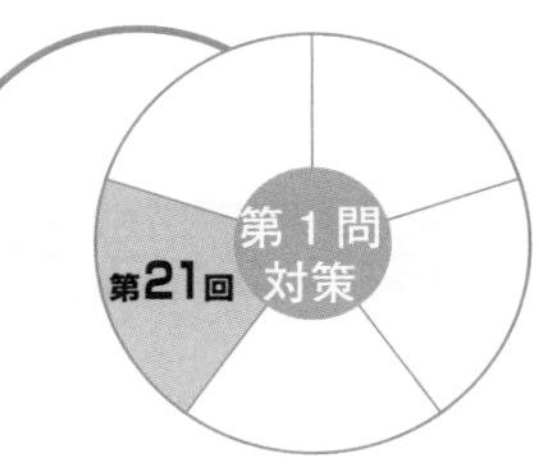

(2)　キャッシュ・フロー計算書と資金管理の関係

損益計算書の収益・費用は，必ずしも資金流入・流出と一致しません。なぜなら，収益計上と債権回収，費用計上と債務支払との間には期間的なズレが生じますし，費用の中には減価償却費，貸倒引当金繰入額等の非現金支出費用があるからです。それらの問題点を改善し，資金管理をより深く分析しようと考えた場合，キャッシュ・フローの変動要因を調査して改善可能な変動要因を明らかにすることが有効です。また一時点の残高を表す貸借対照表のみを分析したとしても，キャッシュ・フローの変動要因までは判明しません。したがって，キャッシュ・フロー計算書を通じて資金管理を適切に行うとともに，キャッシュ・フロー分析が行う必要があります。

問２　キャッシュ・フロー計算書の構成比率分析

キャッシュ・フロー計算書の構成比率分析とは，全体に対する部分の割合を表す比率に基づきキャッシュ・フローの状況を分析する方法です。具体的には，百分率キャッシュ・フロー計算書を作成することによって分析が行われます。

この計算書においては，営業収入を100％としてその他の項目は営業収入に対する割合で表されます*。これにより，各活動項目の相対的な大きさ，収入と支出の構成割合を見ることができます。また，実数ではなく百分率（比率）を用いることから，企業間比較や期間比較を行う際にとりわけ有用な分析方法であるといえます。

＊　当社の営業活動による支出：$\dfrac{-8,400千円}{10,000千円}\times 100 = -84.00\%$

〈百分率キャッシュ・フロー計算書〉

項　　目	当　社		Ａ　社	
	実数（千円）	百分率（％）	実数（千円）	百分率（％）
営業活動による収入	10,000	100.00	24,000	100.00
営業活動による支出	－8,400	－84.00	－21,840	－91.00
営業活動によるキャッシュ・フロー	1,600	16.00	2,160	9.00
投資活動による収入	1,400	14.00	1,800	7.50
投資活動による支出	－2,000	－20.00	－4,500	－18.75
投資活動によるキャッシュ・フロー	－600	－6.00	－2,700	－11.25
財務活動による収入	2,000	20.00	5,200	21.67
財務活動による支出	－1,800	－18.00	－3,150	－13.13
財務活動によるキャッシュ・フロー	200	2.00	2,050	8.54
現金及び現金同等物に係る換算差額	－500	－5.00	700	2.92
現金及び現金同等物の増加額	700	7.00	2,210	9.21

テキスト参照ページ
⇒　P．1-85

第22回出題

解答 解答にあたっては，指定した字数以内（句読点含む）で記入すること。

問1

原価，売上高，利益の相関関係をCVP関係と呼び，そ
れに関する諸分析をCVP分析という。☆損益分岐点と現
状との乖離を示す安全余裕率分析や，目標利益を達成し
うる営業量を模索する目標利益達成売上高分析などを扱
う。CVPの中心的技法としては，一定期間の売上高と
関係費用の均衡点を求める損益分岐点分析がある。☆建設
業における損益分岐点とは，完成工事高と工事原価及び
一般管理費その他の関係費用が均衡する点をいう。☆☆

問2

建設業においては，簡便的に財務諸表項目の販売費及び
一般管理費を固定費とし，工事原価のすべてを変動費と
する慣行がある。☆☆これは，工事の遂行に直接的に関与す
る原価を変動費として捉え，間接的な関与をする一般管
理費等を固定費と考えてしまおうというものである。☆ま
た，建設業においては資金調達の重要性から経常利益段
階での損益分岐点分析を行うことを慣行としている。☆そ
のため，固定費に支払利息を加え，変動費に支払利息以
外の営業外費用のうち営業外収益で賄えない部分を加え
て分析を行う。したがって，損益分岐点比率は販売費及
び一般管理費と支払利息の合計額を完成工事総利益，営
業外損益，支払利息の合計額で除して算定する。☆☆

予想採点基準
☆の前の文の内容が
正解で2点×10＝20点

解　説

問１　CVP分析の意義

企業活動は，その行動に伴う原価をその行動から得られる成果（売上高）によって回収しようとする行為の連続です。そして，経営者は常に原価を超える売上高を上げ，利益を獲得することを望んでいます。そのため，企業活動においては，行動の事前事後において，原価（Cost），売上高（Volume），利益（Profit）の相関関係を的確に把握することが重要になります。この関係をCVP関係といい，それに関する諸分析をCVP分析と呼んでいます。

CVP分析では，損益分岐点と現状との乖離を示す安全余裕率分析，目標利益を達成しうる営業規模を模索する目標利益達成売上高分析などを扱います。損益分岐点分析は，CVP分析の中心的技法であり，実数分析の関数均衡分析*1) の代表的な一手法として位置付けられます。建設業において，企業活動の成果は，工事完了引渡によって得られる完成工事高であることから，損益分岐点は，完成工事高と工事原価及び一般管理費その他の関係費用が均衡する点をいいます。

ここに！注意

＊1）収益，費用，資本などの個々のデータ相互間の均衡点あるいは分岐点を算式や図表を使って算出する分析手法。

問２　建設業における慣行的な固変区分と損益分岐点比率の求め方

建設業における固定費は，受注産業であることの特性から，工事を受注しなくても発生する費用，あるいは工事の遂行に間接的に関与する費用とされています。これに対して，変動費は，工事の遂行に直接的に関与する費用とされています。そのため，簡便的に財務諸表項目の販売費及び一般管理費を固定費とし，工事原価のすべてを変動費とする慣行があります。

なお，実際には工事原価の中にも現場監督者の人件費や自社所有の機械の保有コストなどの固定費が含まれるため，本来であれば，これらを固定費として考えて分析を行うことが望ましいといえます。

(1)　建設業における慣行的な固変区分

変動費＝完成工事原価－営業外収益＋支払利息除く営業外費用※
固定費＝販売費及び一般管理費＋支払利息

＊変動費は，完成工事原価と「支払利息以外の営業外費用のうち営業外収益で賄えない部分」と考えられているため，計算上は費用から差し引かれる形になります。

支払利息以外の営業外費用	営業外収益
	変動費

⑵ 損益分岐点比率の求め方

固定費（分子）を限界利益※（分母）で除することで損益分岐点比率を求めることができます。

※限界利益＝完成工事高－変動費（完成工事原価－営業外収益＋営業外費用－支払利息）
＝完成工事高－完成工事原価＋営業外収益－営業外費用＋支払利息
＝完成工事総利益＋営業外損益＋支払利息

$$損益分岐点比率(\%)=\frac{販売費及び一般管理費＋支払利息}{完成工事総利益＋営業外損益＋支払利息}\times 100$$

なお，損益分岐点比率の求め方は解答例以外の算式であっても，理論上正しければ正答として認められると思われます。例えば，経常利益段階の変動費及び固定費を先に示したうえで，下記のような算式を示す方法が考えられます。解答の文章としては「固定費を完成工事高から変動費を差し引いた金額で除して算定する」とすると良いでしょう。

固定費を限界利益（＝完成工事高－変動費）で除して算定するという考え方は解答例と同様です。

$$損益分岐点比率(\%)=\frac{固定費}{完成工事高－変動費}\times 100$$

テキスト参照ページ
⇒ P. 1－40

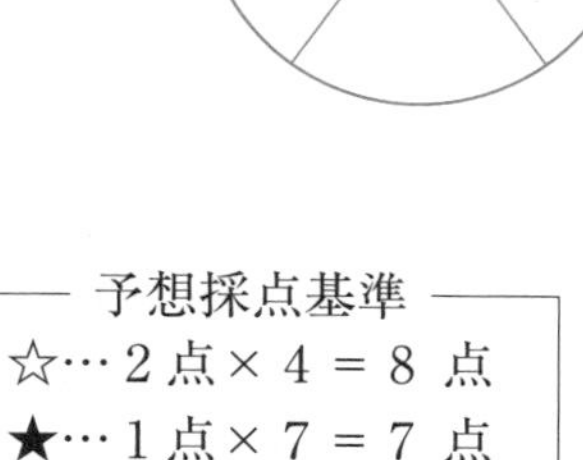

第 15 回出題

解　答

記号（ア～ハ）

1	2	3	4	5	6	7
シ	ウ	ナ	エ	ノ	コ	ニ
★	★	★	★	★	★	★

8	9	10	11
ハ	セ	ネ	ア
☆	☆	☆	☆

予想採点基準
☆…２点×４＝８点
★…１点×７＝７点
合計　15点

解　説

１．生産性分析の意義

生産性は，生産に使用された諸要素がその活動の成果に有効に利用された度合いを示す指標であり，一般に以下のように表すことができます。

$$生産性＝\frac{活動成果たる産出の大きさ（アウトプット）}{生産諸要素の投入の大きさ（インプット）}$$

企業活動への投入（インプット）要素としては，従業員数や設備資本投下額などが代表的なものです。他方，これに対応する産出（アウトプット）要素は，付加価値や完成工事高などがあります。

生産性の指標は，企業の生産効率の測定に有効であると同時に，活動成果の配分が合理的に実施されたのかの判断にも利用されています。

２．活動成果の配分

(1)　付加価値

完成工事高から材料費や外注費のように他の企業が作り出した価値を引くことにより，企業自らが作り出した価値を，付加価値として計算します。

建設業の付加価値＝完成工事高－（材料費＋外注費[*1)]）

ここに！注意

＊1）外注費には労務外注費が含まれる。

そして，この付加価値は，例えば，従業員には人件費として，国等には租税公課（税金）などとして，株主には配当金として配分されます。

そのため，人件費を削減しても，他の条件が同じであれば租税公課や配当金などが増加するだけで付加価値の金額そのものは変わりません。

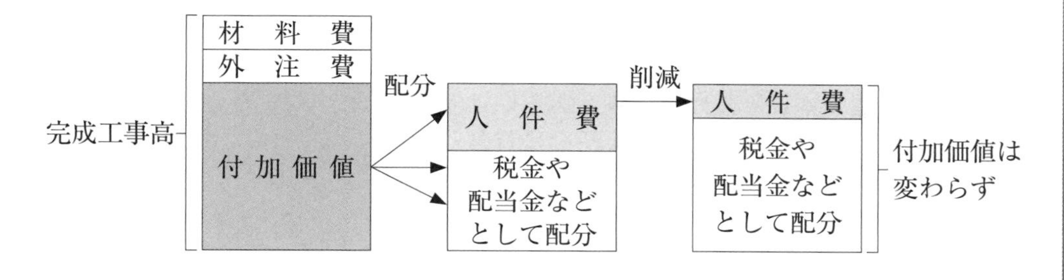

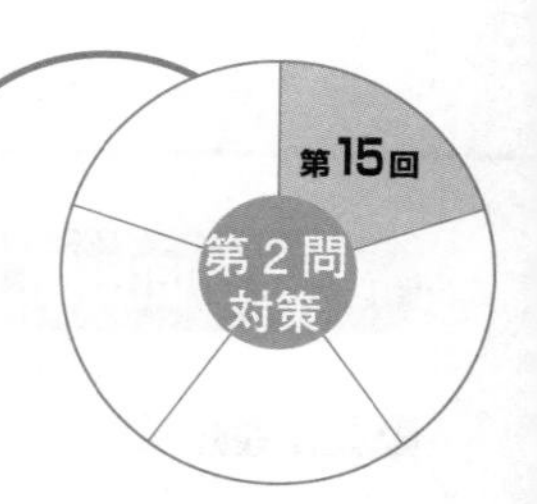

(2) 付加価値分配率

付加価値分配率（労働分配率）は，付加価値のうち人件費の配分割合を示した指標です。

$$\text{付加価値分配率(\%)} = \frac{\text{人件費}}{\text{付加価値}} \times 100$$

この比率が大きくなることは手厚い労働分配という意味では望ましいですが，それが適正な比率を超える場合には，人件費増加により企業が自由に使える資金が減少することになり企業活動の弾力性は失われてしまいます。結果として，過度にこの比率が大きい場合には長期的には企業の弱体化を招くことになります。

3．企業の生産効率の測定

(1) 労働生産性

分母の生産諸要素は，一般的には従業員数と設備資本投下額であり，従業員数を使った指標を労働生産性と呼びます。

$$\text{労働生産性(円)} = \frac{\text{付加価値}}{\text{従業員数}}$$

労働生産性は完成工事高を使って１人当たり完成工事高と付加価値率に分解して分析することができます。

労働生産性＝１人当たり完成工事高×付加価値率

$$\text{労働生産性(円)} = \frac{\text{完成工事高}}{\text{従業員数}} \times \frac{\text{付加価値}}{\text{完成工事高}}$$

また，有形固定資産*2)を使って労働装備率と設備投資効率に分解して分析することができます。

労働生産性＝労働装備率×設備投資効率

$$\text{労働生産性(円)} = \frac{\text{有形固定資産}-\text{建設仮勘定}}{\text{従業員数}} \times \frac{\text{付加価値}}{\text{有形固定資産}-\text{建設仮勘定}}$$

ここに！注意

*2）建設仮勘定を除く。

(2) 資本生産性

分母の生産諸要素に設備資本投下額を使った指標を資本生産性と呼びます。投下資本が生産性にどれだけ貢献したかという生産的効率性だけではなく，投下資本の収益性の側面も有しています。

$$\text{資本生産性(\%)} = \frac{\text{付加価値}}{\text{設備資本投下額}} \times 100$$

実際の資本生産性分析では分母の設備資本投下額は固定資産あるいは有形固定資産を使用します。いずれの場合であっても実質的に事業活動に貢献している資産を分母にすべきですので，建設仮勘定や遊休設備資産は除外すべきといえます。

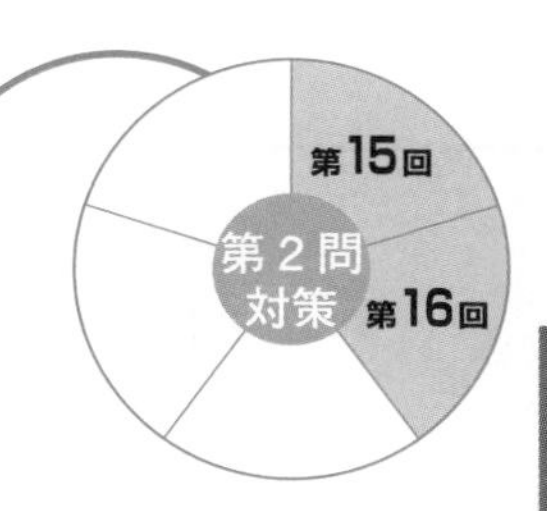

☞ よって本問の文章は次のようになります。

生産に使用された諸要素が，その活動の成果に有効に利用された度合いを示す指標を生産性という。生産性の指標は，企業の生産効率の測定に有効であると同時に，活動成果の配分が合理的に実施されたかの判断にも利用されている。

生産性の分子となる要素には，通常は付加価値が採用される。収益性を高めるために企業内の人件費を削減した場合，他の条件が同じであれば，付加価値は変わらない。

生産性の分母となる要素は，一般的には従業員数と設備資本投下額であり，従業員数を使った指標を労働生産性，設備資本投下額を使った指標を資本生産性と呼ぶ。労働生産性は，１人当たり完成工事高と付加価値率に分解して分析したり，工事現場の機械化の水準を示す労働装備率と設備投資効率に分解して分析することができる。

付加価値分配率は人件費を付加価値で除した比率であり，この数値が大きくなることは一面では望ましいが，それが過度である場合には，企業活動の弾力性を失い，長期的には企業体質の弱体化を招く。

テキスト参照ページ
⇒ P. 1 − 62

第 16 回出題

解 答

記号（ア～ヘ）	1	2	3	4	5	6	7	8
	ウ	シ	カ	オ	エ	ヘ	ア	タ
	☆	★	★	★	★	☆	★	☆

9	10	11	12
ナ	ト	キ	ク
★	★	★	★

予想採点基準
☆… 2 点× 3 ＝ 6 点
★… 1 点× 9 ＝ 9 点
合計 15 点

解 説

１．活動性分析総論

建設業において企業の収益性についての総合的な指標である資本利益率は売上高利益率（完成工事高利益率）と資本回転率に分解することができます。

$$\text{資本利益率(\%)} = \underset{\text{(資本利益率)}}{\frac{\text{利　益}}{\text{資　本}}} = \underset{\text{(資本回転率)}}{\frac{\text{売上高}}{\text{資　本}}} \times \underset{\text{(売上高利益率)}}{\frac{\text{利　益}}{\text{売上高}}}$$

このうち，売上高利益率が収益性分析の中核をなすものであるのに対して，資本回転率は活動性分析の中心概念です。

ここで，活動性分析とは，資本やその運用形態である資産がある一定期間にどのくらい活動したのかを示すものであり，その指標として回転率と回転期間という概念を使用します。

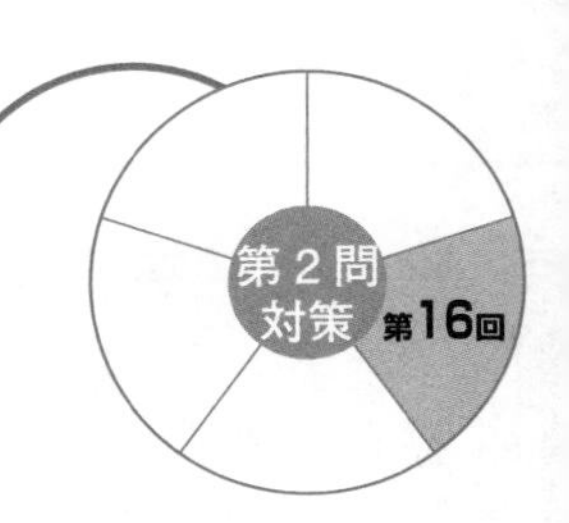

回転率は投下した資本や資産が一定期間に何回転したかを示すことで，投下された資本や資産の運用効率を表します。また，回転期間は資本や資産が１回転するのに要する期間を示します。この回転率と回転期間は逆数の関係にあり，以下の算式で表すことができます。

> 回転期間（年）＝ 1 ÷回転率
> 回転期間（月）＝ 12 ÷回転率
> 回転期間（日）＝ 365 ÷回転率

本問の場合であれば，１年間に３回，新旧交代する場合ですので，
回転期間（月）*1) ＝12÷３回＝４か月と計算することができます。

ここに！注意

＊1）用語群のハ0.25か月，へ４か月から回転期間（月）が解答要求となっていることが分かる。

2．活動性分析における指標

(1)　受取勘定回転率

受取勘定回転率は受取手形や完成工事未収入金などの売上債権が回収される速さを示し，この比率が高いほど，運用効率が高いことを意味します。逆に，この比率が低いほど回収速度が遅く，それだけ資本が売上債権に固定化されていることになり，運用効率が低いことを意味します。

$$受取勘定回転率(回) ＝ \frac{完成工事高}{(受取手形＋完成工事未収入金)^{*2)}}$$

＊2）原則として期中平均値を用いる。

また，通常は工事代金の一部を受け取っていることから未成工事受入金の額を控除した正味の受取勘定で回転率を求めることも必要です。

$$正味受取勘定回転率(回) ＝ \frac{完成工事高}{(受取手形＋完成工事未収入金－未成工事受入金)^{*2)}}$$

さらに，建設業においては，工事進行基準に基づく売掛債権の回転率を意味する未収施工高回転率を見ることが重要になります。

$$未収施工高回転率(回) ＝ \frac{施工高}{(売掛債権＋未成工事施工高－未成工事受入金)^{*2)}}$$

(2)　固定資産回転期間

固定資産回転率は投下された固定資産が一定期間に何回転したかを示し，固定資産が効率的に運用されるほど完成工事高が増加し，結果として当該比率も高くなるという関係にあります。固定資産についても，その回転期間は回転率の逆数として示されます。

$$固定資産回転期間(月) ＝ \frac{固定資産^{*2)}}{完成工事高 ÷ 12}$$

ただし，固定資産の実際の回転期間という場合には分母を減価償却費として計算すべきです。なぜなら，減価償却費こそが固定資産の費消額といえるものであり，それによって厳密な固定資産の回転期間が算定されるためです。

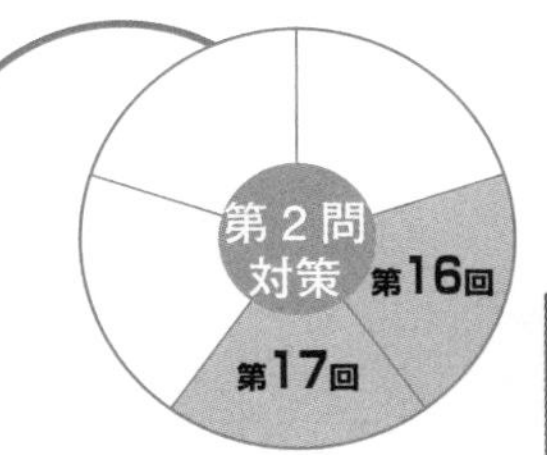

☞ **よって本問の文章は次のようになります。**

資本利益率は，**売上高利益率**と**資本回転率**に分解することができる。**売上高利益率**が収益性分析の中核をなすものであるのに対して，**資本回転率**は最終的には収益性を高めるための要素ではあるが，それ自体は**活動性**の中心概念である。

活動性の指標として一般に**回転率**と**回転期間**が利用されるが，**回転率**は一定期間に資産や資本等が入れ替わった回数をいい，これによって当該項目の利用度が明らかにされる。**回転率**と**回転期間**は逆数の関係にあり，たとえばある資産が１年間に３回，新旧交替する場合，**回転期間**は**４ヵ月**となる。

受取勘定回転率は，受取手形や完成工事未収入金などの売上債権が回収される速さを示す指標であり，この比率が低いほど，資本の運用効率が**低い**ことを意味する。また，通常は工事代金の一部を前受けしているので，この計算式の分母から**未成工事受入金**の額を控除して算定することもある。さらに，工事進行基準に基づく売上債権の回転率をあらわす指標として，**未収施工高回転率**もある。固定資産の**回転期間**は，他の比率と同様に，一般的には分母に**完成工事高**を使って算定することが多いが，厳密には，分母に**減価償却費**を使用すべきである。

テキスト参照ページ
⇒ P.1 − 36，1 − 60

第 17 回出題

解　答

記号	1	2	3	4	5	6	7	8	9
（ア～フ）	ス	ノ	ニ	ネ	ソ	ハ	タ	セ	カ
	☆	☆	☆	☆	☆	★	★	★	☆

予想採点基準
☆… 2 点× 6 ＝12 点
★… 1 点× 3 ＝ 3 点
合計　15 点

解　説

本問は建設業の特徴，財務構造の特徴について問う問題です。

建設業の特徴	建設業の財務構造の特徴
①**受注請負産業であること**	①**固定資産の構成比が相対的に低いこと**
②公共工事の多いこと	②未成工事支出金が巨額であるため流動資産の構成比が高いこと
③**生産期間（工事期間）の長いこと**	③未成工事受入金が巨額であるため流動負債の構成比が高いこと
④定額(総額)請負契約が比較的多いこと	④固定負債の構成比が相対的に低いこと
⑤**単品産業であり，移動産業であること**	⑤自己資本，とくに資本金の構成比が低いこと
⑥屋外・天候等の自然条件に左右される産業であること	⑥**外注費の構成比が高いこと**
⑦**下請制度に依存することが多いこと**	⑦減価償却費が少ないこと
⑧中小企業に下支えされる産業であること	⑧支払利息等が少ないこと

(1) **建設業の特徴**

建設業は受注請負産業で，生産期間が長期にわたることから，一般製造業とは異なる建設業特有の勘定科目が設けられています。

一般製造業の場合	建設業の場合	
仕掛品 （製　造）	未成工事支出金	完成工事原価に振り替えるまでのすべての原価を計上する勘定
前受金	未成工事受入金	未成工事における請負代金の入金額を処理する勘定

工事完成基準によった場合，工事が完成するまで当該工事にかかる工事原価は未成工事支出金として，請負代金の入金額は未成工事受入金としてそれぞれ処理されるため，両者の構成比が高くなるという特徴があります。

(2) **建設業の財務構造の特徴**

① 単品産業であり，移動産業である

この特徴からわかるとおり，工場設備を設けて同種のものを大量生産する産業ではありません。そのため，大手の建設業者であっても，機械や建物といった固定資産の構成比が低いという財務構造の特徴があります。

設備投資額が相対的に少ない（固定資産の構成比が低い）ということから，労働装備率は低く，設備投資効率が高くなる傾向があり，生産性分析上の課題があるといえます。

② 下請制度に依存することが多い

一般の総合建設会社は，建築・土木工事を問わず，工事ごとに専門の工事業者に発注し，その下請・協力業者に工事の完成を依存することが多いです。そのため，完成工事原価（売上原価）の構成比が高く，なかでも外注費の構成比が極めて高いという特徴があります。

☞ **よって本問の文章は次のようになります。**

建設業は，受注請負生産業で，生産期間が長期にわたるという特徴があるため，一般的な製造業の流動資産のひとつである**仕掛品**という資産に相当する**未成工事支出金**や**前受金**という負債に相当する**未成工事受入金**などの特有の勘定が使用されており，工事完成基準によれば両者の構成比が高いという特徴がある。

また，建設業においては，固定資産の構成比が相対的に低く，その効率性が**良好**である一方，**労働装備率**が低いことが多く，**生産性**分析上の課題があるといえる。

損益計算書に目を向けると，一般的な製造業と比べ，下請制度に依存することが多いため，売上原価の構成比が高く，そのうち**外注費**の構成比が極めて**高い**という特徴がある。

テキスト参照ページ
⇒　P. 1 － 11

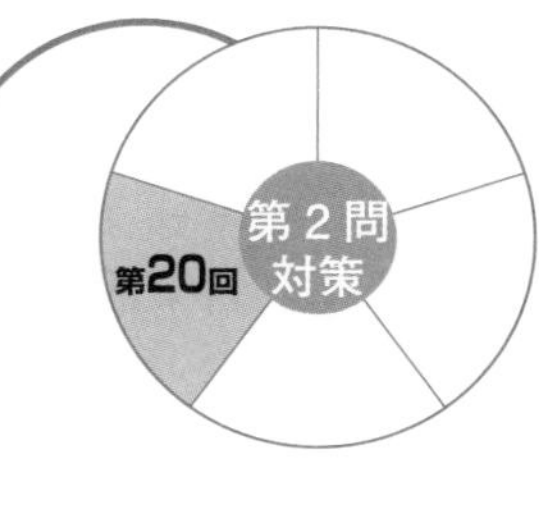

第20回出題

解答

記号（ア〜ハ）	1	2	3	4	5	6	7	8
	サ	エ	オ	ネ	タ	ア	ト	ク
	★	★	★	★	☆	★	☆	★

9	10	11	12
シ	カ	ノ	ウ
★	★	★	☆

予想採点基準
☆…２点×３＝６ 点
★…１点×９＝９ 点
合計　15点

解説

キャッシュ・フロー計算書に関して，資金の範囲，活動区分，関連する指標などについて問われています。キャッシュ・フロー計算書とは，一会計期間における資金の流入及び流出の状況を企業が行う活動区分（営業活動，投資活動，財務活動）別に表示する財務諸表です。

(1)　資金管理の重要性

企業の存続・発展のためには，損益を黒字化することが必要ですが，それだけでは十分ではありません。なぜなら，利益を計上していたとしても債権の回収が滞れば，債務の支払い等が行えず「黒字倒産」に陥ってしまうことがあるからです。したがって，企業が存続・発展するうえで，損益の黒字化とならび資金管理を適切に行うことがとても重要になってきます。キャッシュ・フロー計算書は企業の資金管理を適切に行い，企業活動の実態を把握するうえで重要な意味を持っています。

(2)　資金の範囲

キャッシュ・フロー計算書が対象とする資金の範囲は現金及び現金同等物です。

現　　　金：手許現金及び要求払預金
現金同等物：容易に換金可能であり，かつ，価値の変動について僅少なリスクしか負わない短期投資

要求払預金とは，預金者の要求に応じて，または，数日前の事前通知により預金口座から引き出すことができる預金をいい，例えば，当座預金，普通預金，通知預金などが該当します。したがって，預入期間に定めのある定期預金は，要求払預金には含まれません。

なお，現金同等物には，取得日から満期日又は償還日までの期間が3カ月以内の短期投資である定期預金，譲渡性預金，コマーシャル・ペーパー，公社債投資信託などが含まれます。

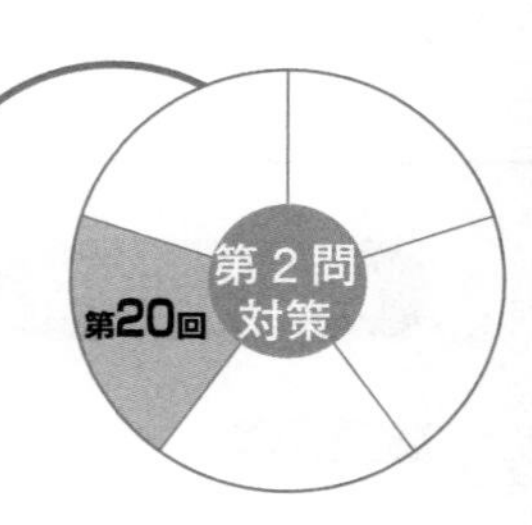

⑶　**キャッシュ・フロー計算書の活動区分**

①　営業活動によるキャッシュ・フロー

企業の主たる営業活動から生じた収入と支出が表示されます。

【例】営業収入，原材料等の仕入支出，人件費支出など

②　投資活動によるキャッシュ・フロー

投資活動の区分には，固定資産の取得及び売却，現金同等物に含まれない短期投資の取得及び売却等によるキャッシュ・フローを記載します。

【例】貸付けによる支出，貸付金の回収による収入，有価証券の取得による支出など

③　財務活動によるキャッシュ・フロー

財務活動の区分には，資金の調達及び返済によるキャッシュ・フローを記載します。

【例】短期借入による収入，短期借入金の返済による支出，株式の発行による収入など

④　利息及び配当金の表示区分のまとめ（原則・例外の区別はない）

<table>
<tr><th></th><th>第１法</th><th>第２法</th></tr>
<tr><td>受取利息</td><td rowspan="3">営業活動によるキャッシュ・フロー</td><td rowspan="2">投資活動によるキャッシュ・フロー</td></tr>
<tr><td>受取配当金</td></tr>
<tr><td>支払利息</td><td rowspan="2">財務活動によるキャッシュ・フロー</td></tr>
<tr><td>支払配当金</td><td>財務活動によるキャッシュ・フロー</td></tr>
</table>

⑷　**関連する指標**

キャッシュ・フロー計算書のデータを使った指標には営業キャッシュ・フロー対流動負債比率があります＊1)。

$$\text{営業キャッシュ・フロー対流動負債比率(\%)} = \frac{\text{営業キャッシュ・フロー}}{\text{期中平均流動負債}} \times 100$$

営業活動から生じた資金（現金及び現金同等物）で，短期的な債務の返済をどれだけ行えているか，すなわち，短期的な支払能力をみるための指標です。この比率が高ければ高いほど，資産の売却や外部からの資金調達に依存することなく，企業内部の営業活動により生み出した資金で短期的な債務の返済を行うことができ，健全性も高まると考えられます。

⑸　**経営事項審査の総合評価**

建設業では，国，地方公共団体，公団等の発注する工事（公共工事）への参加資格審査として経営事項審査があります。「経営状況」，「経営規模」，「技術力」など所定の審査項目を数値化し総合的に評価するものです。このうち，主に「経営状況」の審査において財務分析の手法が採用されています。

ここに！注意

＊1）純キャッシュ・フローはキャッシュ・フロー計算書に掲載される金額を用いたものではないため，完成工事高キャッシュ・フロー率は「キャッシュ・フロー計算書のデータも使った」指標とはいえない。

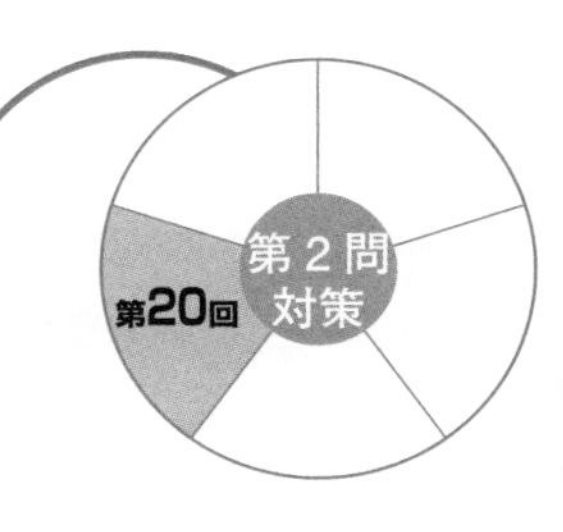

「経営状況」の具体的な審査内容は次の通りです。

①純支払利息比率	⑤自己資本対固定資産比率
②負債回転期間	⑥自己資本比率
③総資本売上総利益率	⑦**営業キャッシュ・フロー**
④売上高経常利益率	⑧**利益剰余金**

① 11の推定

「実数データとして，11とともに，キャッシュ・フロー計算書の数値に基づく12が要求」というキーセンテンスから，実数データ*2) かつキャッシュ・フロー計算書の数値以外の項目が入ることが分かります。

すると，当座資産，有価証券，利益剰余金の３つまで絞ることができます。「経営状況の絶対的力量」というもうひとつのキーワードから利益剰余金が適当であると考えられます。

② 12の推定

「キャッシュ・フロー計算書の数値に基づく」というキーワードに着目します。本問における用語群の中では，営業キャッシュ・フローのみがキャッシュ・フロー計算書の数値に該当します*1)。

ここに！注意

*2) 比率や収益性，損益計算などの用語はあてはまらないと判断できる。

☞ よって本問の文章は次のようになります。

キャッシュ・フロー計算書は，企業の**資金管理**を適切に行い，企業活動の実態を把握する上で重要な意味をもっている。キャッシュ・フロー計算書が対象とする資金の範囲は，**現金**および**現金同等物**であり，**現金**とは手許現金および**要求払預金**をいう。**現金同等物**とは容易に換金可能であり，かつ価値の変動について僅少なリスクしか負わない**短期投資**をいう。

キャッシュ・フロー計算書は，企業の経営活動に応じて，**営業活動**によるキャッシュ・フロー，**投資活動**によるキャッシュ・フロー，**財務活動**によるキャッシュ・フローの３つの区分に分けて表示される。貸付けによる支出は**投資活動**によるキャッシュ・フローの区分に表示され，配当金の受取額は**営業活動**または**投資活動**によるキャッシュ・フローの区分に表示される。

キャッシュ・フロー計算書のデータを使った指標には，短期的な**支払能力**を判定する指標として，貸借対照表のデータのみを使った流動比率に対して，一年間のキャッシュ・フロー計算書のデータも使った**営業キャッシュ・フロー対流動負債比率**がある。また建設業における経営事項審査の総合評価では，経営状況の絶対的力量を示す実数データとして，**利益剰余金**とともに，キャッシュ・フロー計算書の数値に基づく**営業キャッシュ・フロー**が要求されており，キャッシュ・フロー計算書を作成していない企業も同様のデータを算定する必要がある。

テキスト参照ページ
⇒ P. 1 − 85

第 22 回出題

解答

記号（ア～ナ）	1	2	3	4	5	6	7	8
	カ	ウ	エ	ア	キ	ク	サ	ナ
	★	★	★	★	☆	☆	★	☆

9	10
タ	ス
☆	☆

予想採点基準
☆…２点×５＝10 点
★…１点×５＝５ 点
合計　15 点

解説

本問では活動性分析の個々の指標について問われています。

⑴　総資本回転率

年間の完成工事高を総資本の期中平均額で除したものが総資本回転率です。この比率は総資本の活動効率を示すものであり，高いほど総資本が効率的に利用されたことを意味します。なお，総資本と総資産は等しいことから総資産回転率と呼ばれることもあります。

$$総資本回転率(回)=\frac{完成工事高}{期中平均総資本}$$

⑵　経営資本回転率

年間の完成工事高を経営資本の期中平均額で除したものが経営資本回転率です。この比率は経営資本が１年間に何回転したかを示すことにより，企業の営業活動に直接投下された資本の運用効率を測る指標となるものです。この比率もまた，高いほど運用効率が良好であることを意味します。

$$経営資本回転率(回)=\frac{完成工事高}{期中平均経営資本}$$

※経営資本＝総資本－（建設仮勘定＋未稼働資産＋投資資産＋繰延資産＋その他営業活動に直接参加していない資産）

⑶　自己資本回転率

年間の完成工事高を自己資本の期中平均額で除したものが自己資本回転率です。この比率は自己資本が１年間に何回転したかを示すことにより，自己資本の運用効率をあらわします。この比率が高いことは，自己資本の運用効率が良好であることを示しますが，必ずしも高い方が望ましいとはいえません。なぜなら，この比率が過度に高いということは，自己資本に対して，完成工事高が多すぎるのであり，それは他人資本の割合が大きいことを意味しているためです。

$$自己資本回転率(回)=\frac{完成工事高}{期中平均自己資本}$$

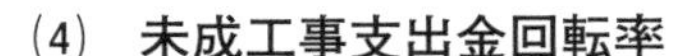

(4)　未成工事支出金回転率

未成工事支出金回転率は一般の製造業では仕掛品回転率に相当するものです。この比率の算定の際には，分子を完成工事高としますが，回転率や回転期間をとらえるためには，本来であれば，未成工事支出金と対応関係にある完成工事原価が用いられるべきといえます。

$$未成工事支出金回転率（回）＝\frac{完成工事高}{期中平均未成工事支出金}$$

(5)　キャッシュ・コンバージョン・サイクル

キャッシュ・コンバージョン・サイクルは企業の仕入，販売，代金回収活動に関する回転期間を総合的に判断する指標です。

キャッシュ・コンバージョン・サイクル
＝棚卸資産回転日数＋売上債権回転日数－仕入債務回転日数

棚卸資産回転日数と売上債権回転日数（代金回収にかかる日数）から仕入債務回転日数（代金の支払いにかかる日数）を差し引くことで，仕入から販売に伴う現金回収までの期間を計算することができます。代金の回収期間は短く，代金の支払期間は長い方が資金を有効活用できるため，この指標は小さい方が望ましいといえます。

☞　**よって本問の文章は次のようになります。**

企業の活動性分析とは，資本やその運用たる資産等が，ある一定期間の間にどの程度運動したかを示すものであり，回転率や回転期間が用いられる。

年間の完成工事高を資産総額の期中平均額で除したものが総資本回転率である。わが国の製造業では総資本回転率が１回転に満たない業界が多いが，建設業界全体でもおおよそ１回転である。このほかにも，企業の営業活動に直接投下された資本の運用効率をあらわすのが経営資本回転率である。なお，経営資本とは総資本から建設仮勘定・繰延資産・未稼働資産の他に投資資産などを控除して求められる。総資本回転率と経営資本回転率は，ともに数値が高いほど良好であることを意味するが，必ずしも高いのが望ましいとはいえないのが自己資本回転率である。なぜなら，それは他人資本に依存しすぎていることを意味するからである。

一般の製造業でいえば仕掛品回転率に相当するものが，未成工事支出金回転率である。ただし，その回転率をとらえるためには本来的には，分子に完成工事原価を用いるべきである。企業の仕入，販売，代金回収活動に関する回転期間を総合的に判断する指標がキャッシュ・コンバージョン・サイクルであり，この数値は小さい方が望ましい。

テキスト参照ページ
⇒　P. 1 － 57

第１３回出題

解答

(A)　★ 6700 百万円（百万円未満を切り捨て）

(B)　★ 450 百万円（　同　　　上　）

(C)　★ 17200 百万円（　同　　　上　）

(D)　★ 6930 百万円（　同　　　上　）

棚卸資産滞留月数　★ 4.12 月（小数点第３位を四捨五入し，第２位まで記入）

予想採点基準
★… 4 点× 5 ＝20点

解説

１．資産合計，完成工事高を算定

まず，次の手順に従い，資産合計と完成工事高を算定しましょう。

(1)　固定資産の合計の算定

固定比率を用い，固定資産の合計を求めます。

$$\text{固定比率}(\%) = \frac{\text{固定資産}}{\text{自己資本}} \times 100$$

$$\frac{\text{固定資産}}{17{,}000\ \text{百万円}} \times 100 = 85.00\%$$

∴固定資産＝17,000百万円×85.00％＝14,450百万円
∴資産合計＝35,950百万円＋14,450百万円＝50,400百万円（＝総資本）

(2)　経常利益の算定

$$\text{総資本経常利益率}(\%) = \frac{\text{経常利益}}{\text{期中平均総資本}^{*1)}} \times 100$$

$$\frac{\text{経常利益}}{50{,}400\ \text{百万円}} \times 100 = 2.75\%$$

∴経常利益＝50,400百万円×2.75％＝1,386百万円

(3)　完成工事高の算定

$$\text{完成工事高経常利益率}(\%) = \frac{\text{経常利益}}{\text{完成工事高}} \times 100$$

$$\frac{1{,}386\ \text{百万円}}{\text{完成工事高}} \times 100 = 2.20\%$$

∴完成工事高＝1,386百万円÷2.20％＝63,000百万円

ここに！注意

＊1）問題文（注１）に「期中平均値を使用することが望ましい比率についても，便宜上，期末残高の数値を用いて算定している。」とあるため，期末残高の数値を用いる。

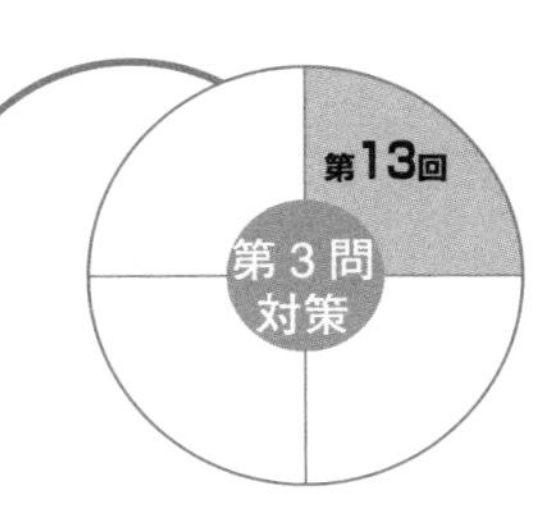

２．(A)〜(D)を算定

順に解く必要はないため，算定しやすい箇所から解きましょう。

(1)　**完成工事未収入金(A)の算定**

受取勘定滞留月数を用いて完成工事未収入金を求めます。

$$\text{受取勘定滞留月数（月）}=\frac{\text{受取手形}+\text{完成工事未収入金}}{\text{完成工事高}\div 12}$$

$$\frac{5{,}900\text{百万円}+\text{完成工事未収入金}}{5{,}250\text{百万円}}=2.40\text{月}$$

∴完成工事未収入金＝（5,250百万円×2.40月）－5,900百万円＝6,700百万円

(2)　**建設仮勘定(B)の算定**

経営資本営業利益率を用いて経営資本の額を求めます。

$$\text{経営資本営業利益率（\%）}=\frac{\text{営業利益}}{\text{期中平均経営資本}^{*1)}}\times 100$$

$$\frac{1{,}575\text{百万円}}{\text{期中平均経営資本}}\times 100=3.60\%$$

∴経営資本＝1,575百万円÷3.60％＝43,750百万円

総資本 50,400百万円	建設仮勘定 450百万円
	投資有価証券 6,200百万円
	経営資本*2) 43,750百万円

∴建設仮勘定＝50,400百万円－（43,750百万円＋6,200百万円）＝450百万円

(3)　**未成工事受入金(C)の算定**

①　長期借入金の算定

借入金依存度より，長期借入金の額を算定します。

$$\text{借入金依存度（\%）}=\frac{\text{短期借入金}+\text{長期借入金}+\text{社債}^{*3)}}{\text{総資本}}\times 100$$

$$\frac{1{,}780\text{百万円}+\text{長期借入金}}{50{,}400\text{百万円}}\times 100=7.50\%$$

∴長期借入金＝（50,400百万円×7.50％）－1,780百万円＝2,000百万円

ここに！注意

＊2）経営資本＝総資本－（建設仮勘定＋未稼働資産＋投資資産＋繰延資産＋その他営業活動に直接参加していない資産）

＊3）本問では社債は０。

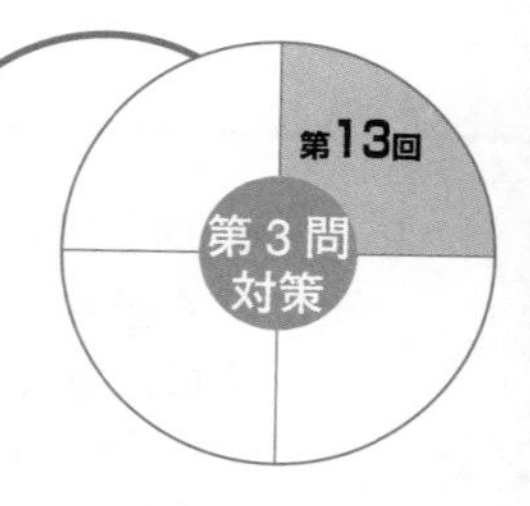

② 流動負債合計の算定

総資本50,400百万円から純資産合計17,000百万円を引いた額33,400百万円が流動負債と固定負債の合計となります。①で長期借入金（固定負債）が2,000百万円と判明しているため，差額で求めます。

∴流動負債合計＝33,400百万円－2,000百万円＝31,400百万円

③ 未成工事受入金の算定

流動比率を用いて，未成工事受入金を算定します。

$$\text{流動比率(\%)} = \frac{\text{流動資産} - \text{未成工事支出金}^{*4)}}{\text{流動負債} - \text{未成工事受入金}^{*4)}} \times 100$$

$$\frac{35{,}950\text{百万円} - 21{,}395\text{百万円}}{31{,}400\text{百万円} - \text{未成工事受入金}} \times 100 = 102.50\%$$

∴未成工事受入金＝31,400百万円－（14,555百万円÷102.50％）＝17,200百万円

(4) 販売費及び一般管理費(D)の算定

① 完成工事原価率より，完成工事原価を算定します。

$$\text{完成工事原価率(\%)} = \frac{\text{完成工事原価}}{\text{完成工事高}} \times 100$$

$$\frac{\text{完成工事原価}}{63{,}000\text{百万円}} \times 100 = 86.50\%$$

∴完成工事原価＝63,000百万円×86.50％＝54,495百万円

② 販売費及び一般管理費の算定

完成工事高	63,000
完成工事原価	54,495
完成工事総利益	8,505
販売費及び一般管理費	**6,930**
営業利益	1,575

∴販売費及び一般管理費＝8,505百万円－1,575百万円＝6,930百万円

3．棚卸資産滞留月数の算定

$$\text{棚卸資産滞留月数(月)} = \frac{\text{棚卸資産}^{*5)}}{\text{完成工事高} \div 12}$$

$$\text{棚卸資産滞留月数} = \frac{21{,}630\text{百万円}}{63{,}000\text{百万円} \div 12} = 4.12\text{月}$$

ここに！注意

＊4）問題文の（注２）に「流動比率の算定は，建設業特有の勘定科目の金額を控除する方法によっている。」とある点に注意する。

ここに！注意

＊5）棚卸資産＝未成工事支出金＋材料貯蔵品

テキスト参照ページ

⇒　P. 1－30

第 15 回出題

解　答

(A)　★ 180000 百万円（百万円未満を切り捨て）

(B)　★ 96000 百万円（　同　　上　）

(C)　★ 532800 百万円（　同　　上　）

(D)　★ 3060 百万円（　同　　上　）

立替工事高比率　★ 28.19 %（小数点第３位を四捨五入し，第２位まで記入）

予想採点基準

★…４点×５＝20点

解　説

1．完成工事高，経営資本を算定

まず，次の手順に従い，完成工事高と経営資本を算定しましょう。

(1)　完成工事高の算定

棚卸資産回転率を用いて完成工事高を求めます。

$$\text{棚卸資産回転率(回)} = \frac{\text{完成工事高}}{\text{(未成工事支出金＋材料貯蔵品)}^{*1)}}$$

$$\frac{\text{完成工事高}}{(22{,}500\text{百万円}+2{,}500\text{百万円})} = 23.04\text{回}$$

∴完成工事高＝25,000百万円×23.04回＝576,000百万円

(2)　経営資本の算定

経営資本回転期間を用いて経営資本を求めます。

$$\text{経営資本回転期間(月)} = \frac{\text{期中平均経営資本}^{*1)}}{\text{完成工事高} \div 12}$$

$$\frac{\text{期中平均経営資本}}{576{,}000\text{百万円} \div 12} = 6.50\text{月}$$

∴経営資本＝48,000百万円×6.50月＝312,000百万円

2．(A)～(D)を算定

順に解く必要はないため，算定しやすい箇所から解きましょう。

(1)　完成工事原価(C)の算定

①　営業利益の算定

経営資本営業利益率を用いて営業利益を求めます。

$$\text{経営資本営業利益率(\%)} = \frac{\text{営業利益}}{\text{期中平均経営資本}^{*1)}} \times 100$$

$$\frac{\text{営業利益}}{312{,}000\text{百万円}} \times 100 = 5.25\%$$

∴営業利益＝312,000百万円×5.25％＝16,380百万円

ここに！注意

＊1）問題文（注１）に「期中平均値を使用することが望ましい比率についても，便宜上，期末残高の数値を用いて算定している。」とあるため，期末残高の数値を用いる。

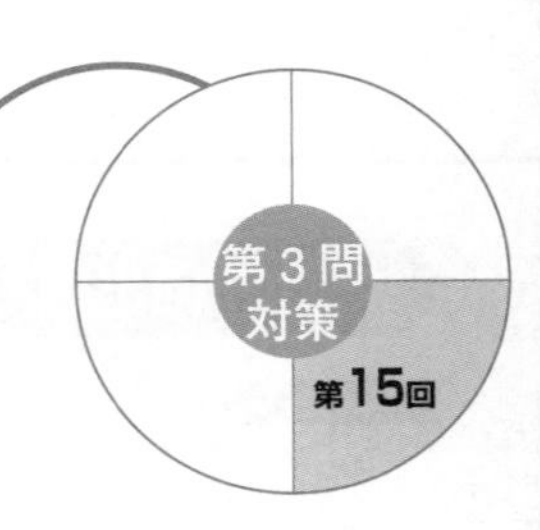

② 完成工事総利益，完成工事原価の算定

すでに判明している科目の金額を書き込み，下記のように計算します。

完成工事高	576,000	
完成工事原価	**532,800**	＝576,000－43,200
完成工事総利益	**43,200**	＝16,380＋26,820
販売費及び一般管理費	26,820	
営業利益	16,380	

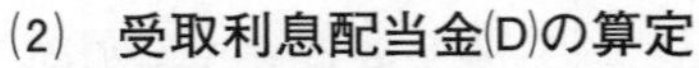

(2) 受取利息配当金(D)の算定

金利負担能力を用いて受取利息配当金を算定します。

$$金利負担能力(倍)=\frac{営業利益＋受取利息及び配当金}{支払利息}$$

$$\frac{16,380\ 百万円＋受取利息配当金}{3,600\ 百万円}=5.40倍$$

∴受取利息配当金＝3,600百万円×5.40倍－16,380百万円＝3,060百万円

(3) 純資産合計(B)の算定

① 固定負債合計の算定

有利子負債月商倍率を用いて固定負債合計（＝長期借入金）を求めます。

$$有利子負債月商倍率(月)=\frac{有利子負債^{*2)}}{完成工事高\div 12}$$

$$\frac{54,560\ 百万円＋長期借入金}{576,000\ 百万円\div 12}=2.47月$$

∴長期借入金＝48,000百万円×2.47月－54,560百万円＝64,000百万円

② 純資産合計の算定

固定長期適合比率を用いて純資産合計（自己資本）を算定します。

$$固定長期適合比率(\%)=\frac{固定資産^{*3)}}{固定負債＋自己資本}\times 100$$

$$\frac{152,800\ 百万円}{64,000\ 百万円＋自己資本}\times 100=95.50\%$$

∴自己資本＝152,800百万円÷95.50％－64,000百万円＝96,000百万円

ここに！注意

＊2）有利子負債＝短期借入金＋長期借入金＋社債＋新株予約権付社債＋コマーシャル・ペーパー

＊3）問題文の（注３）に「固定長期適合比率の算定は，一般的な方法によっている。」とあるため，分子を固定資産とする。

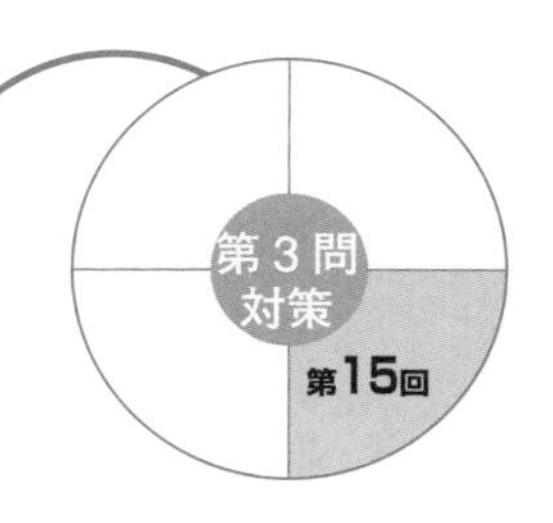

(4) 完成工事未収入金(A)の算定

① 現金預金の算定

現金預金手持月数を用いて現金預金を求めます。

$$現金預金手持月数(月)=\frac{現金預金}{完成工事高\div 12}$$

$$\frac{現金預金}{576{,}000\,百万円\div 12}=0.75月$$

∴現金預金＝48,000百万円×0.75月＝36,000百万円

② 工事未払金の算定

支払勘定回転率を用いて工事未払金を求めます。

$$支払勘定回転率(回)=\frac{完成工事高}{(支払手形+工事未払金)^{*1)}}$$

$$\frac{576{,}000\,百万円}{(7{,}000\,百万円+工事未払金)}=4.00回$$

∴工事未払金＝576,000百万円÷4.00回－7,000百万円＝137,000百万円

③ 流動資産合計の算定

流動比率を用いて流動資産合計を求めます。

$$流動比率(\%)=\frac{流動資産-未成工事支出金^{*4)}}{流動負債-未成工事受入金^{*4)}}\times 100$$

$$\frac{流動資産-22{,}500\,百万円}{7{,}000\,百万円+137{,}000\,百万円+54{,}560\,百万円+1{,}440\,百万円}\times 100=112.35\%$$

未成工事受入金以外の金額はすべて判明しているため，それらを合計したものを分母とします。

∴流動資産＝200,000百万円×112.35％＋22,500百万円＝247,200百万円

④ 完成工事未収入金の算定

流動資産合計から完成工事未収入金以外の科目の金額を差し引くことで算定します。

∴完成工事未収入金＝247,200百万円－36,000百万円－6,200百万円
－22,500百万円－2,500百万円＝180,000百万円

ここに！注意

＊4）問題文の（注２）に「流動比率の算定は，建設業特有の勘定科目の金額を控除する方法によっている。」とある点に注意する。

３．立替工事高比率の算定

立替工事高比率を算定するためには未成工事受入金が判明している必要があるため，先にこの金額を求めます。

(1) **未成工事受入金の算定**

① 資産合計（負債純資産合計）

流動資産合計と固定資産合計から資産合計を求めます。

∴資産合計＝247,200百万円＋152,800百万円＝400,000百万円

② 流動負債合計の算定

負債純資産合計から固定負債合計と純資産合計とを差し引くことで流動負債合計を求めます。

∴流動負債合計＝400,000百万円－64,000百万円－96,000百万円＝240,000百万円

③ 未成工事受入金の算定

流動負債合計から未成工事受入金以外の科目の金額を差し引くことで算定します。

∴未成工事受入金＝240,000百万円－7,000百万円－137,000百万円
－54,560百万円－1,440百万円＝40,000百万円

(2) **立替工事高比率の算定**

$$\text{立替工事高比率}(\%)=\frac{\text{受取手形}+\text{完成工事未収入金}+\text{未成工事支出金}-\text{未成工事受入金}}{\text{完成工事高}+\text{未成工事支出金}}\times 100$$

$$\frac{6{,}200\text{百万円}+180{,}000\text{百万円}+22{,}500\text{百万円}-40{,}000\text{百万円}}{576{,}000\text{百万円}+22{,}500\text{百万円}}\times 100$$

＝28.187 → 28.19％

テキスト参照ページ
⇒ P.１－30

第17回出題

解答

(A) ☆ 27000 百万円（百万円未満を切り捨て）

(B) ☆ 54000 百万円（ 同 上 ）

(C) ☆ 15000 百万円（ 同 上 ）

(D) ☆ 44000 百万円（ 同 上 ）

(E) ☆ 56000 百万円（ 同 上 ）

予想採点基準
☆…４点×５＝20点

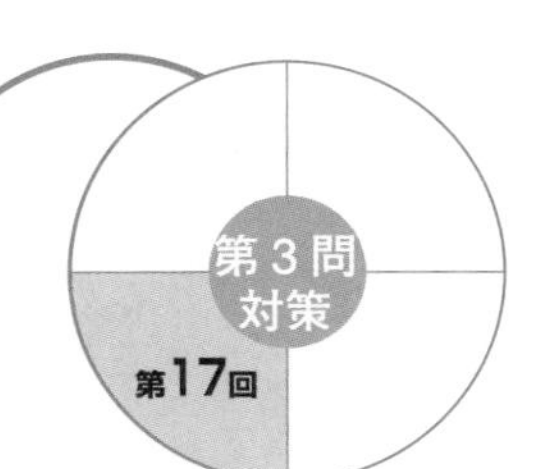

解説

1．**完成工事高，営業利益を算定**

まず，次の手順に従い，完成工事高と営業利益を算定しましょう。

(1)　**完成工事高の算定**

完成工事高総利益率を用いて完成工事高を求めます。

$$\text{完成工事高総利益率(\%)} = \frac{\text{完成工事総利益}}{\text{完成工事高}} \times 100$$

$$\frac{159{,}300\text{ 百万円}}{\text{完成工事高}} \times 100 = 29.50\%$$

∴完成工事高＝159,300百万円÷29.50％＝540,000百万円

(2)　**営業利益の算定**

金利負担能力を用いて営業利益を求めます。

$$\text{金利負担能力(倍)} = \frac{\text{営業利益＋受取利息及び配当金}}{\text{支払利息}}$$

$$\frac{\text{営業利益}+1{,}600\text{ 百万円}}{1{,}500\text{ 百万円}} = 36.0\text{倍}$$

∴営業利益＝1,500百万円×36.0倍－1,600百万円＝52,400百万円

2．**(A)～(D)を算定**

1．で算定した完成工事高の額，営業利益の額を用いて，(A)～(D)を求めます。順に解く必要はないため，算定しやすい箇所から解きましょう。

(1)　**完成工事未収入金(A)の算定**

受取勘定滞留月数を用いて完成工事未収入金を求めます。

$$\text{受取勘定滞留月数(月)} = \frac{\text{受取手形＋完成工事未収入金}}{\text{完成工事高÷12}}$$

$$\frac{900\text{ 百万円}+\text{完成工事未収入金}}{540{,}000\text{ 百万円}\div 12} = 0.62\text{月}$$

∴完成工事未収入金＝45,000百万円×0.62月－900百万円＝27,000百万円

(2)　**経常利益(E)の算定**

①　自己資本の算定

自己資本回転率を用いて自己資本を求めます。

$$\text{自己資本回転率(回)} = \frac{\text{完成工事高}}{\text{期中平均自己資本}^{*1)}}$$

$$\frac{540{,}000\text{ 百万円}}{\text{自己資本}} = 4.32\text{回}$$

∴自己資本＝540,000百万円÷4.32回＝125,000百万円

ここに！注意

＊1）問題文（注１）に「期中平均値を使用することが望ましい比率についても，便宜上，期末残高の数値を用いて算定している。」とあるため，期末残高の数値を用いる。

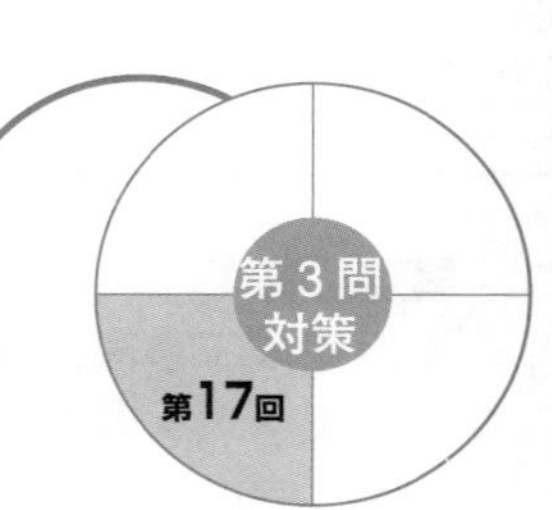

② 経常利益の算定
自己資本経常利益率を用いて経常利益を求めます。

$$自己資本経常利益率(\%)=\frac{経常利益}{期中平均自己資本^{*1)}}\times 100$$

$$\frac{経常利益}{125{,}000百万円}\times 100=44.80\%$$

∴経常利益＝125,000百万円×44.80％＝56,000百万円

(3) **投資有価証券(B)の算定**

① 負債合計の算定
負債比率を用いて負債合計を求めます。

$$負債比率(\%)=\frac{流動負債+固定負債}{自己資本}\times 100$$

$$\frac{負債合計}{125{,}000百万円}\times 100=156.00\%$$

∴負債合計＝125,000百万円×156.00％＝195,000百万円

② 総資本の算定
自己資本125,000百万円，負債合計195,000百万円から総資本を求めます。
総資本＝負債合計＋自己資本
∴総資本＝195,000百万円＋125,000百万円＝320,000百万円

③ 経営資本の算定
経営資本営業利益率を用いて経営資本を求めます。

$$経営資本営業利益率(\%)=\frac{営業利益}{期中平均経営資本^{*1)}}\times 100$$

$$\frac{52{,}400百万円}{経営資本}\times 100=20.00\%$$

∴経営資本＝52,400百万円÷20.00％＝262,000百万円

④ 投資有価証券の算定
経営資本＝総資本－（建設仮勘定＋未稼働資産＋投資資産＋繰延資産＋
その他営業活動に直接参加していない資産）

総資本	投資有価証券 54,000百万円
320,000百万円	建設仮勘定 4,000百万円
	経営資本 262,000百万円

∴投資有価証券＝320,000百万円－（262,000百万円＋4,000百万円）
＝54,000百万円

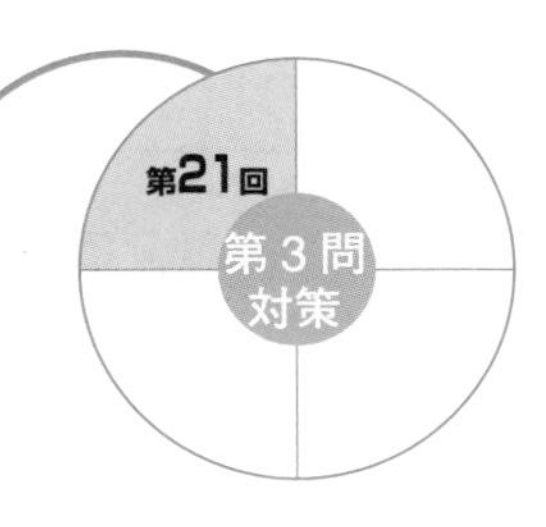

② 支払利息(C)の算定
金利負担能力を用いて支払利息を算定します。

$$金利負担能力(倍) = \frac{営業利益＋受取利息及び配当金^{*2)}}{支払利息^{*3)}}$$

$$\frac{7{,}038百万円+462百万円}{支払利息} = 2.50倍$$

∴支払利息＝7,500百万円÷2.50倍＝3,000百万円

＊2) 受取利息及び配当金＝受取利息＋有価証券利息＋受取配当金

＊3) 支払利息＝借入金利息＋社債利息＋その他他人資本に付される利息

(3) 固定負債合計(B)の算定

① 自己資本
自己資本比率を用いて自己資本を求めます。

$$自己資本比率(\%) = \frac{自己資本}{総資本} \times 100$$

$$\frac{自己資本}{98{,}000百万円} \times 100 = 20.00\%$$

∴自己資本（純資産合計）＝98,000百万円×20.00％＝19,600百万円

② 固定負債合計(B)の算定
自己資本比率を用いて自己資本を求めます。

$$固定負債比率(\%) = \frac{固定負債}{自己資本} \times 100$$

$$\frac{固定負債}{19{,}600百万円} \times 100 = 50.00\%$$

∴固定負債＝19,600百万円×50.00％＝9,800百万円

(4) 未成工事受入金(A)の算定

① 未成工事支出金
棚卸資産回転率を用いて未成工事支出金を求めます。

$$棚卸資産回転率(回) = \frac{完成工事高}{期中平均棚卸資産^{*1)*4)}}$$

$$\frac{140{,}760百万円}{棚卸資産} = 12.24回$$

∴棚卸資産＝140,760百万円÷12.24回＝11,500百万円
∴未成工事支出金＝11,500百万円－100百万円（材料貯蔵品）＝11,400百万円

＊4) 棚卸資産＝未成工事支出金＋材料貯蔵品

② 現金預金

現金預金手持月数を用いて現金預金を求めます。

$$\text{現金預金手持月数(月)} = \frac{\text{現金預金}}{\text{完成工事高} \div 12}$$

$$\frac{\text{現金預金}}{140{,}760\text{百万円} \div 12} = 1.30\text{月}$$

∴現金預金＝140,760百万円÷12×1.30月＝15,249百万円

③ 流動資産合計

15,249百万円＋9,500百万円＋38,251百万円＋11,400百万円＋100百万円
＝74,500百万円

④ 負債合計，流動負債合計

負債合計＝98,000百万円(総資本)－19,600百万円(純資産合計)＝78,400百万円
流動負債合計＝78,400百万円－9,800百万円（固定負債合計）＝68,600百万円

⑤ 未成工事受入金(A)の算定

流動比率を用いて未成工事受入金を求めます。

$$\text{流動比率(\%)} = \frac{\text{流動資産－未成工事支出金}^{*5)}}{\text{流動負債－未成工事受入金}^{*5)}} \times 100$$

$$\frac{74{,}500\text{百万円} - 11{,}400\text{百万円}}{68{,}600\text{百万円} - \text{未成工事受入金}} \times 100 = 125.00\%$$

（68,600百万円－未成工事受入金）×125.00％＝63,100百万円

∴未成工事受入金＝68,600百万円－63,100百万円÷125.00％＝18,120百万円

＊5）問題文の（注２）に「建設業特有の勘定科目の金額を控除する方法」とある点に注意

2．純支払利息比率の算定

$$\text{純支払利息比率(\%)} = \frac{\text{支払利息－受取利息及び配当金}}{\text{完成工事高}} \times 100$$

$$\frac{3{,}000\text{百万円} - 462\text{百万円}}{140{,}760\text{百万円}} \times 100 = 1.803 \rightarrow 1.80\%$$

テキスト参照ページ

⇒ P. 1 － 30

第 16 回出題

解 答

問１　☆ 34.75 %（小数点第３位を四捨五入し，第２位まで記入）

問２　☆¥ 17266　（円未満を切り捨て）

問３　☆ 241.51 %（小数点第３位を四捨五入し，第２位まで記入）

問４　☆ 88.25 %（　同　　　上　）

予想採点基準

☆…５点×４＝20点

解 説

問１　付加価値率

$$付加価値率(\%)=\frac{完成工事高-(材料費+外注費^{*1)})}{完成工事高}\times 100$$

$$\frac{18{,}000{,}000円-(3{,}375{,}000円+1{,}620{,}000円+6{,}750{,}000円)}{18{,}000{,}000円}\times 100=\underline{34.75\%}$$

問２　労働装備率

$$労働装備率(円)=\frac{(有形固定資産-建設仮勘定)^{*2)}}{総職員数^{*2)}}$$

$$\frac{(2{,}800{,}000円-210{,}000円)}{110人+40人}\times 100=17{,}266.6\to\underline{17{,}266円}$$

問３　設備投資効率

$$設備投資効率(\%)=\frac{完成工事高-(材料費+外注費)}{(有形固定資産-建設仮勘定)^{*2)}}\times 100$$

$$\frac{18{,}000{,}000円-(3{,}375{,}000円+1{,}620{,}000円+6{,}750{,}000円)}{(2{,}800{,}000円-210{,}000円)}\times 100$$

$$=241.505\to\underline{241.51\%}$$

問４　経常利益段階での損益分岐点比率

建設業における慣行的な固変区分によれば，支払利息が固定費となりますから，それ以外を変動費と考えることができます。

変動費…完成工事原価－営業外収益※＋支払利息を除く営業外費用
固定費…販売費及び一般管理費＋支払利息

※変動費は，完成工事原価と「支払利息以外の営業外費用のうち営業外収益で賄えない部分」と考えられているため，計算上は費用から差し引かれています。

ここに！注意

＊1）外注費は労務外注費も含める。

＊2）期中平均値を使用することが望ましい数値についても問題文の指示により期末の数値を用いる。

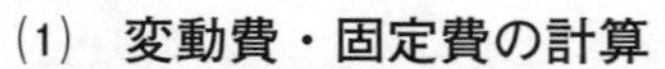

(1) 変動費・固定費の計算

変動費＝13,500,000円－220,000円＋０円*3)＝13,280,000円

固定費＝3,972,000円＋193,400円＝4,165,400円

*3) 本問では，営業外費用はすべて支払利息であるため，支払利息を除く営業外費用は０円である。

(2) 経常利益段階での損益分岐点比率

$$（経常利益段階における）損益分岐点比率(\%)＝\frac{固定費}{限界利益}$$

限界利益＝18,000,000円－13,280,000円＝4,720,000円

$$損益分岐点比率＝\frac{4,165,400円}{4,720,000円}＝\underline{88.25\%}$$

＊公式による解法

$$損益分岐点比率(\%)＝\frac{販売費及び一般管理費＋支払利息}{完成工事総利益＋営業外収益－営業外費用＋支払利息}\times 100$$

$$\frac{3,972,000円＋193,400円}{4,500,000円＋220,000円－193,400円＋193,400円}\times 100＝\underline{88.25\%}$$

テキスト参照ページ
⇒ P.1－62

第17回出題

解答

問１	☆¥	28800000	（円未満を切り捨て）
問２	☆	20	%（小数点以下を切り捨て）
問３	☆¥	19800000	（円未満を切り捨て）
問４	☆¥	44800000	（同　上）
問５	☆¥	48000000	（同　上）

予想採点基準

☆…３点×５＝15点

解説

問１ 損益分岐点完成工事高の計算

損益分岐点完成工事高＝完成工事高×損益分岐点比率

36,000,000円×80%＝<u>28,800,000円</u>

問２ 分子に安全余裕額を用いた場合の安全余裕率の計算

$$安全余裕率(\%)＝\frac{安全余裕額（完成工事高－損益分岐点完成工事高）}{完成工事高}\times 100$$

$$\frac{36,000,000円－28,800,000円}{36,000,000円}\times 100＝20\%$$

問３　第４期の変動費の計算

$$損益分岐点完成工事高(円) = \frac{固定費}{限界利益率}$$

$$\frac{12{,}960{,}000円}{限界利益率} = 28{,}800{,}000円$$

∴限界利益率＝12,960,000円÷28,800,000円＝0.45
　変動費率＝１－0.45＝0.55
変動費＝36,000,000円×0.55＝19,800,000円

問４　目標達成完成工事高の計算（目標利益額）

$$目標達成完成工事高(円) = \frac{固定費＋目標利益}{限界利益率}$$

$$\frac{12{,}960{,}000円＋7{,}200{,}000円}{0.45} = \underline{44{,}800{,}000円}$$

＊以下のように計算することもできます。
下記の考え方に基づいて，完成工事高をＳとおいて計算します。
限界利益－固定費＝目標利益
0.45Ｓ－12,960,000円＝7,200,000円
　　　　　0.45Ｓ＝20,160,000円
　　　　　　　Ｓ＝44,800,000円

問５　目標達成完成工事高の計算（目標利益率）

$$目標達成完成工事高(円) = \frac{固定費}{限界利益率－目標利益率}$$

$$\frac{12{,}960{,}000円}{0.45 - 0.18} = \underline{48{,}000{,}000円}$$

＊以下のように計算することもできます。
下記の考え方に基づいて，完成工事高をＳとおいて計算します。
限界利益－固定費＝目標利益（完成工事高×目標利益率）
0.45Ｓ－12,960,000円＝0.18Ｓ
　　　　　0.27Ｓ＝12,960,000円
　　　　　　　Ｓ＝48,000,000円

テキスト参照ページ
⇒　P.１－40

第19回出題

解答

問１　☆　26.52 %（小数点第３位を四捨五入し，第２位まで記入）

問２　☆　¥ 29172（円未満を切り捨て）

問３　☆　0.88 回（小数点第３位を四捨五入し，第２位まで記入）

問４　★　7.38 %（同　上）　記号（ＡまたはＢ）B

予想採点基準
☆… 4 点× 3 =12 点
★… 3 点× 1 = 3 点
合計 15 点

解説

問１　付加価値率の計算

$$付加価値率(\%)=\frac{完成工事高（材料費＋外注費）^{*1)}}{完成工事高}\times 100$$

$$\frac{27{,}500{,}000円-(3{,}146{,}000円+1{,}573{,}000円+15{,}488{,}000円)}{27{,}500{,}000円}\times 100=\underline{26.52\%}$$

問２　労働生産性の計算

$$労働生産性(円)=\frac{付加価値}{期中平均総職員数}$$

$$\frac{27{,}500{,}000円-(3{,}146{,}000円+1{,}573{,}000円+15{,}488{,}000円)}{170人+80人}=\underline{29{,}172円}$$

問３　総資本回転率の計算

まず先に，資本集約度125,000円を用いて期中平均総資本の金額を求めます。

$$資本集約度(円)=\frac{期中平均総資本}{期中平均総職員数}$$

$$\frac{期中平均総資本}{170人+80人}=125{,}000円$$

∴期中平均総資本＝125,000円×（170人＋80人）＝31,250,000円

$$総資本回転率(回)=\frac{完成工事高}{期中平均総資本}\times 100$$

$$\frac{27{,}500{,}000円}{31{,}250{,}000円}=\underline{0.88回}$$

問４　営業利益増減率の計算

$$営業利益増減率(\%)=\frac{当期営業利益－前期営業利益}{前期営業利益}\times 100$$

当期の営業利益＝27,500,000円－24,200,000円－1,155,000円＝2,145,000円

$$\frac{2{,}145{,}000円-2{,}316{,}000円}{2{,}316{,}000円}\times 100=△7.383\rightarrow△7.38\%\cdots\underline{7.38\%(B)}$$

ここに！注意

＊1）外注費は労務外注費も含める。

テキスト参照ページ
⇒ P. 1 － 62
P. 1 － 58
P. 1 － 68

第 21 回出題

解答

問１　☆ ¥ 1692000 （円未満を切り捨て）

問２　☆ ¥ 2952000 （　同　　上　）

問３　☆ ¥ 9400000 （　同　　上　）

問４　☆ 42.68 ％ （小数点第３位を四捨五入し，第２位まで記入）

問５　☆ ¥ 19000000 （円未満を切り捨て）

予想採点基準

☆… 3 点× 5 =15点

解説

問１　高低２点法による費用分解

高低２点法とは，２つの異なる操業度における費用の総額を求め，その差額の推移から総費用を固定費と変動費に分解する方法です。

(1)　変動費率の計算

$$変動費率^{*1)} = \frac{総費用の変化額}{完成工事高の変化額}$$

$$\frac{15{,}140{,}000円 - 14{,}320{,}000円}{16{,}400{,}000円 - 15{,}400{,}000円} = 0.82$$

(2)　第８期の固定費の金額

操業度が変化しても固定費の金額は変化しないため第７期の資料を用いて計算しても同様の結果になります。

$$\underbrace{16{,}400{,}000円 \times 0.82}_{変動費} + 固定費 = \underbrace{15{,}140{,}000円}_{総費用}$$

固定費＝15,140,000円－13,448,000円＝1,692,000円

問２　第８期の限界利益の計算

限界利益（円）＝完成工事高－変動費

16,400,000円－16,400,000円×0.82＝2,952,000円

または，

限界利益率＝１－0.82（変動費率）＝0.18より

16,400,000円×0.18＝2,952,000円

問３　損益分岐点完成工事高の計算

$$損益分岐点完成工事高（円） = \frac{固定費}{限界利益率}$$

$$損益分岐点完成工事高 = \frac{1{,}692{,}000円}{0.18} = 9{,}400{,}000円$$

ここに！注意

＊1）変動費率

$\frac{総費用の変化額}{操業度の変化分}$

本問では，操業度として完成工事高を用いる。

問４　第８期の安全余裕率の計算

$$安全余裕率(\%) = \frac{安全余裕額（当期の完成工事高－損益分岐点完成工事高）}{当期の完成工事高} \times 100$$

$$\frac{16{,}400{,}000円 - 9{,}400{,}000円}{16{,}400{,}000円} \times 100 = 42.682 \rightarrow \underline{42.68\%}$$

問５　目標達成完成工事高の計算

$$目標達成完成工事高（円） = \frac{固定費＋目標利益}{限界利益率}$$

$$\frac{1{,}692{,}000円 + 228{,}000円 + 1{,}500{,}000円}{0.18} = \underline{19{,}000{,}000円}$$

＊　以下のように計算することもできます。
　下記の考え方に基づいて，完成工事高をＳとおいて計算します。
　限界利益－固定費＝目標利益
　0.18Ｓ－（1,692,000円＋228,000円）＝1,500,000円
　0.18Ｓ＝3,420,000円
　Ｓ＝19,000,000円

テキスト参照ページ
⇒　P. 1 － 40

第16回出題

解答

問１

A	経営資本営業利益率	☆	0.29	%	(小数点第３位を四捨五入し，第２位まで記入)
B	自己資本当期純利益率	☆	1.79	%	(同上)
C	自己資本事業利益率	☆	4.75	%	(同上)
D	流動比率	☆	122.70	%	(同上)
E	立替工事高比率	☆	27.46	%	(同上)
F	現金預金手持月数	☆	1.14	月	(同上)
G	固定比率	☆	141.89	%	(同上)
H	配当性向	☆	94.02	%	(同上)
I	支払勘定回転率	☆	3.46	回	(同上)
J	資本集約度	☆	107	千円	(千円未満を切り捨て)

問２　記号（ア～ム）

1	2	3	4	5	6	7	8	9	10
ア	ニ	ハ	カ	サ	コ	セ	タ	シ	ヘ
★	★	★	★	★	★	★	★	★	★

予想採点基準
☆… 2点× 10 ＝ 20点
★… 1点× 10 ＝ 10点
合計　30点

解説

問１　各比率の算定[*1)]

A. 経営資本営業利益率(%)＝ 営業利益 / 期中平均経営資本[*2)] × 100

$$\frac{5{,}000\text{千円}}{(1{,}709{,}600\text{千円}+1{,}711{,}900\text{千円})\div 2}\times 100 = 0.292 \rightarrow 0.29\%$$

第25期末経営資本：2,251,000千円－(36,800千円＋504,600千円)
＝1,709,600千円

第26期末経営資本：2,349,000千円－(6,400千円＋630,700千円)
＝1,711,900千円

B. 自己資本当期純利益率(%)＝ 当期純利益 / 期中平均自己資本 × 100

$$\frac{11{,}700\text{千円}}{(608{,}800\text{千円}+696{,}800\text{千円})\div 2}\times 100 = 1.792 \rightarrow 1.79\%$$

ここに！注意

＊1）期中平均値を使用することが望ましい数値については，期中平均値を使用すること。

＊2）経営資本＝総資本－（建設仮勘定＋未稼働資産＋投資資産＋繰延資産＋その他営業活動に直接参加していない資産）

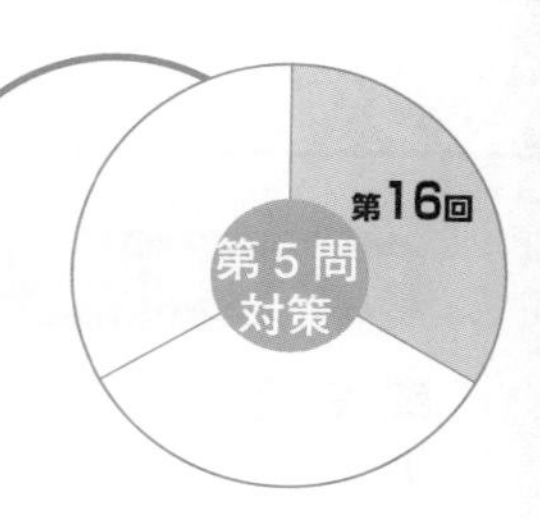

C.　$$自己資本事業利益率(\%) = \frac{事業利益^{*3)}}{期中平均自己資本} \times 100$$

$$\frac{24{,}490千円 + 5{,}280千円 + 1{,}220千円}{(608{,}800千円 + 696{,}800千円) \div 2} \times 100 = 4.747 \rightarrow \underline{4.75\%}$$

D.　$$流動比率(\%) = \frac{流動資産 - 未成工事支出金^{*4)}}{流動負債 - 未成工事受入金^{*4)}} \times 100$$

$$\frac{1{,}360{,}300千円 - 111{,}000千円}{1{,}185{,}200千円 - 167{,}000千円} \times 100 = 122.696 \rightarrow \underline{122.70\%}$$

E.　$$立替工事高比率(\%) = \frac{受取手形 + 完成工事未収入金 + 未成工事支出金 - 未成工事受入金}{完成工事高 + 未成工事支出金} \times 100$$

$$\frac{21{,}000千円 + 734{,}200千円 + 111{,}000千円 - 167{,}000千円}{2{,}434{,}800千円 + 111{,}000千円} \times 100$$

$$= 27.464 \rightarrow \underline{27.46\%}$$

F.　$$現金預金手持月数(月) = \frac{現金預金}{完成工事高 \div 12}$$

$$\frac{230{,}600千円}{2{,}434{,}800千円 \div 12} = 1.136 \rightarrow \underline{1.14月}$$

G.　$$固定比率(\%) = \frac{固定資産}{自己資本} \times 100$$

$$\frac{988{,}700千円}{696{,}800千円} \times 100 = 141.891 \rightarrow \underline{141.89\%}$$

H.　$$配当性向(\%) = \frac{配当金}{当期純利益} \times 100$$

$$\frac{11{,}000千円}{11{,}700千円} \times 100 = 94.017 \rightarrow \underline{94.02\%}$$

I.　$$支払勘定回転率(回) = \frac{完成工事高}{期中平均\ (支払手形 + 工事未払金)}$$

$$\frac{2{,}434{,}800千円}{\{(24{,}000千円 + 695{,}400千円) + (19{,}800千円 + 668{,}400千円)\} \div 2}$$

$$= 3.459 \rightarrow \underline{3.46回}$$

J.　$$資本集約度(円) = \frac{期中平均総資本}{期中平均総職員数}$$

$$\frac{(2{,}251{,}000千円 + 2{,}349{,}000千円) \div 2}{(21{,}400人 + 21{,}200人) \div 2} = 107.981 \rightarrow \underline{107.98千円}$$

＊3）事業利益＝経常利益＋支払利息
支払利息には社債利息，その他他人資本に付される利息が含まれることに注意する。

＊4）問題文に「流動比率は，建設業特有の勘定科目の金額を控除する方法」とある点に注意する。

テキスト参照ページ
問１　⇒　P. 1－30

問２　穴埋め問題

本問は資金分析についての穴埋め問題です。

１．正味運転資本

1には資金概念が入ること，「流動資産－2」で計算できることが冒頭の問題文から読み取れます。

よって，1には上記の条件を満たす正味運転資本が入ります。

正味運転資本は運転資本たる**流動資産と流動負債との差額**として表される資金概念です。具体的には，企業の固定設備を変動しないものとした場合に，生産・販売などの諸活動を円滑に行うために必要な資金といえます。

この正味運転資本の概念は2000年にキャッシュ・フロー計算書が導入されるまでは**支払能力分析**たる資金分析の主流としての資金概念でした。

第26期の正味運転資本：1,360,300千円－1,185,200千円＝175,100千円

よって，2には流動負債，3には175,100，4にはキャッシュ・フロー計算書，5には支払能力が入ることになります。

２．資金計算書

資金分析の伝統的な手法，作成という用語から6には資金計算書の名称が入ることが分かります。

資金計算書とは，資金の流れを報告する計算書のことで，以下の種類があります。

① 資金運用表
連続した２期間の貸借対照表項目を比較することで各項目の増減を算定し，それに損益計算書及び株主資本等変動計算書から得られる非資金項目，社外流出項目などの資料によって修正され作成される計算書
② 正味運転資本型資金運用表
正味運転資本を資金概念とする資金運用表
③ 資金繰表
一定期間における現金収支をまとめた計算書
④ キャッシュ・フロー計算書
営業活動，投資活動，財務活動の３区分によって資金の変動を示した計算書

よって，6には資金運用表，7には非資金費用，8には社外流出項目が入ります。

$$完成工事高キャッシュ・フロー率(\%)=\frac{純キャッシュ・フロー}{完成工事高}\times 100$$

純キャッシュ・フロー＝当期純利益（税引後）±法人税等調整額[*5)]
＋当期減価償却実施額±引当金増減額－剰余金の配当の額

$$\frac{11{,}700千円+6{,}170千円+13{,}600千円+17{,}400千円-11{,}000千円}{2{,}434{,}800千円}\times 100$$

＝1.555→1.56％

＊5）本問では費用処理のため加算調整する。

第25期末引当金*6)：2,600千円＋13,000千円＋5,400千円＋47,600千円＋111,000千円
＝179,600千円
第26期末引当金*6)：2,400千円＋11,600千円＋6,200千円＋70,800千円＋106,000千円
＝197,000千円
197,000千円－179,600千円＝17,400千円（増加）

上記の算式より，9には1.56％が入ります。

*6) 貸倒引当金（流動＋固定），完成工事補償引当金，工事損失引当金，退職給付引当金

☞ **よって本問の文章は次のようになります。**

資金概念には広狭さまざまなものがあるが，このうち正味運転資本の概念は，流動資産から流動負債を控除したものであり，第26期の正味運転資本は175,100千円である。この正味運転資本の概念はキャッシュ・フロー計算書が作成されるようになるまでは，支払能力分析たる資金分析の主流としての資金概念であった。

資金分析の伝統的な手法の１つは資金運用表の分析であり，資金運用表は連続する２期間の貸借対照表項目の増減を基礎とし，それに減価償却費といった非資金費用，剰余金の配当といった社外流出項目等の修正を行い作成される。

近年，キャッシュ・フロー計算書の台頭とともに，企業業績の１指標として，利益とともにキャッシュ・フローが注目されているが，第26期の完成工事高キャッシュ・フロー率は1.56％である。

テキスト参照ページ
問２ ⇒ P.１－72

第19回出題

解答

問１

A	総資本事業利益率	☆	3.09	％	（小数点第３位を四捨五入し，第２位まで記入）
B	自己資本当期純利益率	☆	4.80	％	（同上）
C	完成工事高キャッシュ・フロー率	☆	2.77	％	（同上）
D	損益分岐点比率	☆	61.41	％	（同上）
E	流動負債比率	☆	151.21	％	（同上）
F	運転資本保有月数	☆	0.31	月	（同上）
G	固定比率	☆	162.19	％	（同上）
H	配当性向	☆	32.69	％	（同上）
I	受取勘定回転期間（日）	☆	120.23	日	（同上）
J	支払勘定回転率	☆	3.37	回	（同上）

〈別解〉 E 171.40％

問２ 記号（ア～ヘ）

1	2	3	4	5	6	7	8	9	10
エ	オ	イ	タ	ス	サ	ノ	ヘ	ウ	チ
★	★	★	★	★	★	★	★	★	★

予想採点基準
☆…２点×10＝20点
★…１点×10＝10点
合計 30点

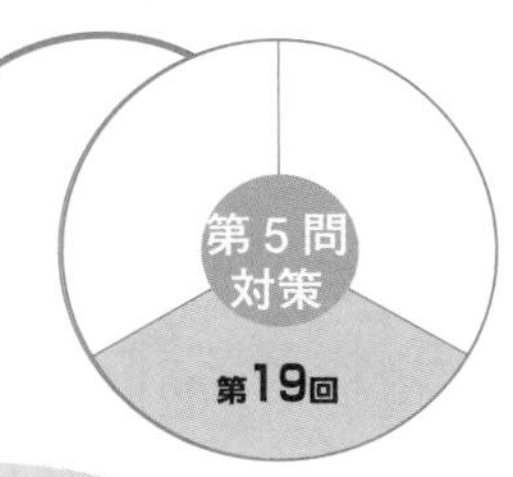

解　説

問１　各比率の算定[*1)]

A.
$$\text{総資本事業利益率}(\%) = \frac{\text{事業利益}^{*2)}}{\text{期中平均総資本}} \times 100$$

$$\frac{35{,}550\text{百万円} + 2{,}120\text{百万円} + 660\text{百万円}}{(1{,}166{,}000\text{百万円} + 1{,}312{,}250\text{百万円}) \div 2} \times 100 = 3.093 \rightarrow \underline{3.09\%}$$

B.
$$\text{自己資本当期純利益率}(\%) = \frac{\text{当期純利益}}{\text{期中平均自己資本}} \times 100$$

$$\frac{16{,}520\text{百万円}}{(304{,}640\text{百万円} + 383{,}280\text{百万円}) \div 2} \times 100 = 4.802 \rightarrow \underline{4.80\%}$$

C.
$$\text{完成工事高キャッシュ・フロー比率}(\%) = \frac{\text{純キャッシュ・フロー}}{\text{完成工事高}} \times 100$$

純キャッシュ・フロー＝当期純利益（税引後）±法人税等調整額[*3)]＋当期減価償却実施額[*4)]±引当金[*5)]増減額－剰余金の配当の額

第12期末引当金：1,200百万円＋5,850百万円＋3,030百万円＋28,620百万円＋45,500百万円＝84,200百万円

第13期末引当金：970百万円＋2,490百万円＋30,400百万円＋28,440百万円＋43,460百万円＝105,760百万円
105,760百万円－84,200百万円＝21,560百万円（増加）

$$\frac{16{,}520\text{百万円} - 4{,}400\text{百万円} + 7{,}730\text{百万円} + 21{,}560\text{百万円} - 5{,}400\text{百万円}}{1{,}301{,}700\text{百万円}} \times 100$$

$= 2.766 \rightarrow \underline{2.77\%}$

D.
$$\text{損益分岐点比率}(\%) = \frac{\text{販売費及び一般管理費} + \text{支払利息}}{\text{完成工事総利益} + \text{営業外収益} - \text{営業外費用} + \text{支払利息}} \times 100$$

$$\frac{53{,}800\text{百万円} + 2{,}120\text{百万円} + 660\text{百万円}}{83{,}580\text{百万円} + 10{,}550\text{百万円} - 4{,}780\text{百万円} + 2{,}120\text{百万円} + 660\text{百万円}} \times 100$$

$= 61.413 \rightarrow \underline{61.41\%}$

E.
$$\text{流動負債比率}(\%)^{*6)} = \frac{\text{流動負債} - \text{未成工事受入金}}{\text{自己資本}} \times 100$$

$$\frac{656{,}930\text{百万円} - 77{,}370\text{百万円}}{383{,}280\text{百万円}} \times 100 = 151.210 \rightarrow \underline{151.21\%}$$

F.
$$\text{運転資本保有月数}(\text{月}) = \frac{\text{流動資産} - \text{流動負債}}{\text{完成工事高} \div 12}$$

$$\frac{690{,}610\text{百万円} - 656{,}930\text{百万円}}{1{,}301{,}700\text{百万円} \div 12} = 0.310 \rightarrow \underline{0.31\text{月}}$$

ここに！注意

＊1）期中平均値を使用することが望ましい数値については，期中平均値を使用すること。

＊2）事業利益＝経常利益＋支払利息
支払利息には社債利息も含んでいることに注意する。

＊3）本問では，収益処理のため，減算調整する。

＊4）無形固定資産の償却費も含める。

＊5）貸倒引当金（流動＋固定），完成工事補償引当金，工事損失引当金，退職給付引当金の合計。

＊6）別解

$$\frac{\text{流動負債}}{\text{自己資本}} \times 100$$

$$\frac{656{,}930\text{百万円}}{383{,}280\text{百万円}} \times 100$$

≒171.40％

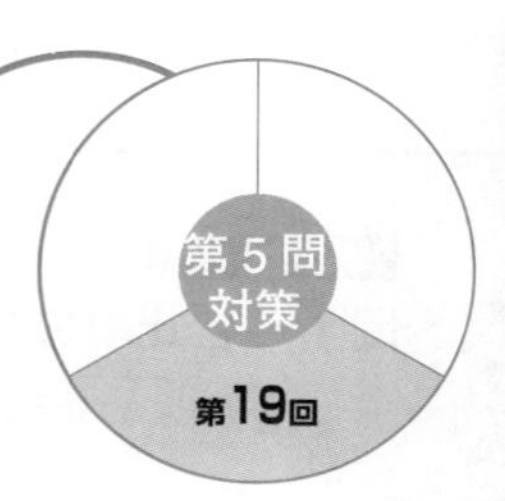

G.

$$固定比率(\%) = \frac{固定資産}{自己資本} \times 100$$

$$\frac{621,640 百万円}{383,280 百万円} \times 100 = 162.189 \rightarrow \underline{162.19\%}$$

H.

$$配当性向(\%) = \frac{配当金}{当期純利益} \times 100$$

$$\frac{5,400 百万円}{16,520 百万円} \times 100 = 32.687 \rightarrow \underline{32.69\%}$$

I.

$$受取勘定回転期間(日) = \frac{期中平均（受取手形＋完成工事未収入金）}{完成工事高 \div 365}$$

$$\frac{\{(11,360百万円 + 419,500百万円) + (14,220百万円 + 412,500百万円)\} \div 2}{1,301,700 百万円 \div 365}$$

$$= 120.233 \rightarrow \underline{120.23日}$$

J.

$$支払勘定回転率(回) = \frac{完成工事高}{期中平均（支払手形＋工事未払金）}$$

$$\frac{1,301,700百万円}{\{(11,830百万円 + 363,810百万円) + (10,390百万円 + 386,700百万円)\} \div 2}$$

$$= 3.369 \rightarrow \underline{3.37回}$$

問２　穴埋め問題

(1)　経営資本営業利益率

経営資本とは，企業の総資本のうち本来の営業活動に使用されている部分をいいます。経営資本と対応する利益としては，企業本来の営業活動の成果たる営業利益が用いられます。そのため，企業の本来の営業活動に投下された資本の運用効率を示す指標といえます。

ここで，資本利益率は完成工事高を用いて，資本回転率と資本利益率の２つの比率に分解することができます。経営資本営業利益率であれば，完成工事高を用いて経営資本回転率と完成工事高営業利益率とに分解することができます。

$$\underset{〈経営資本営業利益率〉}{\frac{営業利益}{期中平均経営資本^{*7)}}}(\%) = \underset{〈経営資本回転率〉}{\frac{完成工事高}{期中平均経営資本}} \times \underset{〈完成工事高営業利益率〉}{\frac{営業利益}{完成工事高}}$$

第12期末経営資本：1,166,000百万円－(20,250百万円＋334,180百万円)
＝811,570百万円

第13期末経営資本：1,312,250百万円－(3,170百万円＋431,540百万円)
＝877,540百万円

$$経営資本営業利益率（\%）= \frac{29,780 百万円}{(811,570 百万円 + 877,540 百万円) \div 2} \times 100$$

$$= 3.526 \rightarrow \underline{3.53\%}$$

ここに！注意

＊7）経営資本＝総資本－（建設仮勘定＋未稼働資産＋投資資産＋繰延資産＋その他営業活動に直接参加していない資産）

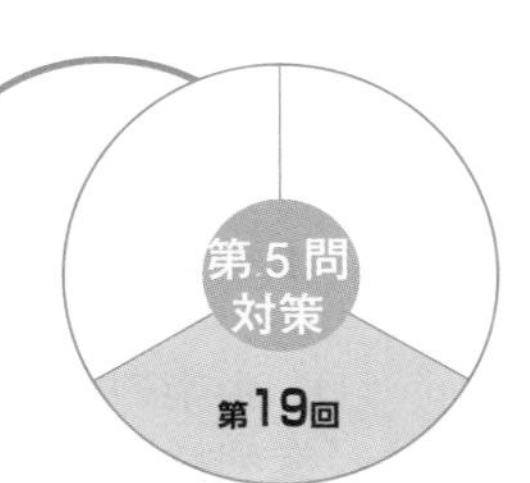

経営資本回転率（回） = $\frac{1,301,700\text{百万円}}{(811,570\text{百万円}+877,540\text{百万円})\div 2}$ = 1.541→1.54回

よって，1には経営資本営業利益率，2には経営資本回転率，3には完成工事高営業利益率，4には3.53%，5には1.54回が入ります。

(2) **負債比率**

負債比率とは，負債総額とこれを担保する自己資本との比率で，長期的な財務の安全性を測定するための指標です。当該比率が100%以下にとどまることは他人資本のすべてを自己資本で担保している健全な状況を意味します。

負債比率(%) = $\frac{\text{流動負債}+\text{固定負債}}{\text{自己資本}}$ × 100

$\frac{656,930\text{百万円}+272,040\text{百万円}}{383,280\text{百万円}}$ × 100 = 242.373→242.37%

よって，6には負債比率，7には100，8には242.37が入ります。

(3) **営業キャッシュ・フロー対流動負債比率**

営業キャッシュ・フロー対流動負債比率は，資産の売却や外部からの資金調達に依存することなく，企業が営業活動から内部的に創出した資金で負債の返済を行うことができる割合を示す指標です。

営業キャッシュ・フロー対流動負債比率(%) = $\frac{\text{営業キャッシュ・フロー}}{\text{期中平均流動負債}}$ × 100

本問の場合，問題資料にキャッシュ・フロー計算書が与えられていないため，以下の算式を使用します。

営業キャッシュ・フロー＝経常利益＋減価償却実施額*4) －法人税等＋貸倒引当金増加額－売掛債権増加額＋仕入債務増加額－棚卸資産増加額＋未成工事受入金増加額

営業キャッシュ・フロー＝35,550百万円＋7,730百万円－21,160百万円－3,590百万円＋4,140百万円＋21,450百万円－8,610百万円－20,980百万円＝14,530百万円

$\frac{14,530\text{百万円}}{(617,230\text{百万円}+656,930\text{百万円})\div 2}$ × 100 = 2.280→2.28%

よって，9には営業キャッシュ・フロー対流動負債比率，10には2.28が入ります。

☞ よって本問の文章は次のようになります。

⑴ 企業の本来の営業活動に投下された資本の運用効率を示す比率を経営資本営業利益率といい，この比率が高いほど，営業活動に投下された資本の収益性が良好であることを意味する。経営資本営業利益率は経営資本回転率と，対完成工事高比率の１つである完成工事高営業利益率とに分解して分析することができる。第13期の経営資本営業利益率は3.53%，経営資本回転率は1.54回である。

⑵ 負債総額と，これを担保する自己資本との比率を負債比率といい，長期的な財務の安全性を測定する指標である。負債比率が100%以下にとどまることは，他人資本のすべてを自己資本で担保している健全な状況にあることを示している。第13期の負債比率は242.37%である。短期的な支払能力を見る指標の１つである営業キャッシュ・フロー対流動負債比率は，投資活動や財務活動による資金調達に依存することなく，企業が営業活動から内部的に創出した資金で負債の返済を行うことができる割合を示す指標である。同社の個別財務諸表ではキャッシュ・フロー計算書が開示されないため，貸借対照表，損益計算書及びその関連データを利用して算定した第13期の営業キャッシュ・フロー対流動負債比率は2.28%である。

テキスト参照ページ
⇒ P. 1 − 35
⇒ P. 1 − 92

第 21 回出題

解答

問１

A	総資本事業利益率	☆	4.76	%	（小数点第３位を四捨五入し，第２位まで記入）
B	運転資本保有月数	☆	2.08	月	（同上）
C	有利子負債月商倍率	☆	1.83	月	（同上）
D	完成工事高キャッシュ・フロー率	☆	2.34	%	（同上）
E	負債比率	☆	157.27	%	（同上）
F	立替工事高比率	☆	32.30	%	（同上）
G	棚卸資産回転期間	☆	0.47	月	（同上）
H	未成工事収支比率	☆	136.99	%	（同上）
I	固定長期適合比率	☆	65.87	%	（同上）
J	労働装備率	☆	8,815	千円	（千円未満を切り捨て）

〈別解〉 I 30.13%

問２ 記号（ア～ヤ）

1	2	3	4	5	6	7	8	9	10
イ	ウ	ナ	カ	ノ	ク	ス	チ	モ	ホ
★	★	★	★	★	★	★	★	★	★

予想採点基準
☆… ２点×10 ＝ 20点
★… １点×10 ＝ 10点
合計 30点

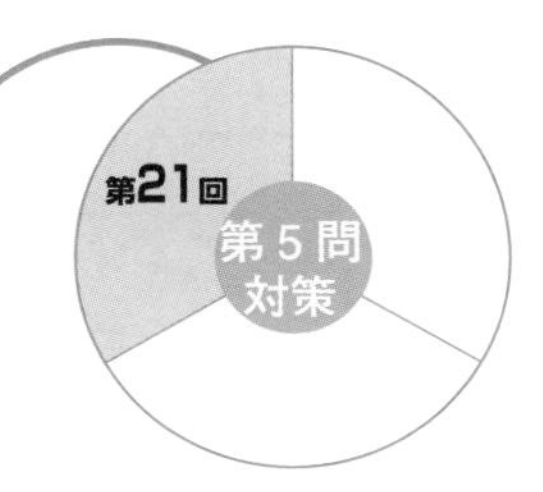

解 説

問１　各比率の算定＊1)

A.　$\text{総資本事業利益率(\%)} = \dfrac{\text{事業利益}^{*2)}}{\text{期中平均総資本}} \times 100$

$\dfrac{7{,}800\text{百万円} + 300\text{百万円} + 60\text{百万円}}{(166{,}000\text{百万円} + 177{,}000\text{百万円}) \div 2} \times 100 = 4.578 \rightarrow 4.76\%$

B.　$\text{運転資本保有月数(月)} = \dfrac{\text{流動資産} - \text{流動負債}}{\text{完成工事高} \div 12}$

$\dfrac{116{,}000\text{百万円} - 84{,}400\text{百万円}}{182{,}500\text{百万円} \div 12} = 2.077 \rightarrow 2.08\text{月}$

C.　$\text{有利子負債月商倍率(月)} = \dfrac{\text{有利子負債}^{*3)}}{\text{完成工事高} \div 12}$

$\dfrac{10{,}800\text{百万円} + 8{,}100\text{百万円} + 400\text{百万円} + 3{,}000\text{百万円} + 5{,}600\text{百万円}}{182{,}500\text{百万円} \div 12}$

$= 1.834 \rightarrow 1.83\text{月}$

D.　$\text{完成工事高キャッシュ・フロー率(\%)} = \dfrac{\text{純キャッシュ・フロー}}{\text{完成工事高}} \times 100$

純キャッシュ・フロー＝当期純利益(税引後)±法人税等調整額＊4)＋当期減価償却実施額＊5)±引当金＊6)増減額－剰余金の配当の額

第21期末引当金：240百万円＋1,000百万円＋360百万円＋1,500百万円＋6,700百万円＝9,800百万円
第22期末引当金：200百万円＋900百万円＋370百万円＋1,600百万円＋6,100百万円＝9,170百万円
引当金増減額：9,170百万円－9,800百万円＝△630百万円（減少）

$\dfrac{5{,}870\text{百万円} - 470\text{百万円} + 500\text{百万円} - 630\text{百万円} - 1{,}000\text{百万円}}{182{,}500\text{百万円}} \times 100$

$= 2.339 \rightarrow 2.34\%$

E.　$\text{負債比率(\%)} = \dfrac{\text{流動負債} + \text{固定負債}}{\text{自己資本}} \times 100$

$\dfrac{84{,}400\text{百万円} + 23{,}800\text{百万円}}{68{,}800\text{百万円}} \times 100 = 157.267 \rightarrow 157.27\%$

F.　$\text{立替工事高比率(\%)} = \dfrac{\text{受取手形} + \text{完成工事未収入金} + \text{未成工事支出金} - \text{未成工事受入金}}{\text{完成工事高} + \text{未成工事支出金}} \times 100$

$\dfrac{4{,}700\text{百万円} + 59{,}300\text{百万円} + 7{,}300\text{百万円} - 10{,}000\text{百万円}}{182{,}500\text{百万円} + 7{,}300\text{百万円}} \times 100$

$= 32.297 \rightarrow 32.30\%$

ここに！注意

＊1）期中平均値を使用することが望ましい数値については,期中平均値を使用すること。

＊2）事業利益＝経常利益＋支払利息
支払利息には社債利息,他人資本に付される利息も含まれることに注意する。

＊3）有利子負債＝
短期借入金＋長期借入金＋社債＋新株予約権付社債＋コマーシャル・ペーパー

＊4）収益処理のため，減算調整する

＊5）無形資産の償却費も含める

＊6）貸倒引当金（流動＋固定），完成工事補償引当金，工事損失引当金，退職給付引当金

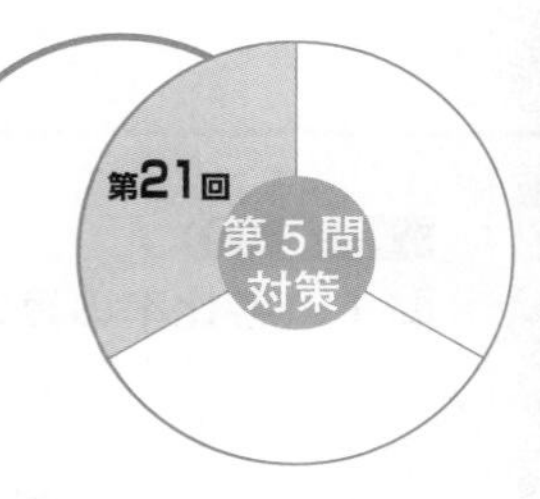

G. $$棚卸資産回転期間（月）＝\frac{期中平均棚卸資産^{*7)}}{完成工事高÷12}$$

$$\frac{\{(6,900百万円+80百万円)+(7,300百万円+90百万円)\}÷2}{182,500百万円÷12}=0.472→\underline{0.47月}$$

＊7）棚卸資産＝未成工事支出金＋材料貯蔵品

H. $$未成工事収支比率（\%）＝\frac{未成工事受入金}{未成工事支出金}×100$$

$$\frac{10,000百万円}{7,300百万円}×100=136.986→\underline{136.99\%}$$

I. $$固定長期適合比率（\%）^{*8)}＝\frac{固定資産}{固定負債＋自己資本}×100$$

$$\frac{61,000百万円}{23,800百万円+68,800百万円}×100=65.874→\underline{65.87\%}$$

＊8）別解

$$\frac{有形固定資産}{固定負債＋自己資本}×100$$

$$\frac{27,900百万円}{23,800百万円+68,800百万円}×100≒\underline{30.13\%}$$

J. $$労働装備率（円）＝\frac{期中平均（有形固定資産－建設仮勘定）}{期中平均総職員数}$$

$$\frac{\{(27,300百万円-2,000百万円)+(27,900百万円-3,570百万円)\}÷2}{(2,780人+2,850人)÷2}$$

$$=8,815.2→\underline{8,815千円}$$

問２　穴埋め問題

１．資本回転率

$$資本利益率＝\frac{売上高}{資本}×\frac{利益}{売上高}$$

〈資本回転率〉　〈売上高利益率〉

資本利益率と売上高利益率は，企業財務の収益性分析の中核をなす指標ですが，これを支えるのが資本回転率です。資本回転率自体は活動性分析の中心概念ですが，収益性を高めるための要素でもあります。

⑴　経営資本回転率

経営資本回転率は，企業の営業活動に直接投下された資本の運用効率を表します。また，経営資本回転率は経営資本利益率の構成要素であり，これが高いほど経営資本利益率も高くなるという関係にあります。

$$経営資本回転率（回）＝\frac{完成工事高}{期中平均経営資本^{*9)}}$$

＊9）経営資本＝総資本－（建設仮勘定＋未稼働資産＋投資資産＋繰延資産＋その他営業活動に直接参加していない資産）

第21期末経営資本：166,000百万円－（2,000百万円＋26,600百万円）＝137,400百万円
第22期末経営資本：177,000百万円－（3,570百万円＋32,000百万円）＝141,430百万円

$$\frac{182,500百万円}{(137,400百万円+141,430百万円)÷2}=1.309→\underline{1.31回}$$

よって，１には資本回転率，２には経営資本回転率，３には1.31が入ります。

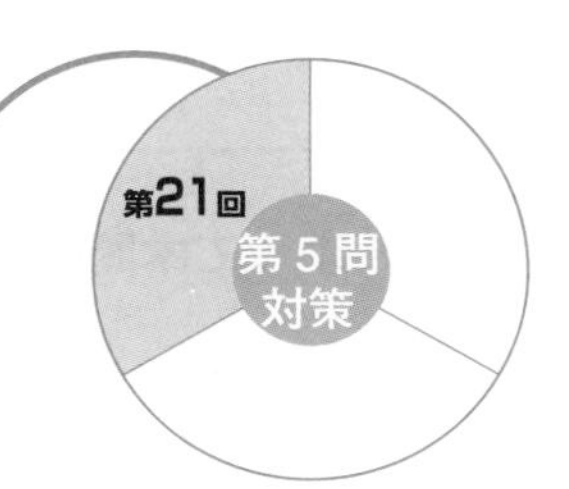

(2) 受取勘定回転率

受取勘定回転率は売上債権（受取勘定）の回転速度を示す比率です。ここでいう，回転速度は債権が回収される速さを意味しますので，この比率の大小によって売上債権の回収状況を捉えることができます。この比率が低いほど債権の回収速度が遅く，その分だけ資本が売上債権に固定化されていることになり，資本の運用効率も低くなるといえます。

$$\text{受取勘定回転率(回)} = \frac{\text{完成工事高}}{\text{期中平均（受取手形＋完成工事未収入金）}}$$

$$\frac{182{,}500\text{百万円}}{\{(4{,}200\text{百万円}+53{,}200\text{百万円})+(4{,}700\text{百万円}+59{,}300\text{百万円})\}\div 2}$$

$=3.006 \rightarrow \underline{3.01\text{回}}$

通常は，工事代金の一部を前受けしていることから，未成工事受入金の額を控除した正味の受取勘定について回転率を算定することも必要です。さらに，とりわけ建設業にあっては，工事進行基準に基づく売上債権の回転率を示す未収施工高回転率をみることが重要です。

よって，[4]には受取勘定回転率，[5]には3.01，[6]には未成工事受入金，[7]には未収施工高が入ります。

2．付加価値と付加価値労働生産性

生産性分析の中核概念である付加価値の計算方法については，企業活動の成果（建設業においては完成工事高）から付加価値としないものを控除する方法（控除法）と付加価値とみなす項目を加算していく方法（加算法）の２つあります。建設業の財務分析においては，一般に控除法によって付加価値の計算を行います。

付加価値＝完成工事高－（材料費＋外注費＋労務外注費）

182,500百万円－（15,000百万円＋113,500百万円＋15,200百万円）＝<u>38,800百万円</u>

付加価値を生み出す最も重要な要素は労働力であることから，付加価値労働生産性は生産性分析の基本指標とされています。この付加価値労働生産性は，投入した労働力がどれほど生産性に貢献したか，あるいは，職員一人当たりの生産性を示しています。

$$\text{付加価値労働生産性(円)} = \frac{\text{付加価値}}{\text{期中平均総職員数}}$$

$$\frac{38{,}800\text{百万円}}{(2{,}780\text{人}+2{,}850\text{人})\div 2} = 13.783 \rightarrow \underline{13.78\text{百万円}}$$

よって，[8]には付加価値，[9]には38,800，[10]には13.78が入ります。

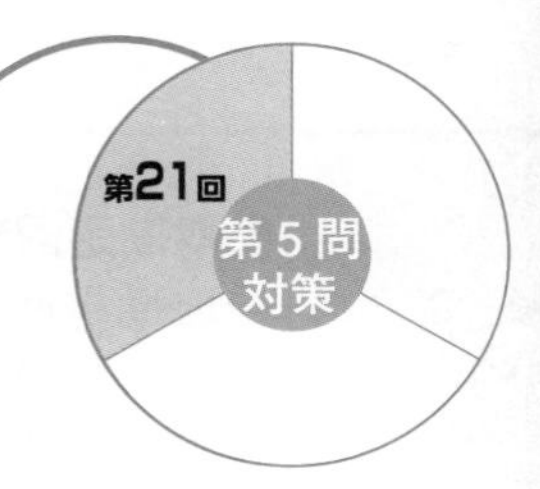

☞ よって本問の文章は次のようになります。

(1) 資本利益率と売上高利益率は，企業財務の収益性分析の中核をなすものであるが，これを支えるのが資本回転率であり，企業の活動性の中心概念である。活動数を示す回転は，大まかに資本，資産，負債の回転に区分することができる。資本回転率の中で，企業の営業活動に直接投下された資本の運用効率を表しているのが経営資本回転率である。第22期の同比率は1.31回である。資本回転率の中で，売上債権の回転速度を示す比率が受取勘定回転率である。第22期の同比率は3.01回である。なお，通常は，工事代金の一部を前受けしていることから，かかる未成工事受入金の額を控除した回転率を算定することも必要である。さらに，とりわけ建設業にあっては，未収施工高の回転率を見ることが重要である。なぜなら，同比率は工事進行基準に基づく売上債権の回転率をあらわしていると解されるからである。

(2) 生産性の測定においては，まず付加価値が適正に把握されなければならない。その額の計算には，控除法と加算法の二つがあるが，第22期において，その額は38,800百万円である。建設業において採用される生産性分析の基本指標は，付加価値労働生産性であり，第 22期において，その額は13.78百万円である。

テキスト参照ページ
⇒ P. 1 － 57
⇒ P. 1 － 62

第 3 部　最新問題編

建設業経理士試験

第 32 回～第 35 回

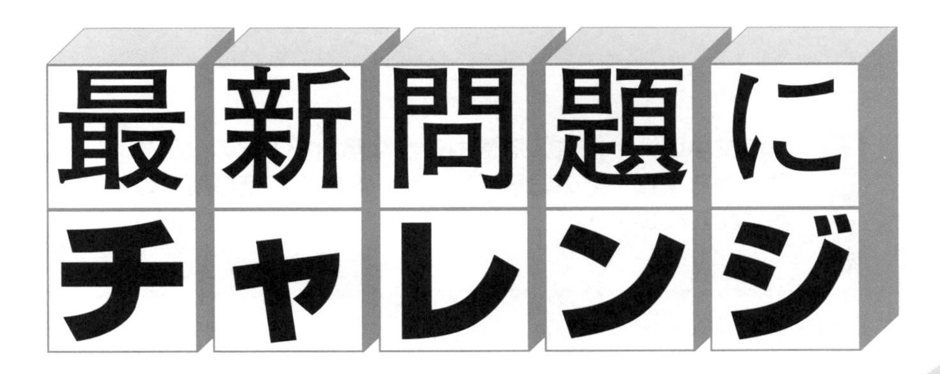

建設業経理士　1級　財務分析　最新問題（第32回）

総合評価の手法に関する次の問に解答しなさい。各問ともに指定した字数以内で記入すること。

（20点）

〈標準時間〉
20分

問１　指数法について説明しなさい。（250字）
問２　「経営事項審査」における総合評点の特徴について説明しなさい。（250字）

問１　指数法では取り上げる指標にウェイトを付けて総合的な評価を行う。

問２　経営事項審査（経審）においても，複数の観点からの指標を用いて総合的な評価を行う。

Q 第2問

次の文中の［　　］に入る最も適当な用語を下記の〈用語群〉から選び，その記号（ア〜ヘ）を解答用紙の所定の欄に記入しなさい。

（15点）

〈標準時間〉
10分

生産性分析の中心概念は［ 1 ］である。一般にこの計算方法は２つあるが，建設業においては［ 2 ］が採用されており，その算式は，［ 3 ］－（［ 4 ］＋外注費）で示される。『建設業の経営分析』では，この［ 1 ］を［ 5 ］と呼ぶこともある。

投下資本がどれほど生産性に貢献したかという生産的効率を意味するものが［ 6 ］である。その計算において，分子に［ 1 ］を，分母に有形固定資産が使用される［ 6 ］を［ 7 ］という。なお，有形固定資産の金額は，現在の有効投資を示すものでなければならないので，［ 8 ］の分はそこから除外される。他方，従業員１人当たりが生み出した［ 1 ］を示すものが，［ 9 ］である。この［ 9 ］は，［ 7 ］と［ 10 ］の積で求めることもでき，［ 11 ］と［ 12 ］の積で求めることもできる。なお，［ 11 ］は１人当たり総資本を示すものである。また，［ 9 ］と［ 13 ］の積で求められるのが，１人当たりの人件費すなわち賃金水準となる。

〈用語群〉

ア　完成工事原価	イ　経費	ウ　無形固定資産	エ　資本集約度
オ　付加価値	カ　減価償却費	キ　資本生産性	ク　総職員数
コ　労務費	サ　完成工事高	シ　未稼働投資	ス　設備投資効率
セ　完成工事総利益	ソ　加算法	タ　材料費	チ　完成加工高
ト　労務外注費	ナ　控除法	ニ　労働装備率	ネ　総資本投資効率
ノ　労働生産性	ハ　純付加価値	フ　総合生産性	ヘ　労働分配率

空欄に入る用語を説明している文章や前後の文章から関連する用語を考えてみる。

２．建設業では引き算を使って計算する。

８．付加価値を生み出す有形固定資産は，現在稼働中のものだけである。

13．１人当たりの人件費は「人件費÷総職員数」で計算できる。この式にするには…？

Q 第3問 次の〈資料〉に基づいて(A)～(D)の金額を算定するとともに，支払勘定回転率も算定し，解答用紙の所定の欄に記入しなさい。この会社の会計期間は1年である。なお，解答に際しての端数処理については，解答用紙の指定のとおりとする。

（20点）

〈標準時間〉20分

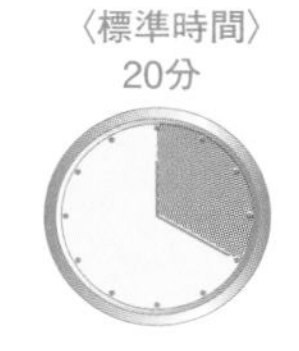

期中平均値を使用することが望ましい比率についても，便宜上，期末残高の数値を用いること。

- 各指標に判明している金額をあてはめ，逆算して不明部分を計算する。計算が可能だと思われるところから推定していく。必ずしもすべての×××を計算する必要はない。
- 他人資本＋自己資本＝総資本

〈資料〉

1．貸借対照表

貸借対照表　（単位：百万円）

（資産の部）		（負債の部）	
現金預金	×××	支払手形	×××
受取手形	31,640	工事未払金	×××
完成工事未収入金	（A）	短期借入金	9,190
未成工事支出金	14,590	未払法人税等	3,500
材料貯蔵品	×××	未成工事受入金	（B）
流動資産合計	×××	流動負債合計	×××
建物	16,000	長期借入金	×××
機械装置	9,100	固定負債合計	×××
工具器具備品	3,200	負債合計	128,310
車両運搬具	×××	（純資産の部）	
建設仮勘定	900	資本金	×××
土地	×××	資本剰余金	×××
投資有価証券	25,000	利益剰余金	9,090
固定資産合計	×××	純資産合計	×××
資産合計	×××	負債純資産合計	×××

2．損益計算書（一部抜粋）

損益計算書　（単位：百万円）

完成工事高	×××
完成工事原価	（C）
完成工事総利益	×××
販売費及び一般管理費	15,730
営業利益	×××
営業外収益	
受取利息配当金	880
その他	（D）
営業外費用	
支払利息	600
その他	255
経常利益	×××

3．関連データ（注1）

総資本経常利益率	2.50%
経営資本回転期間	9.80月
流動比率（注2）	110.00%
当座比率（注2）	109.70%
自己資本比率	35.00%
現金預金手持月数	1.50月
固定長期適合比率（注3）	90.00%
有利子負債月商倍率	1.20月
金利負担能力	7.00倍

（注1）算定にあたって期中平均値を使用することが望ましい比率についても，便宜上，期末残高の数値を用いて算定している。

（注2）流動比率及び当座比率の算定は，建設業特有の勘定科目の金額を控除する方法によっている。

（注3）固定長期適合比率の算定は，一般的な方法によっている。

第4問

次の〈資料〉に基づき，下記の設問に答えなさい。なお，解答に際しての端数処理については，解答用紙の指定のとおりとする。

〈標準時間〉15分

（15点）

〈資料〉

第５期・第６期の完成工事高および総費用

	完成工事高	総　費　用
第５期	35,112,000千円	28,460,200千円
第６期	32,200,000千円	26,480,040千円

問１　高低２点法によって費用分解を行い，第６期の変動費率を求めなさい。

問２　第６期の固定費を求めなさい。

問３　第６期の損益分岐点の完成工事高を求めなさい。

問４　第６期の損益分岐点比率を求めなさい。

問５　建設業における慣行的な固変区分による損益分岐点比率や変動費が上記の設問で求めた解答数値と等しく，支払利息の金額はゼロであると仮定したとき，第６期の販売費及び一般管理費の金額を求めなさい。

高低２点法で費用を分解した場合は，別の指示がある場合（問５）を除き，その分解した結果を用いて計算する。

問１　変動費率は完成工事高の変化分に対して総費用がどれだけ変化したかを考える。

問５　建設業における慣行的な固定費・変動費の区分に基づいた場合，販売費及び一般管理費は固定費と変動費のどちらに区分される？

Q 第5問

A建設株式会社の第31期（決算日：20×5年３月31日）及び第32期（決算日：20×6年３月31日）の財務諸表並びにその関連データは〈別添資料〉のとおりであった。次の設問に解答しなさい。

（30点）

〈標準時間〉25分

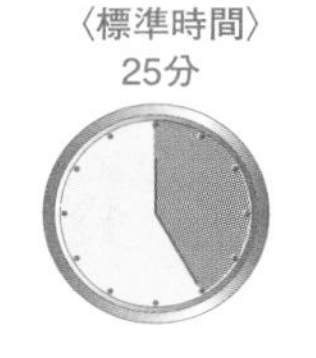

問１　第32期について，次の諸比率（Ａ～Ｊ）を算定しなさい。期中平均値を使用することが望ましい数値については，そのような処置をすること。また，Ｆの完成工事高増減率がプラスの場合は「Ａ」，マイナスの場合は「Ｂ」を解答用紙の所定の欄に記入しなさい。なお，解答に際しての端数処理については，解答用紙の指定のとおりとする。

Ａ	経営資本営業利益率	Ｂ	立替工事高比率
Ｃ	運転資本保有月数	Ｄ	借入金依存度
Ｅ	棚卸資産滞留月数	Ｆ	完成工事高増減率
Ｇ	営業キャッシュ・フロー対流動負債比率	Ｈ	配当率
Ｉ	未成工事収支比率	Ｊ	労働装備率

問２　同社の財務諸表とその関連データを参照しながら，次に示す文中の［　　］の中に入れるべき最も適当な用語・数値を下記の〈用語・数値群〉の中から選び，その記号（ア～ヤ）で解答しなさい。期中平均値を使用することが望ましい数値については，そのような処置をし，小数点第３位を四捨五入している。

出資者の見地から投下資本の収益性を判断するための指標が，［1］である。証券市場では，この［1］をアルファベット表記では［2］と呼んでトップマネジメント評価の重要な指標として活用している。この指標の分子の利益としては，一般に［3］が用いられる。第32期における［1］は［4］％である。

この指標は［5］によって，まず３つの指標に分解することができ，これは，［6］を［7］で除する数値とも等しい。［6］は包括的な収益力を示し，さらに，利益率と［8］に分けられる。一方，［7］の逆数は［9］とも呼ばれる。第32期における［8］は［10］回である。

〈用語・数値群〉

ア　総資本利益率	イ　クロス・セクション	ウ　完成工事高利益率	エ　当期純利益
オ　財務レバレッジ	カ　自己資本利益率	キ　総資本回転率	ク　事業利益
コ　経常利益	サ　経営資本利益率	シ　自己資本比率	ス　営業利益
セ　ＣＣＣ	ソ　ＲＯＥ	タ　ＣＶＰ	チ　デュポンシステム
ト　負債比率	ナ　自己資本回転率	ニ　インタレスト・カバレッジ	ネ　経営資本回転率
ノ　0.67	ハ　0.73	フ　0.74	ヘ　5.58
ホ　6.90	ム　6.97	モ　10.02	ヤ　14.29

数値の算定にあたり，平均するものは期中平均値を使う。
端数処理　解答用紙の指示に従う。

問１
Ｇ　キャッシュ・フロー計算書が与えられているときは，それを用いる。
Ｈ　配当性向と混同しないように注意。

問２
［1］　出資者（株主）から見た投資額は，貸借対照表のどの区分に該当する？

［3］　出資者（株主）に帰属する利益は，損益計算書のどの利益が該当する？

［6］「包括的な収益力」とは，会社の持つものすべてを考慮した収益力と考える。

［6］・［7］　［6］の要素がさらに利益率と［8］に分けられているため，３つの指標に分解したうち，２つをまとめたものが［6］に該当するものと考える。

第５問〈別添資料〉

A建設株式会社の第31期及び第32期の財務諸表並びにその関連データ

貸借対照表

（単位：千円）

	第31期 20×5年3月31日現在	第32期 20×6年3月31日現在
（資産の部）		
Ⅰ　流動資産		
現金預金	216,130	331,560
受取手形	32,600	27,300
完成工事未収入金	1,401,700	1,395,700
有価証券	1,240	120
未成工事支出金	48,740	26,100
材料貯蔵品	800	920
その他流動資産	130,400	119,380
貸倒引当金	△ 1,540	△ 1,520
［流動資産合計］	1,830,070	1,899,560
Ⅱ　固定資産		
1．有形固定資産		
建物	155,300	147,800
構築物	2,300	3,600
機械装置	11,700	12,300
車両運搬具	600	610
工具器具備品	4,300	4,100
土地	344,100	346,700
建設仮勘定	159,700	222,400
有形固定資産合計	678,000	737,510
2．無形固定資産		
のれん	4,400	4,100
その他無形資産	7,300	7,400
無形固定資産合計	11,700	11,500
3．投資その他の資産		
投資有価証券	673,400	566,300
関係会社株式	8,500	8,500
長期貸付金	1,300	1,200
長期前払費用	980	1,400
退職給付に係る資産	49,700	50,800
その他投資資産	24,500	59,600
貸倒引当金	△ 19,700	△ 19,660
投資その他の資産合計	738,680	668,140
［固定資産合計］	1,428,380	1,417,150
資産合計	3,258,450	3,316,710

	第31期 20×5年3月31日現在	第32期 20×6年3月31日現在
（負債の部）		
Ⅰ　流動負債		
支払手形	13,370	16,900
工事未払金	448,000	482,500
短期借入金	74,600	94,800
未払金	23,800	18,900
未払法人税等	45,230	16,600
未成工事受入金	157,100	115,400
預り金	245,600	256,100
完成工事補償引当金	4,620	5,400
工事損失引当金	8,630	9,730
その他流動負債	40,100	37,400
［流動負債合計］	1,061,050	1,053,730
Ⅱ　固定負債		
社債	110,000	120,000
長期借入金	233,400	261,700
退職給付引当金	48,500	51,000
その他固定負債	124,500	118,300
［固定負債合計］	516,400	551,000
負債合計	1,577,450	1,604,730
（純資産の部）		
Ⅰ　株主資本		
1．資本金	198,400	198,400
2．資本剰余金		
資本準備金	262,400	262,400
資本剰余金合計	262,400	262,400
3．利益剰余金		
利益準備金	2,400	2,400
その他利益剰余金	954,600	1,082,680
利益剰余金合計	957,000	1,085,080
4．自己株式	△ 46,400	△ 80,600
［株主資本合計］	1,371,400	1,465,280
Ⅱ　評価・換算差額等		
その他有価証券評価差額金	309,600	246,700
［評価・換算差額等合計］	309,600	246,700
純資産合計	1,681,000	1,711,980
負債純資産合計	3,258,450	3,316,710

〔付記事項〕

1．流動資産中の貸倒引当金は，受取手形と完成工事未収入金に対して設定されたものである。
2．その他流動資産は営業活動に伴うものであるが，当座の支払能力を有するものではない。
3．投資その他の資産は，すべて営業活動には直接関係していない資産である。
4．引当金及び有利子負債に該当する項目は，貸借対照表に明記したもの以外にはない。
5．第32期において繰越利益剰余金を原資として実施した配当の額は42,600千円である。

損益計算書

（単位：千円）

	第31期 自 20×4年4月1日 至 20×5年3月31日		第32期 自 20×5年4月1日 至 20×6年3月31日	
Ⅰ 完成工事高		2,207,100		2,424,600
Ⅱ 完成工事原価		1,892,300		2,106,200
完成工事総利益		314,800		318,400
Ⅲ 販売費及び一般管理費		186,000		191,900
営業利益		128,800		126,500
Ⅳ 営業外収益				
受取利息	320		430	
受取配当金	11,800		12,000	
その他営業外収益	11,200	23,320	5,700	18,130
Ⅴ 営業外費用				
支払利息	3,670		3,930	
社債利息	2,200		2,400	
為替差損	130		110	
その他営業外費用	120	6,120	90	6,530
経常利益		146,000		138,100
Ⅵ 特別利益		4,300		32,100
Ⅶ 特別損失		3,100		200
税引前当期純利益		147,200		170,000
法人税，住民税及び事業税	58,100		42,200	
法人税等調整額	△ 5,500	52,600	9,630	51,830
当期純利益		94,600		118,170

〔付記事項〕

1．第32期における有形固定資産の減価償却費及び無形固定資産の償却費の合計額は18,100千円である。

2．その他営業外費用には，他人資本に付される利息は含まれていない。

キャッシュ・フロー計算書（要約）

（単位：千円）

	第31期 自 20×4年4月1日 至 20×5年3月31日	第32期 自 20×5年4月1日 至 20×6年3月31日
Ⅰ 営業活動によるキャッシュ・フロー	230	182,900
Ⅱ 投資活動によるキャッシュ・フロー	△ 89,600	△ 27,500
Ⅲ 財務活動によるキャッシュ・フロー	17,200	△ 39,970
Ⅳ 現金及び現金同等物の増加・減少額	△ 72,170	115,430
Ⅴ 現金及び現金同等物の期首残高	288,300	216,130
Ⅵ 現金及び現金同等物の期末残高	216,130	331,560

完成工事原価報告書

（単位：千円）

	第31期 自 20×4年4月1日 至 20×5年3月31日	第32期 自 20×5年4月1日 至 20×6年3月31日
Ⅰ 材料費	340,600	400,200
Ⅱ 労務費	18,900	21,100
（うち労務外注費）	(18,900)	(21,100)
Ⅲ 外注費	1,173,200	1,326,900
Ⅳ 経費	359,600	358,000
完成工事原価	1,892,300	2,106,200

各期末時点の総職員数

	第31期	第32期
総職員数	26人	28人

建設業経理士　1級　財務分析　最新問題（第33回）

Q 第1問

成長性分析に関する次の問に解答しなさい。各問ともに指定した字数以内で記入すること。

〈標準時間〉20分

（20点）

問１　財務分析における成長性分析の意義について説明しなさい。（200字）
問２　成長性分析の基本的な手法について説明しなさい。（300字）

問１　成長性とはどういうものかを考える。

問２　成長性を測定するのに用いる数値や計算方法により，様々な手法が考えられる。

Q 第2問

次の文中の［　　］の中に入る最も適当な用語を下記の〈用語群〉の中から選び，その記号（ア～へ）を解答用紙の所定の欄に記入しなさい。

〈標準時間〉10分

（15点）

原価と売上高と利益の相関関係を的確に把握するために，建設業の［1］分析においては，［2］利益段階での分析を行うことを慣行としている。これは，建設業における資金調達の重要性が加味されていることを意味する。したがって，簡便的に固定費とされている［3］に［4］を加え，変動費である［5］に，その他の［6］（ただし［4］を除く）も加えている。このような費用分解を前提とすると，［1］比率とは，［3］と［4］の合計額を分子とし，［7］と［6］と［4］の合計額を分母として100をかけることによって求められる。この比率は，その数値が［8］ほど収益性は安定しているといえる。

また，［1］分析を応用して，貸借対照表を活用した均衡分析を行う手法が，総収益と［9］が一致する分岐点を求める［10］分析である。［9］は［11］と［12］に分解されるが，［10］分析の分子となるのは［12］である。当期の完成工事高が12,000千円で，［9］が10,000千円，［12］が2,400千円であるとき，［10］の完成工事高は，［13］千円（千円未満を切り捨て）となる。

〈用語群〉

ア 営業外収益	イ 営業外費用	ウ 資本回収点	エ 固定的資本
オ 営業外損益	カ 高い	キ 変動的資本	ク 経常
コ 損益分岐点	サ 完成工事原価	シ 支払利息	ス 受取利息
セ 完成工事総利益	ソ 総資本	タ 低い	チ 特別損失
ト 総費用	ナ 営業	ニ 限界利益	ネ 販売費及び一般管理費
ノ 6,545	ハ 9,500	フ 20,727	へ 22,000

空欄に入る用語を説明している文章や前後の文章から関連する用語を考えてみる。

3．簡便的な原価分解では，施工する工事の量に関係なく生じる損益計算書上の項目を固定費として考える。

6．本来の公式上は２つの項目が該当するはずだが，空欄が１つしかないため，２つをまとめた表現を用語群から探す。

13．空欄９と空欄12の項目の差額で求められる金額も計算において必要。

Q 第3問 次の〈資料〉に基づいて(A)～(D)の金額を算定するとともに，未成工事収支比率も算定し，解答用紙の所定の欄に記入しなさい。この会社の会計期間は1年である。なお，解答に際しての端数処理については，解答用紙の指定のとおりとする。

（20点）

〈標準時間〉
20分

〈資料〉

1．貸借対照表

貸借対照表 （単位：百万円）

（資産の部）		（負債の部）	
現金預金	×××	支払手形	×××
受取手形	33,750	工事未払金	47,000
完成工事未収入金	（A）	短期借入金	8,400
未成工事支出金	×××	未払法人税等	1,600
材料貯蔵品	50	未成工事受入金	×××
流動資産合計	×××	流動負債合計	×××
建物	22,250	長期借入金	×××
機械装置	8,100	固定負債合計	×××
工具器具備品	3,200	負債合計	×××
車両運搬具	×××	（純資産の部）	
建設仮勘定	×××	資本金	45,000
土地	12,000	資本剰余金	15,000
投資有価証券	19,750	利益剰余金	（B）
固定資産合計	81,050	純資産合計	×××
資産合計	×××	負債純資産合計	×××

2．損益計算書（一部抜粋）

損益計算書

（単位：百万円）

完成工事高	420,000
完成工事原価	（C）
完成工事総利益	×××
販売費及び一般管理費	30,268
営業利益	×××
営業外収益	
受取利息配当金	（D）
その他	700
営業外費用	
支払利息	1,900
その他	×××
経常利益	×××

3．関連データ（注1）

経営資本営業利益率	4.80％
流動比率（注2）	124.00％
固定長期適合比率（注3）	81.05％
経営資本回転期間	4.90月
有利子負債月商倍率	1.16月
棚卸資産回転率	25.00回
支払勘定回転率	6.00回
現金預金手持月数	0.50月
金利負担能力	4.60倍

（注1）算定にあたって期中平均値を使用することが望ましい比率についても，便宜上，期末残高の数値を用いて算定している。

（注2）流動比率の算定は，建設業特有の勘定科目の金額を控除する方法によっている。

（注3）固定長期適合比率の算定は，一般的な方法によっている。

期中平均値を使用することが望ましい比率についても，便宜上，期末残高の数値を用いること。

・各指標に判明している金額をあてはめ，逆算して不明部分を計算する。計算が可能だと思われるところから推定していく。必ずしもすべての×××を計算する必要はない。

・経営資本の金額さえ分かれば推定できるところは，それ以上の推定計算は不要。

第4問

次の〈資料〉に基づき，下記の設問に答えなさい。なお，解答に際しての端数処理については，解答用紙の指定のとおりとする。

〈標準時間〉15分

（15点）

〈資料〉

1．完成工事原価の内訳

材料費	？千円
労務費（すべて労務外注費）	？千円
外注費	？千円
経費	60,720千円
（うち人件費	35,000千円）

2．資産の内訳（期中平均）

流動資産	289,000千円
有形固定資産	122,000千円
（うち建設仮勘定	？千円）
無形固定資産	3,500千円
投資その他の資産	65,500千円

3．総職員数

期首　29人　　期末　？人

4．その他（注）

完成工事高総利益率　25.00%　　総資本回転率　1.15回

労働生産性　6,624千円　　設備投資効率　165.60%

（注）期中平均値を使用することが望ましい比率については，そのような処置をしている。

問1　付加価値率を計算しなさい。

問2　前期の付加価値が172,800千円であるときの付加価値増減率を計算しなさい。なお，当該比率がプラスの場合は「A」，マイナスの場合は「B」を解答用紙の所定の欄に記入しなさい。

問3　付加価値対固定資産比率を計算しなさい。

問4　資本集約度を計算しなさい。

問5　建設仮勘定の金額を計算しなさい。

有形固定資産の金額を用いる生産性分析では，未稼働のものは含まない。

問1　資料1で不明になっている項目は，すべて付加価値の計算で控除される金額であるため，内訳が分からなくても付加価値の計算上は問題ない。

問3　付加価値対固定資産比率とは資本生産性のこと。

Q 第5問

A建設株式会社の第32期（決算日：20×5年３月31日）及び第33期（決算日：20×6年３月31日）の財務諸表並びにその関連データは〈別添資料〉のとおりであった。次の設問に解答しなさい。

（30点）

〈標準時間〉25分

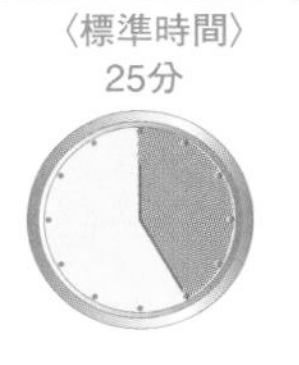

問１　第33期について，次の諸比率（A～J）を算定しなさい。期中平均値を使用することが望ましい数値については，そのような処置をすること。なお，解答に際しての端数処理については，解答用紙の指定のとおりとする。

A	完成工事高キャッシュ・フロー率	B	総資本事業利益率
C	立替工事高比率	D	受取勘定滞留月数
E	固定比率	F	配当性向
G	労働装備率	H	自己資本比率
I	借入金依存度	J	資本金経常利益率

問２　同社の財務諸表とその関連データを参照しながら，次に示す文中の［　］の中に入れるべき最も適当な用語・数値を下記の〈用語・数値群〉の中から選び，その記号（ア～ホ）で解答しなさい。なお，算定にあたって期中平均値を使用することが望ましい比率については，便宜上，第33期末残高の数値を用いて算定している。

企業の［1］分析とは，資本や資産等が一定期間にどの程度運動したかを示すものである。回転期間の分母に用いられるのは，［2］であるが，項目別に回転を測定する場合には必ずしも適当であるとはいえず，例えば，未成工事支出金の回転率や回転期間をとらえるためには，［3］と比較するべきである。なお，経営事項審査の経営状況の審査内容で用いられているのが，［4］回転期間であり，この数値は［5］ほど好ましいといえる。

また，企業の仕入，販売，代金回収活動に関する回転期間を総合的に判断する指標が，［6］である。この指標は，［7］回転日数と［8］回転日数を足し，［9］回転日数を引くことで求められる。そして，この数値は［5］方が望ましいといえる。第33期における［7］回転日数と［8］回転日数の合計は［10］日（小数点未満を切り捨て）である。

〈用語・数値群〉

ア　負債	イ　健全性	ウ　仕入債務	エ　小さい
オ　キャッシュ・コンバージョン・サイクル		カ　活動性	キ　未収施工高
ク　完成工事高	コ　売上債権	サ　ＲＯＩ	シ　完成工事原価
ス　大きい	セ　総資本	ソ　安全性	タ　固定資産
チ　ＣＶＰ	ト　純資産	ナ　未成工事受入金	ニ　棚卸資産
ネ　200	ノ　202	ハ　207	フ　216
ヘ　225	ホ　227		

数値の算定にあたり，平均するものは期中平均値を使う。
端数処理　解答用紙の指示に従う。

問１
G　労働装備率の計算では，未稼働の固定資産は含めない。
H　自己資本＝純資産合計。

問２
［3］　未成工事支出金がいずれ振り替えられる科目と対比すべきと考える。

［4］　負債抵抗力を測る指標が該当する。

［10］　回転期間を日数で表現する回転日数を計算する場合，完成工事高を365で割った１日当たりの完成工事高を計算に用いる。

第５問〈別添資料〉

Ａ建設株式会社の第32期及び第33期の財務諸表並びにその関連データ

貸借対照表

（単位：千円）

	第32期 20×5年３月31日現在	第33期 20×6年３月31日現在
(資産の部)		
Ⅰ　流　動　資　産		
現　金　預　金	556,100	399,900
受　取　手　形	62,400	57,900
完成工事未収入金	2,271,100	2,492,200
有　価　証　券	1,000	1,200
未成工事支出金	88,100	109,400
材　料　貯　蔵　品	25,600	20,200
その他流動資産	260,100	213,000
貸　倒　引　当　金	△ 3,700	△ 3,500
［流動資産合計］	3,260,700	3,290,300
Ⅱ　固　定　資　産		
１．有形固定資産		
建　　　　物	129,400	125,200
構　　築　　物	19,300	19,400
機　械　装　置	21,900	19,600
車　両　運　搬　具	5,800	5,900
工具器具備品	1,500	1,600
土　　　　地	315,900	315,900
建　設　仮　勘　定	116,500	158,600
有形固定資産合計	610,300	646,200
２．無形固定資産		
の　　れ　　ん	10,000	10,000
その他無形資産	4,900	3,800
無形固定資産合計	14,900	13,800
３．投資その他の資産		
投資有価証券	188,500	169,900
関係会社株式	47,700	81,300
長　期　貸　付　金	188,500	211,500
長期前払費用	500	800
繰延税金資産	28,100	36,300
その他投資資産	26,100	10,300
貸　倒　引　当　金	△ 32,400	△ 34,900
投資その他の資産合計	447,000	475,200
［固定資産合計］	1,072,200	1,135,200
資産合計	4,332,900	4,425,500

	第32期 20×5年３月31日現在	第33期 20×6年３月31日現在
(負債の部)		
Ⅰ　流　動　負　債		
支　払　手　形	43,200	39,800
工　事　未　払　金	1,169,800	1,142,900
短　期　借　入　金	271,900	274,600
未　　払　　金	50,600	39,100
未払法人税等	45,800	26,400
未成工事受入金	233,200	290,100
預　　り　　金	559,300	502,100
完成工事補償引当金	9,700	7,800
工事損失引当金	11,100	35,900
その他流動負債	124,300	132,100
［流動負債合計］	2,518,900	2,490,800
Ⅱ　固　定　負　債		
社　　　　債	200,000	300,000
長　期　借　入　金	197,900	183,800
退職給付引当金	4,700	3,400
その他固定負債	141,000	182,000
［固定負債合計］	543,600	669,200
負債合計	3,062,500	3,160,000
(純資産の部)		
Ⅰ　株　主　資　本		
１．資本金	304,500	304,500
２．資本剰余金		
資　本　準　備　金	183,900	183,900
資本剰余金合計	183,900	183,900
３．利益剰余金		
別　途　積　立　金	500,000	600,000
その他利益剰余金	224,700	132,900
利益剰余金合計	724,700	732,900
４．自己株式	△ 5,900	△ 5,600
［株主資本合計］	1,207,200	1,215,700
Ⅱ　評価・換算差額等		
その他有価証券評価差額金	63,200	49,800
［評価・換算差額等合計］	63,200	49,800
純資産合計	1,270,400	1,265,500
負債純資産合計	4,332,900	4,425,500

〔付記事項〕

1. 流動資産中の貸倒引当金は，受取手形と完成工事未収入金に対して設定されたものである。
2. その他流動資産は営業活動に伴うものであるが，当座の支払能力を有するものではない。
3. 投資その他の資産は，すべて営業活動には直接関係していない資産である。
4. 引当金及び有利子負債に該当する項目は，貸借対照表に明記したもの以外にはない。
5. 第33期において繰越利益剰余金を原資として実施した配当の額は28,000千円である。

損益計算書

（単位：千円）

	第32期 自 20×4年4月1日 至 20×5年3月31日		第33期 自 20×5年4月1日 至 20×6年3月31日	
Ⅰ 完成工事高		4,451,400		4,289,900
Ⅱ 完成工事原価		4,003,800		3,963,600
完成工事総利益		447,600		326,300
Ⅲ 販売費及び一般管理費		177,600		193,100
営業利益		270,000		133,200
Ⅳ 営業外収益				
受取利息	3,300		1,900	
受取配当金	4,900		4,600	
その他営業外収益	6,100	14,300	4,400	10,900
Ⅴ 営業外費用				
支払利息	5,900		5,800	
社債利息	900		700	
為替差損	200		1,500	
その他営業外費用	2,100	9,100	3,200	11,200
経常利益		275,200		132,900
Ⅵ 特別利益		1,200		8,600
Ⅶ 特別損失		5,000		4,500
税引前当期純利益		271,400		137,000
法人税，住民税及び事業税	63,900		47,200	
法人税等調整額	17,800	81,700	△ 2,500	44,700
当期純利益		189,700		92,300

〔付記事項〕
1. 第33期における有形固定資産の減価償却費及び無形固定資産の償却費の合計額は6,800千円である。
2. その他営業外費用には，他人資本に付される利息は含まれていない。

キャッシュ・フロー計算書（要約）

（単位：千円）

	第32期 自 20×4年4月1日 至 20×5年3月31日	第33期 自 20×5年4月1日 至 20×6年3月31日
Ⅰ 営業活動によるキャッシュ・フロー	306,900	△ 76,900
Ⅱ 投資活動によるキャッシュ・フロー	△ 128,000	△ 118,200
Ⅲ 財務活動によるキャッシュ・フロー	△ 31,100	38,900
Ⅳ 現金及び現金同等物の増加・減少額	147,800	△ 156,200
Ⅴ 現金及び現金同等物の期首残高	408,300	556,100
Ⅵ 現金及び現金同等物の期末残高	556,100	399,900

完成工事原価報告書

（単位：千円）

	第32期 自 20×4年4月1日 至 20×5年3月31日		第33期 自 20×5年4月1日 至 20×6年3月31日	
Ⅰ 材料費		640,600		604,300
Ⅱ 労務費		396,400		391,500
（うち労務外注費）	(396,400)		(391,500)	
Ⅲ 外注費		2,506,600		2,457,900
Ⅳ 経費		460,200		509,900
完成工事原価		4,003,800		3,963,600

各期末時点の総職員数

	第32期	第33期
総職員数	26人	24人

建設業経理士　1級　財務分析　最新問題（第34回）

Q 第1問

流動性分析に関する次の問に解答しなさい。各問ともに指定した字数以内で記入すること。

（20点）

〈標準時間〉
20分

問１　流動比率の分析における２対１の原則について説明しなさい。（250字）
問２　棚卸資産滞留月数について説明しなさい。（250字）

問１　流動資産は帳簿価額のとおりに換金できるとは限らないので，流動負債の金額よりも十分に多く，具体的には２倍以上が望ましいとされている。

問２　建設業における棚卸資産の大部分は未成工事支出金だが，この金額は受注内容によって大きく異なる。

Q 第2問

財務分析に関する以下の各記述（１～５）のうち，正しいものには「Ｔ」，誤っているものには「Ｆ」を解答用紙の所定の欄に記入しなさい。

（15点）

〈標準時間〉
10分

1．建設業の貸借対照表に関する財務構造の特徴は，製造業と比べると，①固定資産の構成比が相対的に低い，②固定負債の構成比が相対的に低い，③資本・純資産の構成比が相対的に高い，という点が挙げられる。

2．キャッシュ・フロー計算書の構成比率分析とは，全体に対する部分の割合をあらわす比率に基づいてキャッシュ・フローの状況を分析する方法である。ただし，これは営業収入を100％とする直接法によるキャッシュ・フロー計算書を前提としている。

3．運転資本保有月数とは，正味の運転資本が企業の収益と対比してどの程度のものかを示す指標であり，保有月数が多いほど支払能力があり財務健全性は良好であることを意味する。なお，運転資本とは，流動資産から流動負債を控除した金額を意味する。

4．総合評価の一つの手法としてレーダー・チャート法があるが，これは円形の図形の中に選択された適切な分析指標を記入し，平均値との乖離具合を凹凸の状況によってビジュアルに認識しようとするものである。ただし，比較対象となる平均値の選択次第で分析の評価内容は異なることに注意しなければならない。

5．固定費と変動費に分解する方法には，勘定科目精査法，高低２点法，スキャッターグラフ法（散布図表法）などがある。ただし，建設業における慣行的な区分は，固定費を販売費及び一般管理費とし，変動費を工事原価すべてと支払利息としている。

2．キャッシュ・フローの構造を分析する際は，本業により得られる収入を基準とする。

3．運転資本は生産・販売などの経営活動を円滑に行うために必要とされる資金であるため，多い方が望ましい。

4．レーダー・チャート法で作成される図の凹凸は，評価に用いる指標や比較対象によって大きく変わることがある。

次の〈資料〉に基づいて(A)～(D)の金額を算定するとともに，流動比率（建設業特有の勘定科目を控除する方法）も算定し，解答用紙の所定の欄に記入しなさい。この会社の会計期間は１年である。なお，解答に際しての端数処理については，解答用紙の指定のとおりとする。

（20点）

〈標準時間〉
20分

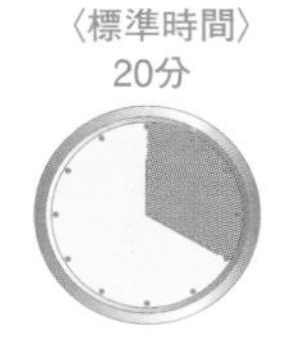

〈資料〉

1．貸借対照表

貸借対照表　（単位：百万円）

（資産の部）		（負債の部）	
現金預金	39,000	支払手形	×××
受取手形	（Ａ）	工事未払金	103,700
完成工事未収入金	98,500	短期借入金	23,000
未成工事支出金	×××	未払法人税等	×××
材料貯蔵品	200	未成工事受入金	（Ｃ）
流動資産合計	×××	流動負債合計	×××
建物	64,000	長期借入金	×××
機械装置	×××	固定負債合計	×××
工具器具備品	6,400	負債合計	244,000
車両運搬具	×××	（純資産の部）	
土地	24,200	資本金	61,000
建設仮勘定	14,700	資本剰余金	61,000
投資有価証券	（Ｂ）	利益剰余金	×××
固定資産合計	163,800	純資産合計	×××
資産合計	×××	負債純資産合計	×××

2．損益計算書（一部抜粋）

損益計算書

（単位：百万円）

完成工事高	×××
完成工事原価	×××
完成工事総利益	×××
販売費及び一般管理費	（Ｄ）
営業利益	×××
営業外収益	
受取利息配当金	1,740
その他	×××
営業外費用	
支払利息	1,780
その他	×××
経常利益	×××

3．関連データ（注１）

総資本経常利益率	4.20％
経営資本営業利益率	4.40％
完成工事高経常利益率	2.00％
完成工事原価率	85.50％
当座比率（注２）	125.00％
固定比率	105.00％
受取勘定滞留月数	2.30月
借入金依存度	23.50％
金利負担能力	10.00倍

（注１）算定にあたって期中平均値を使用することが望ましい比率についても，便宜上，期末残高の数値を用いて算定している。

（注２）当座比率の算定は，建設業特有の勘定科目の金額を控除する方法によっている。

期中平均値を使用することが望ましい比率についても，便宜上，期末残高の数値を用いること。

・各指標に判明している金額をあてはめ，逆算して不明部分を計算する。計算が可能だと思われるところから推定していく。必ずしもすべての×××を計算する必要はない。

・経営資本の金額さえ分かれば推定できるところは，それ以上の推定計算は不要。

次の〈資料〉に基づき，下記の設問に答えなさい。なお，解答に際しての端数処理については，解答用紙の指定のとおりとする。

〈標準時間〉15分

（15点）

〈資料〉

第５期	完成工事高	80,000千円	
	安全余裕率	4.50％	（分子に安全余裕額を用いる）
	固定費	24,448千円	
	負債合計金額	39,360千円	
	自己資本比率	38.50％	
	変動的資本は総資本の70.00％とする		

問１　損益分岐点の完成工事高を求めなさい。

問２　資本回収点の完成工事高を求めなさい。

問３　第５期の変動費を求めなさい。

問４　第６期の目標利益を2,200千円としたときの完成工事高を求めなさい。なお，変動費率と固定費は第５期と同じとする。

問５　第７期には経営能力拡大のため，880千円の固定費の増加が見込まれている。第７期の完成工事高営業利益率５％として，これを達成するための完成工事高を求めなさい。なお，変動費率は第５期と同じとする。

安全余裕率には２つの計算方法があるので，どちらの計算方法か問題文の指示に従う。

問１　分子に安全余裕の額を用いる安全余裕率と損益分岐点比率は，合計すると必ず100％になるという性質から推定することもできる。

問２　資本回収点とは完成工事高と総資本の額が一致する点である。
総資本＝変動的資本＋固定的資本

問３　損益分岐点完成工事高のときに変動費と固定費の合計額が等しくなるため，そこから変動費率を推定できる。

A建設株式会社の第33期（決算日：20×5年３月31日）及び第34期（決算日：20×6年３月31日）の財務諸表並びにその関連データは〈別添資料〉のとおりであった。次の設問に解答しなさい。

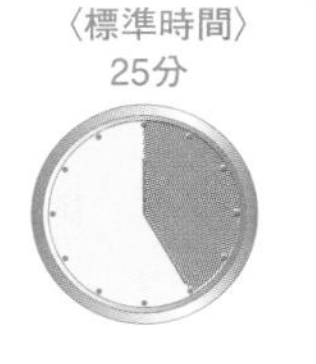

（30点）

問１　第34期について，次の諸比率（Ａ～Ｊ）を算定しなさい。期中平均値を使用することが望ましい数値については，そのような処置をすること。ただし，Ｊの流動負債比率は，建設業特有の勘定科目の金額を控除する方法により算定すること。また，Ｆの営業利益増減率については，プラスの場合は「Ａ」，マイナスの場合は「Ｂ」を解答用紙の所定の欄に記入し，数値欄にその符号は付けないこと。なお，解答に際しての端数処理については，解答用紙の指定のとおりとする。

Ａ　立替工事高比率
Ｂ　固定長期適合比率
Ｃ　棚卸資産回転率
Ｄ　付加価値率
Ｅ　自己資本事業利益率
Ｆ　営業利益増減率
Ｇ　完成工事高キャッシュ・フロー率
Ｈ　配当性向
Ｉ　未成工事収支比率
Ｊ　流動負債比率

問２　同社の財務諸表とその関連データを参照しながら，次に示す文中の□に入れるべき最も適当な用語・数値を下記の〈用語・数値群〉の中から選び，その記号（ア～ム）で解答しなさい。期中平均値を使用することが望ましい数値については，そのような処置をし，小数点第３位を四捨五入している。

(1)　生産性分析の基本指標は，付加価値労働生産性の測定であるが，この労働生産性はいくつかの要因に分解して分析することができる。一つは，一人当たり［1］×付加価値率に分解され，二つめは，［2］×総資本投資効率であり，［2］は一人当たり総資本を示すものである。三つめは［3］×［4］である。［3］は，従業員一人当たりの生産設備への投資額を示しており，工事現場の機械化の水準を示している。第34期における［2］は［5］千円（千円未満切り捨て）であり，［4］は［6］％である。

(2)　経営事項審査において，経営状況（Ｙ）には具体的な審査内容は８つあるが，その中で数値が低いほど好ましい指標は［7］と［8］である。第34期における［7］は［9］％であり，［8］は［10］月である。

〈用語・数値群〉

ア　純支払利息比率	イ　完成工事原価	ウ　設備投資効率	エ　負債回転期間
オ　付加価値	カ　自己資本比率	キ　有形固定資産回転率	ク　資本集約度
コ　労働装備率	サ　付加価値対固定資産比率	シ　完成工事高	ス　自己資本対固定資産比率
セ　固定負債比率	ソ　支払勘定回転率	タ　0.03	チ　0.04
ト　0.11	ナ　7.83	ニ　8.01	ネ　8.36
ノ　156.56	ハ　184.33	フ　187.62	ヘ　76,900
ホ　77,485	ム　79,985		

数値の算定にあたり，平均するものは期中平均値を使う。
端数処理　解答用紙の指示に従う。

問１
Ｃ　棚卸資産滞留月数は流動性分析，棚卸資産回転率は活動性分析の比率

Ｅ　事業利益＝経常利益＋支払利息（社債利息などを含む）

問２
［2］「一人当たり総資本」を示すものという部分から，分解を推定する。

［3］生産設備への投資額とは，稼働中の有形固定資産の額を意味する。

［4］本文最後の計算から，単位が「％」になるものを解答する。

［7］・［8］小さい方が好ましい値が分子に当てはまる比率を考える。

第５問〈別添資料〉

Ａ建設株式会社の第33期及び第34期の財務諸表並びにその関連データ

貸借対照表

（単位：千円）

	第33期 20×5年３月31日現在	第34期 20×6年３月31日現在
（資産の部）		
Ⅰ　流動資産		
現金預金	448,400	504,900
受取手形	536,800	528,400
完成工事未収入金	2,103,000	2,246,700
有価証券	18,000	14,000
未成工事支出金	148,900	153,900
材料貯蔵品	14,300	12,900
その他流動資産	106,570	209,560
貸倒引当金	△ 3,450	△ 3,100
［流動資産合計］	3,372,520	3,667,260
Ⅱ　固定資産		
１．有形固定資産		
建物	269,400	308,900
構築物	52,700	41,600
機械装置	32,800	31,700
車両運搬具	16,890	16,980
工具器具備品	8,560	8,430
土地	335,100	333,900
建設仮勘定	133,400	155,700
有形固定資産合計	848,850	897,210
２．無形固定資産		
のれん	32,500	30,800
その他無形資産	5,100	5,800
無形固定資産合計	37,600	36,600
３．投資その他の資産		
投資有価証券	170,200	178,400
関係会社株式	40,400	45,800
繰延税金資産	42,500	57,900
長期前払費用	12,400	12,800
退職給付に係る資産	34,700	41,600
その他投資資産	52,300	60,100
貸倒引当金	△ 34,900	△ 38,600
投資その他の資産合計	317,600	358,000
［固定資産合計］	1,204,050	1,291,810
資産合計	4,576,570	4,959,070

	第33期 20×5年３月31日現在	第34期 20×6年３月31日現在
（負債の部）		
Ⅰ　流動負債		
支払手形	196,000	187,900
工事未払金	1,002,300	1,104,800
短期借入金	291,000	324,300
未払金	102,400	163,200
未払法人税等	28,300	15,500
未成工事受入金	309,000	507,500
預り金	387,300	512,000
完成工事補償引当金	7,900	9,100
工事損失引当金	38,700	111,000
その他流動負債	105,500	85,600
［流動負債合計］	2,468,400	3,020,900
Ⅱ　固定負債		
社債	300,000	200,000
長期借入金	234,500	212,700
退職給付引当金	22,300	20,400
その他固定負債	32,400	43,100
［固定負債合計］	589,200	476,200
負債合計	3,057,600	3,497,100
（純資産の部）		
Ⅰ　株主資本		
１．資本金	305,000	305,000
２．資本剰余金		
資本準備金	183,900	183,900
資本剰余金合計	183,900	183,900
３．利益剰余金		
利益準備金	23,200	23,200
その他利益剰余金	987,070	924,670
利益剰余金合計	1,010,270	947,870
４．自己株式	△ 12,500	△ 12,900
［株主資本合計］	1,486,670	1,423,870
Ⅱ　評価・換算差額等		
その他有価証券評価差額金	32,300	38,100
［評価・換算差額等合計］	32,300	38,100
純資産合計	1,518,970	1,461,970
負債純資産合計	4,576,570	4,959,070

〔付記事項〕

１．流動資産中の貸倒引当金は，受取手形と完成工事未収入金に対して設定されたものである。
２．その他流動資産は営業活動に伴うものであるが，当座の支払能力を有するものではない。
３．投資その他の資産は，すべて営業活動には直接関係していない資産である。
４．引当金及び有利子負債に該当する項目は，貸借対照表に明記したもの以外にはない。
５．第34期において繰越利益剰余金を原資として実施した配当の額は1,700千円である。

損益計算書

（単位：千円）

	第33期 自 20×4年4月1日 至 20×5年3月31日		第34期 自 20×5年4月1日 至 20×6年3月31日	
Ⅰ 完成工事高		4,582,300		5,022,100
Ⅱ 完成工事原価		4,209,900		4,757,800
完成工事総利益		372,400		264,300
Ⅲ 販売費及び一般管理費		212,900		223,000
営業利益		159,500		41,300
Ⅳ 営業外収益				
受取利息	380		3,830	
受取配当金	3,520		4,090	
その他営業外収益	5,530	9,430	3,310	11,230
Ⅴ 営業外費用				
支払利息	6,360		9,530	
社債利息	690		530	
為替差損	120		22,390	
その他営業外費用	5,880	13,050	6,350	38,800
経常利益		155,880		13,730
Ⅵ 特別利益		8,780		3,730
Ⅶ 特別損失		4,630		1,180
税引前当期純利益		160,030		16,280
法人税，住民税及び事業税	56,200		34,770	
法人税等調整額	△ 2,670	53,530	△ 24,100	10,670
当期純利益		106,500		5,610

〔付記事項〕
1．第34期における有形固定資産の減価償却費及び無形固定資産の償却費の合計額は6,580千円である。
2．その他営業外費用には，他人資本に付される利息は含まれていない。

キャッシュ・フロー計算書（要約）

（単位：千円）

	第33期 自 20×4年4月1日 至 20×5年3月31日	第34期 自 20×5年4月1日 至 20×6年3月31日
Ⅰ 営業活動によるキャッシュ・フロー	△ 76,800	196,900
Ⅱ 投資活動によるキャッシュ・フロー	△ 11,800	△ 11,700
Ⅲ 財務活動によるキャッシュ・フロー	13,600	△ 128,700
Ⅳ 現金及び現金同等物の増加・減少額	△ 75,000	56,500
Ⅴ 現金及び現金同等物の期首残高	523,400	448,400
Ⅵ 現金及び現金同等物の期末残高	448,400	504,900

完成工事原価報告書

（単位：千円）

	第33期 自 20×4年4月1日 至 20×5年3月31日		第34期 自 20×5年4月1日 至 20×6年3月31日	
Ⅰ 材料費		644,100		808,900
Ⅱ 労務費		36,200		39,300
（うち労務外注費）	(36,200)		(39,300)	
Ⅲ 外注費		2,610,100		2,807,100
Ⅳ 経費		919,500		1,102,500
完成工事原価		4,209,900		4,757,800

各期末時点の総職員数

	第33期	第34期
総職員数	60人	64人

建設業経理士　1級　財務分析　最新問題（第35回）

Q 第1問

収益性分析に関する次の問に解答しなさい。各問ともに指定した字数以内で記入すること。

（20点）

〈標準時間〉20分

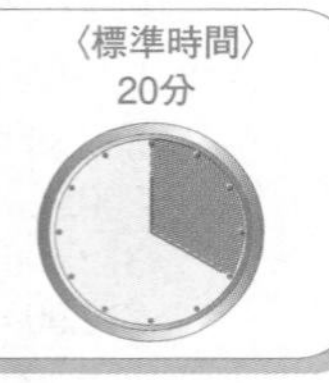

問１　資本利益率の意義について説明しなさい。（300字）
問２　収益性分析における指標の限界について説明しなさい。（200字）

ヒント

問１　資本利益率は資本に対する利益の割合を示すもの。ただし，様々な資本と利益の概念が考えられる。

問２　財務分析は単に指標（比率）を計算すればよいというものではなく，適切な指標を選んで計算し，その結果と基準となる数値を比較して良し悪しを判断する必要がある。

Q 第2問

次の文中の［　　］に入る最も適当な用語を下記の〈用語群〉の中から選び，その記号（ア～ヘ）を解答用紙の所定の欄に記入しなさい。

（15点）

〈標準時間〉10分

建設業における企業経営の総合評価の一つである経営事項審査は，度重なる改正がおこなわれているが，その審査項目の４つの枠組みは維持されている。その４つとは，経営規模（X１・X２）・［ 1 ］（Y）・技術力（Z）・［ 2 ］等（W）である。
X２には２つの審査内容があり，［ 3 ］と［ 4 ］がある。経営事項審査では，前者の［ 3 ］には［ 5 ］を用いる。一方，後者の［ 4 ］は，一般的には「［ 6 ］＋支払利息＋減価償却費」の算式で求められるが，経営事項審査では「［ 7 ］＋減価償却実施額」として算出し，その［ 8 ］が用いられる。
また，［ 1 ］では８つの審査項目がある。この中で数値が高いほど好ましい項目で，［ 8 ］により審査されるものは［ 9 ］と［ 10 ］である。固定比率の逆数をとった指標が［ 11 ］であるが，連結財務諸表により審査を受ける企業は，分子の［ 3 ］は［ 5 ］から［ 12 ］を控除した数値を使用する。

〈用語群〉

ア 経営成績	イ 自己資本回転率	ウ 純支払利息比率	エ 営業利益
オ 純資産	カ 社会性	キ 直近の決算数値	ク 利払前税引前償却前利益
コ 営業キャッシュ・フロー	サ 株主資本	シ 税引前当期純利益	ス 公共性
セ 固定長期適合比率	ソ 自己資本	タ 経営状況	チ 固定負債比率
ト 税引後当期純利益	ナ 非支配株主持分	ニ 経常利益	ネ 直近２期の平均値
ノ 評価・換算差額等	ハ 自己資本対固定資産比率	フ 利益剰余金	ヘ 総資本売上総利益率

ヒント

空欄に入る用語を説明している文章や前後の文章から関連する用語を考えてみる。

２．W評点は法令遵守などを含む社会的貢献度を評価するものである。

11．逆数とは分母と分子を入れ替えた数のこと。

12．連結財務諸表特有の項目を用語群から探す。

Q 第3問

次の〈資料〉に基づいて(A)〜(D)の金額を算定するとともに，受取勘定滞留月数も算定し，解答用紙の所定の欄に記入しなさい。この会社の会計期間は1年である。なお，解答に際しての端数処理については，解答用紙の指定のとおりとする。

（20点）

〈標準時間〉20分

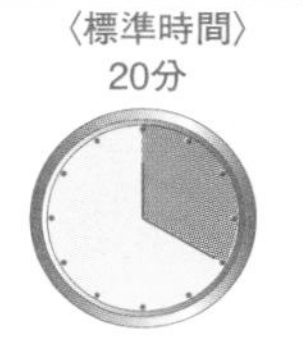

期中平均値を使用することが望ましい比率についても，便宜上，期末残高の数値を用いること。

ヒント

・各指標に判明している金額をあてはめ，逆算して不明部分を計算する。計算が可能だと思われるところから推定していく。必ずしもすべての×××を計算する必要はない。

〈資料〉

1．貸借対照表

貸借対照表　（単位：百万円）

（資産の部）		（負債の部）	
現金預金	×××	支払手形	5,450
受取手形	7,300	工事未払金	×××
完成工事未収入金	×××	短期借入金	（B）
未成工事支出金	（A）	未払法人税等	1,690
材料貯蔵品	650	未成工事受入金	18,000
流動資産合計	×××	流動負債合計	×××
建物	17,730	社債	13,000
機械装置	7,200	長期借入金	×××
工具器具備品	2,300	固定負債合計	×××
車両運搬具	×××	負債合計	×××
建設仮勘定	×××	（純資産の部）	
土地	25,000	資本金	×××
のれん	×××	資本剰余金	×××
投資有価証券	×××	利益剰余金	9,500
固定資産合計	71,250	純資産合計	60,000
資産合計	×××	負債純資産合計	×××

2．損益計算書（一部抜粋）

損益計算書

（単位：百万円）

完成工事高	×××
完成工事原価	（C）
完成工事総利益	×××
販売費及び一般管理費	23,400
営業利益	×××
営業外収益	
受取利息配当金	580
その他	240
営業外費用	
支払利息	800
その他	（D）
経常利益	×××

3．関連データ（注1）

総資本経常利益率	4.32%
流動比率（注2）	145.00%
現金預金手持月数	1.45月
金利負担能力	8.90倍
自己資本比率	40.00%
有利子負債月商倍率	3.10倍
完成工事高経常利益率	4.50%
固定長期適合比率（注3）	75.00%

（注1）算定にあたって期中平均値を使用することが望ましい比率についても，便宜上，期末残高の数値を用いて算定している。

（注2）流動比率の算定は，建設業特有の勘定科目の金額を控除する方法によっている。

（注3）固定長期適合比率の算定は，一般的な方法によっている。

Q 第4問

次の〈資料〉に基づき，下記の設問に答えなさい。ただし，解答に際しての端数処理については，解答用紙の指定のとおりとする。

〈標準時間〉15分

（15点）

〈資料〉

1．完成工事高　？千円

2．完成工事原価の内訳

材料費	419,000千円	
労務費	85,000千円	（うち労務外注費：81,600千円）
外注費	1,409,400千円	
経費	337,200千円	（うち人件費：112,000千円）

3．販売費及び一般管理費　111,000千円

4．営業外収益・営業外費用（下記のみ）

支払利息　？千円

5．資産の内訳（期中平均）

流動資産	1,523,000千円
有形固定資産	？千円
（うち建設仮勘定	12,000千円）
無形固定資産	24,000千円
投資その他の資産	167,000千円

6．完成工事高営業利益率　4.0％

7．従業員数

期首	技術系職員	31人	期末	技術系職員	33人
	事務系職員	12人		事務系職員	12人

8．その他

総資本回転率　1.20回

問1　付加価値の金額を計算しなさい。

問2　労働生産性を計算しなさい。

問3　設備投資効率を計算しなさい。

問4　資本生産性（付加価値対固定資産比率）を計算しなさい。

問5　建設業における慣行的な固定費・変動費区分に基づいて，経常利益段階での損益分岐点比率が60.0％となる支払利息を計算しなさい。

有形固定資産の金額を用いる生産性分析は，未稼働のものは含まない。

問1　完成工事高に対する営業利益率が4.0％ということは，完成工事高に対する完成工事原価と販売費及び一般管理費の合計は何％？

問2　総資本回転率と完成工事高から，総資本（資産合計）の額を求めることができる。

問5　建設業における慣行的な固定費・変動費の区分に従った経常利益段階の損益分岐点比率は，「固定費÷限界利益」で計算することもできる。

Ａ建設株式会社の第34期（決算日：20×5年３月31日）及び第35期（決算日：20×6年３月31日）の財務諸表並びにその関連データは〈別添資料〉のとおりであった。次の設問に解答しなさい。

（30点）

問１　第35期について，次の諸比率（Ａ～Ｊ）を算定しなさい。期中平均値を使用することが望ましい数値については，そのような処置をすること。ただし，Ｂの当座比率は，建設業特有の勘定科目の金額を控除する方法により算定すること。また，Ｇの付加価値増減率については，プラスの場合は「Ａ」，マイナスの場合は「Ｂ」を解答用紙の所定の欄に記入し，数値欄に符号は付けないこと。Ｊのキャッシュ・コンバージョン・サイクルは，各計算過程において求められる数値の小数点第３位を四捨五入し第２位まで求め，その合計を解答すること。なお，解答に際しての端数処理については，解答用紙の指定のとおりとする。

Ａ	経営資本営業利益率	Ｂ	当座比率
Ｃ	借入金依存度	Ｄ	支払勘定回転率
Ｅ	労働装備率	Ｆ	運転資本保有月数
Ｇ	付加価値増減率	Ｈ	配当率
Ｉ	棚卸資産滞留月数	Ｊ	キャッシュ・コンバージョン・サイクル

問２　同社の財務諸表とその関連データを参照しながら，次に示す文中の［　　］に入れるべき最も適当な用語・数値を下記の〈用語・数値群〉の中から選び，その記号（ア～ハ）で解答しなさい。期中平均値を使用することが望ましい数値については，そのような処置をし，小数点第３位を四捨五入している。

安全性分析のひとつである［ 1 ］分析は，貸借対照表や損益計算書だけでは分析できず，黒字倒産などの倒産可能性を把握するためにも重要な分析と位置付けられている。今日においては，キャッシュ・フロー計算書で資金の増減が示されており，そこでの資金概念は，［ 2 ］を意味している。キャッシュ・フローに関する分析指標はそれほど多くなく，建設業経理士検定試験で出題される財務分析主要比率表では，［ 3 ］比率の［ 4 ］と収益性比率である［ 5 ］の２つがある。第35期における［ 5 ］は［ 6 ］％である。

一方，過去における上場企業や非上場企業では，資金計算書，連続した２期間の貸借対照表を比較することで各項目の増減を算定して資金の源泉と運用とに区分整理した［ 7 ］や資金調達とその運用の動きを知るために［ 8 ］などが作成されている。この場合には，営業キャッシュ・フローの代用として，「［ 9 ］＋減価償却実施額－法人税等＋貸倒引当金増加額－売掛債権増加額＋仕入債務増加額－棚卸資産増加額＋［ 10 ］増加額」が用いられる。

〈用語・数値群〉

ア　正味運転資本	イ　現金預金	ウ　経常利益	エ　流動性
オ　営業利益	カ　健全性	キ　資金運用表	ク　現金及び現金同等物
コ　未成工事支出金	サ　営業キャッシュ・フロー対流動負債比率		シ　資金変動性
ス　総資本営業キャッシュ・フロー率		セ　税引前当期純利益	ソ　未成工事受入金
タ　剰余金の配当の額	チ　資金繰表	ト　建設仮勘定	ナ　完成工事高キャッシュ・フロー率
ニ　1.30	ネ　1.93	ノ　2.42	ハ　3.05

数値の算定にあたり，平均するものは期中平均値を使う。
端数処理　解答用紙の指示に従う。

ヒント

問１
Ｅ　労働装備率の計算では，未稼働の固定資産は含めない。

Ｈ　配当性向と混同しないように注意。

Ｊ　キャッシュ・コンバージョン・サイクルは「棚卸資産回転期間＋受取勘定回転期間－支払勘定回転期間」で計算される。日数による解答が求められているので，完成工事高は365で割った１日当たりの金額を使って計算する。

問２
1　文章中に登場する「キャッシュ」や「資金」といった語から，どのような分析をテーマにしたものかを推測する。

2　「キャッシュ・フロー計算書」の「キャッシュ」が指すものを考える。

3　キャッシュ・フローは特に短期的な債務の支払能力を判断するのに有用。

10　利益の計算では考慮されていないが，増減することでキャッシュ・フローが生じる項目を用語群から探す。

第５問〈別添資料〉

Ａ建設株式会社の第34期及び第35期の財務諸表並びにその関連データ

貸借対照表

（単位：千円）

	第34期 20×5年３月31日現在	第35期 20×6年３月31日現在
(資産の部)		
Ⅰ 流動資産		
現金預金	320,300	282,900
受取手形	25,400	3,400
完成工事未収入金	1,087,000	1,264,600
有価証券	4,300	3,100
未成工事支出金	35,900	13,200
材料貯蔵品	3,900	3,600
その他流動資産	143,500	182,400
貸倒引当金	△ 70	△ 90
［流動資産合計］	1,620,230	1,753,110
Ⅱ 固定資産		
１．有形固定資産		
建物	123,600	137,800
構築物	33,100	29,400
機械装置	145,800	156,400
車両運搬具	37,800	38,400
工具器具備品	23,500	24,300
土地	191,300	187,700
リース資産	23,400	22,700
建設仮勘定	60,200	66,800
有形固定資産合計	638,700	663,500
２．無形固定資産		
のれん	2,400	2,400
その他無形資産	1,900	2,100
無形固定資産合計	4,300	4,500
３．投資その他の資産		
投資有価証券	106,100	104,600
関係会社株式	3,200	3,200
繰延税金資産	29,900	20,100
長期前払費用	1,400	1,500
退職給付に係る資産	12,400	14,100
その他投資資産	35,900	36,700
貸倒引当金	△ 5,400	△ 5,300
投資その他の資産合計	183,500	174,900
［固定資産合計］	826,500	842,900
資産合計	2,446,730	2,596,010

	第34期 20×5年３月31日現在	第35期 20×6年３月31日現在
(負債の部)		
Ⅰ 流動負債		
支払手形	23,100	25,100
工事未払金	323,400	347,400
短期借入金	188,800	307,100
未払金	3,200	3,400
未払法人税等	17,300	16,200
未成工事受入金	157,900	106,600
預り金	182,600	209,200
完成工事補償引当金	8,600	8,900
工事損失引当金	18,100	13,200
その他流動負債	154,500	185,400
［流動負債合計］	1,077,500	1,222,500
Ⅱ 固定負債		
社債	10,000	10,000
長期借入金	109,400	103,400
退職給付引当金	13,400	6,100
その他固定負債	51,600	33,700
［固定負債合計］	184,400	153,200
負債合計	1,261,900	1,375,700
(純資産の部)		
Ⅰ 株主資本		
１．資本金	189,800	189,800
２．資本剰余金		
資本準備金	190,400	189,700
資本剰余金合計	190,400	189,700
３．利益剰余金		
利益準備金	14,800	14,800
その他利益剰余金	782,730	827,810
利益剰余金合計	797,530	842,610
４．自己株式	△ 15,300	△ 22,300
［株主資本合計］	1,162,430	1,199,810
Ⅱ 評価・換算差額等		
その他有価証券評価差額金	22,400	20,500
［評価・換算差額等合計］	22,400	20,500
純資産合計	1,184,830	1,220,310
負債純資産合計	2,446,730	2,596,010

〔付記事項〕

1．流動資産中の貸倒引当金は，受取手形と完成工事未収入金に対して設定されたものである。
2．その他流動資産は営業活動に伴うものであるが，当座の支払能力を有するものではない。
3．投資その他の資産は，すべて営業活動には直接関係していない資産である。
4．引当金及び有利子負債に該当する項目は，貸借対照表に明記したもの以外にはない。
5．第35期において繰越利益剰余金を原資として実施した配当の額は15,400千円である。

損益計算書

（単位：千円）

	第34期 自　20×4年4月1日 至　20×5年3月31日		第35期 自　20×5年4月1日 至　20×6年3月31日	
Ⅰ　完成工事高		2,198,200		2,135,700
Ⅱ　完成工事原価		1,984,400		1,955,400
完成工事総利益		213,800		180,300
Ⅲ　販売費及び一般管理費		115,100		114,800
営業利益		98,700		65,500
Ⅳ　営業外収益				
受取利息	190		230	
受取配当金	2,700		3,290	
その他営業外収益	4,570	7,460	2,150	5,670
Ⅴ　営業外費用				
支払利息	2,510		3,030	
社債利息	200		200	
支払手数料	150		100	
その他営業外費用	230	3,090	140	3,470
経常利益		103,070		67,700
Ⅵ　特別利益		2,370		5,410
Ⅶ　特別損失		930		360
税引前当期純利益		104,510		72,750
法人税，住民税及び事業税	17,240		15,370	
法人税等調整額	12,040	29,280	6,700	22,070
当期純利益		75,230		50,680

〔付記事項〕

1．第35期における有形固定資産の減価償却費及び無形固定資産の償却費の合計額は11,200千円である。

2．その他営業外費用には，他人資本に付される利息は含まれていない。

キャッシュ・フロー計算書（要約）

（単位：千円）

	第34期 自　20×4年4月1日 至　20×5年3月31日	第35期 自　20×5年4月1日 至　20×6年3月31日
Ⅰ　営業活動によるキャッシュ・フロー	△ 26,700	△ 139,500
Ⅱ　投資活動によるキャッシュ・フロー	△ 23,900	△ 25,800
Ⅲ　財務活動によるキャッシュ・フロー	45,500	127,900
Ⅳ　現金及び現金同等物の増加・減少額	△ 5,100	△ 37,400
Ⅴ　現金及び現金同等物の期首残高	325,400	320,300
Ⅵ　現金及び現金同等物の期末残高	320,300	282,900

完成工事原価報告書

（単位：千円）

	第34期 自　20×4年4月1日 至　20×5年3月31日		第35期 自　20×5年4月1日 至　20×6年3月31日	
Ⅰ　材料費		349,200		346,100
Ⅱ　労務費		120,300		133,700
（うち労務外注費）	(120,300)		(133,700)	
Ⅲ　外注費		1,118,100		1,065,000
Ⅳ　経費		396,800		410,600
完成工事原価		1,984,400		1,955,400

各期末時点の総職員数

	第34期	第35期
総職員数	50人	52人

コラム 必然的な偶然

『必然的な偶然』という話をしましょう。

実は，幸運にも合格した人は口を揃えてこう言います。

『いやー，たまたま前の日に見たところが出てね？，それができたから…』とか，『いやー，たまたま行く途中に見たところが出てね？，それができたから…』と，いかにも偶然に運がよかったかのように。

しかし，私から見るとそれは偶然ではなく，必然です。前の日に勉強しなかったら，試験会場に行く途中に勉強しなかったら，その幸運は起こらなかったのですから。

つまり，最後まで諦めなかった人だけが最後の幸運を手にできる必然性があるということだと思います。

みなさんも諦めずに，最後まで可能性を追求してくださいね。

第3部 解答・解説

この解答例は，ネットスクールで作成したものです。

解答・解説（建設業経理士 第32回）

第1問

解答 解答にあたっては，各問とも指定した字数以内（句読点を含む）で記入すること。

問１

										10										20					25
	指	数	法	と	は	，	数	個	の	分	析	比	率	を	選	択	し	，	こ	の	ウ	ェ	イ	ト	付
	け	さ	れ	た	ポ	イ	ン	ト	の	合	計	が	１	０	０	と	な	る	よ	う	に	し	た	標	準
	比	率	を	定	め	，☆	こ	れ	と	分	析	対	象	の	比	率	を	比	較	し	て	点	数	化	し
	，	１	０	０	を	上	回	る	か	否	か	に	よ	っ	て	，☆	経	営	の	良	否	を	総	合	的
5	に	判	定	す	る	方	法	で	あ	る	。	こ	れ	は	，	ウ	ォ	ー	ル	の	開	発	し	た	手
	法	で	，	あ	え	て	ウ	ォ	ー	ル	指	数	法	と	い	わ	れ	る	こ	と	も	あ	る	。☆	
	指	数	法	で	は	，	評	価	指	数	の	合	計	が	１	０	０	を	上	回	れ	ば	良	い	評
	価	と	す	る	が	，☆	分	析	に	あ	た	っ	て	は	，	採	用	す	る	分	析	比	率	と	そ
	の	ウ	ェ	イ	ト	付	け	，	基	準	比	率	の	妥	当	性	が	必	要	で	あ	り	，	そ	こ
10	に	恣	意	性	が	介	入	し	な	い	よ	う	留	意	し	な	け	れ	ば	な	ら	な	い	。☆	

問２

										10										20					25
	経	営	事	項	審	査	で	は	，	経	営	状	況	を	分	析	し	た	結	果	は	Ｙ	評	点	と
	呼	ば	れ	，	負	債	抵	抗	力	，	収	益	性	・	効	率	性	，	財	務	健	全	性	，	絶
	対	的	力	量	の	４	つ	の	観	点	か	ら	そ	れ	ぞ	れ	２	つ	ず	つ	，	計	８	つ	の
	指	標	を	も	と	に	，☆☆	建	設	会	社	の	経	営	状	況	が	総	合	的	に	分	析	さ	れ
5	る	。	そ	れ	ぞ	れ	算	出	し	た	指	標	に	対	し	て	は	，	定	め	ら	れ	た	係	数
	（	ウ	ェ	イ	ト	）	を	掛	け	，	そ	れ	ら	を	合	計	し	て	評	点	を	求	め	る	こ
	と	に	な	っ	て	お	り	，☆	総	合	評	価	の	手	法	の	う	ち	，	考	課	法	の	考	え
	方	が	用	い	ら	れ	て	い	る	の	が	特	徴	で	あ	る	。☆	ま	た	，	建	設	業	に	お
	け	る	経	営	事	項	審	査	で	は	，	多	変	量	解	析	法	に	よ	っ	て	評	点	を	算
10	出	し	て	い	る	と	こ	ろ	に	も	特	徴	が	あ	る	。☆									

予想採点基準

☆の前の文の内容が
正解で２点×10＝20点

解　説

問１　指数法による総合評価

指数法とは，数個の分析比率を選択し，ウェイト付けされたポイントの合計が100となるようにした基準比率を定め，これと分析対象の指数を比較して点数化し，100を上回るか否かによって，経営の良否を総合的に判定する方法です。

具体的な手順は以下のとおりです。

① 分析の目的によって数個の比率を選択します*1)。
② 合計が100になるように各比率にウェイトをつけます。
③ 同業種の平均値などにより各比率の標準比率を求めます。
④ 財務諸表に基づいて分析対象の企業の実際比率を算定します。
⑤ ④を③で割って，標準比率における実際比率の割合，つまり関係比率を求めます。
⑥ 関係比率にウェイトを乗じて評点を求め，その値を合計します。

評点の合計が100を上回っていれば経営状態はよく，下回っていれば経営状態は悪いと評価されます。

指数法を用いることによって，経営全体の評価が評点によって明確になるとともに，標準比率との関連で企業間比較が可能になるという長所があります。その反面，標準比率の選択やウェイトの付け方で恣意性が介入するほか，多角化した企業ではその適用が困難*2)という短所もあります。

なお，この方法はウォールの開発した指標であるため，ウォール指数法と呼ばれることもあります。

問２　経営事項審査における総合評点

経営事項審査において，経営状況の評点はＹ評点と呼ばれ，負債抵抗力，収益性・効率性，財務健全性，絶対的力量の４つの観点からそれぞれ２つずつ，計８つの指標をもとに，建設会社の経営状況が数値化され，経営事項審査における総合的な評点を決める１要素となります。

経営事項における総合評点の算定は，考課法の考え方に基づいて行われており，さらに数理統計学の多変量解析法も併用して最終的な評点を算定しているところに特徴があります。

ここに！注意

＊1）評点の合計が大きい方が良好と評価できるよう，数値が小さい方が良いとされる比率を選択する場合は，分母と分子を入れ替えた逆数を用いる。

ここに！注意

＊2）標準比率は業種や規模によって異なるため，様々な業種・業態を営む企業の標準比率を適切に選択するのは難しいとされている。

テキスト参照ページ
⇒　P. 1-26
　　P. 1-97

第2問

解 答

記号（ア～へ）

1	2	3	4	5	6	7	8	9
オ	ナ	サ	タ	チ	キ	ス	シ	ノ
★	★	★	★	★	★	☆	★	☆

10	11	12	13
ニ	エ	ネ	へ
★	★	★	★

予想採点基準
☆… 2 点× 2 ＝ 4 点
★… 1 点×11＝11点
15点

解 説

1．生産性分析と付加価値

生産性分析の中心概念は付加価値であり，その算出方法には付加価値とみなすものを加算していく加算法と，完成工事高から付加価値を構成しないものを差し引いていく控除法の２通りがあります。

建設業の生産性分析では，後者の控除法が採用されており，具体的には以下の計算式で算定されます。

付加価値＝完成工事高－（材料費＋外注費[*1)]）

ここに！注意

＊1）外注費には，労務外注費も含む。

なお，建設業においては上記の計算式で算定されるものを『完成加工高』と呼ぶこともあります。

2．資本生産性

投下資本がどれほど生産性に貢献したかを示すものが資本生産性です。特に，分子に付加価値を，分母に有形固定資産を当てはめて計算するものを設備投資効率と呼びます。なお，設備投資効率は現在稼働中の有形固定資産がどれだけの付加価値を生み出したのかを示すものでなければならないため，建設仮勘定をはじめとする未稼働投資[*2)]は控除しなければなりません。

$$\text{設備投資効率(\%)}=\frac{\text{完成工事高}-(\text{材料費}+\text{外注費})}{\text{期中平均}(\text{有形固定資産}-\text{建設仮勘定})}\times 100$$

ここに！注意

＊2）計算問題対策の公式では建設仮勘定を差し引くのが一般的だが，その他にも未稼働の有形固定資産（遊休設備など）があれば，それらも分母の金額から差し引かなければならない。

3．労働生産性

(1)　労働生産性とその分解

付加価値を期中平均総職員数で割ったものが労働生産性であり，これは従業員１人当たりが生み出した付加価値を示します。

$$\text{労働生産性(円)}=\frac{\text{完成工事高}-(\text{材料費}+\text{外注費})}{\text{期中平均総職員数}}$$

労働生産性は次のように，稼働中の設備がどのくらい付加価値を生み出したかを示す設備投資効率と，従業員１人に対して投資された設備の額を示す労働装備率に分解することができます。

$$労働生産性 = \frac{付加価値}{期中平均総職員数}$$

$$= \underbrace{\frac{付加価値}{期中平均（有形固定資産－建設仮勘定）}}_{設備投資効率} \times \underbrace{\frac{期中平均（有形固定資産－建設仮勘定）}{期中平均総職員数}}_{労働装備率}$$

また，次のように従業員１人当たりの総資本を示す資本集約度と総資本に対してどれくらいの付加価値が生み出されたのかを示す総資本投資効率に分解することもできます。

$$労働生産性 = \frac{付加価値}{期中平均総職員数} = \underbrace{\frac{期中平均総資本}{期中平均総職員数}}_{資本集約度} \times \underbrace{\frac{付加価値}{期中平均総資本}}_{総資本投資効率}$$

(2)　労働生産性と労働分配率について

従業員１人当たりが生み出した付加価値を示す労働生産性に，付加価値のうちどれくらいの割合が従業員に対して人件費*3) として分配されたかを示す労働分配率を掛け合わせると，人件費の総額を従業員数で割ったもの，すなわち１人当たりの人件費（賃金水準）となります。

$$１人当たりの人件費（賃金水準）= \frac{人件費}{期中平均総職員数} = \underbrace{\frac{付加価値}{期中平均総職員数}}_{労働生産性} \times \underbrace{\frac{人件費}{付加価値}}_{労働分配率}$$

ここに！注意

*3)　ここでいう人件費には，工事原価に含まれる労務費・人件費のほか，販売費及び一般管理費として計上される人件費も含まれる。

よって，本問の文章は次のようになります。

生産性分析の中心概念は付加価値である。一般にこの計算方法は２つあるが，建設業においては控除法が採用されており，その算式は，完成工事高－（材料費＋外注費）で示される。『建設業の経営分析』では，この付加価値を完成加工高と呼ぶこともある。

投下資本がどれほど生産性に貢献したかという生産的効率を意味するものが資本生産性である。その計算において，分子に付加価値を，分母に有形固定資産が使用される資本生産性を設備投資効率という。なお，有形固定資産の金額は，現在の有効投資を示すものでなければならないので，未稼働投資の分はそこから除外される。他方，従業員１人当たりが生み出した付加価値を示すものが，労働生産性である。この労働生産性は，設備投資効率と労働装備率の積で求めることもでき，資本集約度と総資本投資効率の積で求めることもできる。なお，資本集約度は１人当たり総資本を示すものである。また，労働生産性と労働分配率の積で求められるのが，１人当たりの人件費すなわち賃金水準となる。

テキスト参照ページ
⇒　P. 1-64～67

第3問

解　答

(A)	☆ 51810	百万円（百万円未満を切り捨て）
(B)	☆ 16500	百万円（同　　　　　上）
(C)	☆ 190950	百万円（同　　　　　上）
(D)	☆ 1590	百万円（同　　　　　上）
支払勘定回転率	☆ 2.41	回（小数点第3位を四捨五入し，第2位まで記入）

予想採点基準
☆… 4点× 5 ＝20点

解　説

1．（A）～（D）を算定

順に解く必要はないため，算定しやすい箇所から解きましょう。

⑴　その他（営業外収益）（D）の算定

①　総資産合計（総資本）

総資本に対する自己資本（純資産）の割合を示す自己資本比率が35%とあることから，総資本に対する他人資本（負債合計）の割合は100% − 35% ＝65%[*1)]であることが分かります。

$$\frac{\text{負債合計 128,310百万円}}{\text{総資本}} \times 100 = 65\%$$

∴総資本＝128,310百万円÷65%＝197,400百万円

②　純資産合計（自己資本）

$$\text{自己資本比率(\%)} = \frac{\text{自己資本}}{\text{総資本}} \times 100$$

$$\frac{\text{自己資本}}{\text{197,400百万円}} \times 100 = 35.00\%$$

∴自己資本（純資産合計） ＝ 197,400百万円×35%＝69,090百万円

③　経常利益

$$\text{総資本経常利益率(\%)} = \frac{\text{経常利益}}{\text{期中平均総資本}^{*2)}} \times 100$$

$$\frac{\text{経常利益}}{\text{197,400百万円}} \times 100 = 2.50\%$$

∴経常利益＝197,400百万円×2.50%＝4,935百万円

ここに！注意

＊1）総資本＝他人資本＋自己資本
したがって，総資本に対する他人資本の割合と自己資本の割合を足すと，必ず100%になる。

ここに！注意

＊2）問題文（注1）に「期中平均値を使用することが望ましい比率についても，便宜上，期末残高の数値を用いて算定する。」とあるため，期末残高の数値を用いる。

④　営業利益

$$\text{金利負担能力(倍)} = \frac{\text{営業利益＋受取利息配当金}}{\text{支払利息}}$$

$$\frac{\text{営業利益}+880\text{百万円}}{600\text{百万円}} = 7.00\text{倍}$$

∴営業利益＝600百万円×7.00倍－880百万円＝3,320百万円

⑤　その他（営業外収益）（D）

あらかじめ印刷されている営業外収益・営業外費用の金額に加え，上記③及び④で求めた営業利益と経常利益を用いて，差額により営業外収益のその他の金額を求めます。

∴その他（営業外収益）（D）＝

4,935百万円＋（600百万円＋255百万円）－880百万円－3,320百万円

＝1,590百万円

(2)　完成工事原価（C）の算定

①　完成工事高

$$\text{経営資本回転期間(月)} = \frac{\text{期中平均経営資本}^{*2)*3)}}{\text{完成工事高}\div 12}$$

$$\frac{197{,}400\text{百万円}-(900\text{百万円}+25{,}000\text{百万円})}{\text{完成工事高}\div 12} = 9.80\text{月}$$

∴完成工事高＝171,500百万円÷9.80月×12＝210,000百万円

②　完成工事原価（C）

210,000百万円（完成工事高）－完成工事原価

－15,730百万円（販売費及び一般管理費）＝3,320百万円（営業利益）

∴完成工事原価（C）＝210,000百万円－15,730百万円－3,320百万円

＝190,950百万円

(3)　未成工事受入金（B）の算定

①　有利子負債月商倍率

$$\text{有利子負債月商倍率(月)} = \frac{\text{有利子負債}^{*4)}}{\text{完成工事高}\div 12}$$

$$\frac{9{,}190\text{百万円}+\text{長期借入金}}{210{,}000\text{百万円}\div 12} = 1.20\text{月}$$

∴長期借入金＝17,500百万円×1.20月－9,190百万円＝11,810百万円

②　流動負債合計

負債合計と固定負債合計（＝長期借入金）の差額より，流動負債合計の金額を求めます。

流動負債合計＝128,310百万円－11,810百万円＝116,500百万円

ここに！注意

＊3）経営資本＝総資本－（建設仮勘定＋未稼働資産＋投資資産＋繰延資産＋その他営業活動に直接参加していない資産）

ここに！注意

＊4）有利子負債＝短期借入金＋長期借入金＋社債＋新株予約権付社債＋コマーシャル・ペーパー
ただし，本問の有利子負債は短期借入金と長期借入金のみ。

③ 固定資産合計

$$固定長期適合比率(\%)=\frac{固定資産^{*5)}}{固定負債+純資産}\times 100$$

$$\frac{固定資産}{11{,}810百万円+69{,}090百万円}\times 100=90.00\%$$

∴固定資産合計＝80,900百万円×90.00％＝72,810百万円

④ 流動資産合計

流動資産合計＋72,810百万円（固定資産合計）＝197,400百万円（総資本）

流動資産合計＝197,400百万円－72,810百万円＝124,590百万円

⑤ 未成工事受入金（B）

$$流動比率(\%)=\frac{流動資産-未成工事支出金^{*6)}}{流動負債-未成工事受入金^{*6)}}\times 100$$

$$\frac{124{,}590百万円-14{,}590百万円}{116{,}500百万円-未成工事受入金}\times 100=110.00\%$$

∴未成工事受入金（B）＝116,500百万円－110,000百万円÷110.00％

＝16,500百万円

(4) 完成工事未収入金（A）の算定

① 現金預金

$$現金預金手持月数(月)=\frac{現金預金}{完成工事高\div 12}$$

$$\frac{現金預金}{210{,}000百万円\div 12}=1.50月$$

∴現金預金＝17,500百万円×1.50月＝ 26,250百万円

② 完成工事未収入金（A）

$$当座比率(\%)=\frac{当座資産}{流動負債-未成工事受入金^{*6)}}\times 100$$

当座資産＝現金預金＋受取手形＋完成工事未収入金－貸倒引当金＋有価証券

$$\frac{26{,}250百万円+31{,}640百万円+完成工事未収入金}{116{,}500百万円-16{,}500百万円}\times 100=109.70\%$$

∴完成工事未収入金（A）＝100,000百万円×109.70％－57,890百万円

＝51,810百万円

ここに！注意

＊5）問題文の（注３）に「固定長期適合比率の算定は，一般的な方法によっている。」とあるため，分子を固定資産とする。

ここに！注意

＊6）問題文の（注２）に「流動比率及び当座比率の算定は，建設業特有の勘定科目の金額を控除する方法によっている。」とある点に注意する。

2．支払勘定回転率の算定

① 支払勘定（支払手形＋工事未払金）

支払手形と工事未払金以外の流動負債の項目の金額と流動負債の合計から，支払手形と工事未払金の合計額を計算します。

支払手形＋工事未払金＋9,190百万円（短期借入金）＋3,500百万円（未払法人税等）＋16,500百万円（未成工事受入金）＝116,500百万円（流動負債合計）

∴支払手形＋工事未払金
＝116,500百万円－9,190百万円－3,500百万円－16,500百万円
＝87,310百万円 *7)

② 支払勘定回転率

$$\text{支払勘定回転率(回)} = \frac{\text{完成工事高}}{\text{期中平均(支払手形＋工事未払金)}^{*2)}}$$

$$\frac{210{,}000\text{百万円}}{87{,}310\text{百万円}} = 2.405\cdots \rightarrow \underline{2.41\text{回}}$$

ここに！注意

*7）支払勘定回転率を求めるには，支払手形と工事未払金の合計金額が分かればよい。

第4問

解答

問1	☆	68.00	%	(小数点第3位を四捨五入し，第2位まで記入)
問2	☆	4584040	千円	(千円未満を切り捨て)
問3	☆	14325125	千円	(同　　上)
問4	☆	44.49	%	(小数点第3位を四捨五入し，第2位まで記入)
問5	☆	4584040	千円	(千円未満を切り捨て)

予想採点基準
☆… 3点×5 =15点

解説

問1　高低2点法による変動費率の計算

高低2点法とは，2つの異なる操業度における費用の総額を求め，その差額の推移から総費用を固定費と変動費に分解する方法です。

$$\text{変動費率(\%)}^{*1)} = \frac{\text{総費用の変化額}}{\text{完成工事高の変化額}}$$

$$\frac{28{,}460{,}200\text{千円} - 26{,}480{,}040\text{千円}}{35{,}112{,}000\text{千円} - 32{,}200{,}000\text{千円}} \times 100 = \underline{68.00\%}^{*2)}$$

問2　第6期の固定費の計算

操業度が変化しても固定費の金額は変化しないため第5期の資料を用いて計算しても同様の結果になります。

$\underbrace{32{,}200{,}000\text{千円} \times 68\%}_{\text{変動費}} + \text{固定費} = \underbrace{26{,}480{,}040\text{千円}}_{\text{総費用}}$

固定費 = 26,480,040千円 − 21,896,000千円 = $\underline{4{,}584{,}040\text{千円}}$

問3　損益分岐点完成工事高の計算

$$\text{損益分岐点完成工事高(円)} = \frac{\text{固定費}}{\text{限界利益率}}$$

限界利益率 = 1 −68%（変動費率）= 32%

$$\text{損益分岐点完成工事高} = \frac{4{,}584{,}040\text{千円}}{32\%} = \underline{14{,}325{,}125\text{千円}}$$

ここに！注意

＊1）変動費率
$\frac{\text{総費用の変化額}}{\text{操業度の変化分}}$
本問では，操業度として完成工事高を用いる。

＊2）本問では変動費率を％表示で求めている。

問４　損益分岐点比率の計算

$$\text{損益分岐点比率}(\%)^{*3)} = \frac{\text{損益分岐点完成工事高}}{\text{実際完成工事高}} \times 100$$

$$\text{損益分岐点比率} = \frac{14{,}325{,}125\text{千円}}{32{,}200{,}000\text{千円}} \times 100 = 44.487 \rightarrow \underline{44.49\%}$$

問５　建設業における慣行的な固変区分

建設業における慣行的な固変区分によれば，変動費と固定費を以下のように区分します。

変動費…完成工事原価－営業外収益＋支払利息以外の営業外費用
固定費…販売費及び一般管理費＋支払利息

問題文より，上記の固変区分により求めた損益分岐点比率や変動費が問４まで求めた解答数値と等しいとあるため，損益分岐点完成工事高やそれを求めるための限界利益率，固定費の金額も変わらないことが分かります。

また，支払利息の金額はゼロであると仮定されており，かつ，問題文や資料などから営業外収益・営業外費用に関する資料もないため，これらの金額もゼロであると仮定すると，固定費の金額は販売費及び一般管理費のみと考えられます。

問２より，固定費の金額は4,584,040千円と求めているため，建設業における慣行的な固変区分における固定費（＝販売費及び一般管理費）も4,584,040千円となります。

ここに！注意

＊3）問１にて高低２点法による費用分解を行っているので，建設業における慣行的な固変区分を前提とした損益分岐点比率の計算式は用いない。

テキスト参照ページ
⇒　P. 1-42～43

第5問

解答

問1

A	経営資本営業利益率	☆	5.29	%	（小数点第3位を四捨五入し，第2位まで記入）
B	立替工事高比率	☆	54.42	%	（ 同 上 ）
C	運転資本保有月数	☆	4.19	月	（ 同 上 ）
D	借入金依存度	☆	14.37	%	（ 同 上 ）
E	棚卸資産滞留月数	☆	0.13	月	（ 同 上 ）
F	完成工事高増減率	☆	9.85	%	（ 同 上 ） 記号（AまたはB） A
G	営業キャッシュ・フロー対流動負債比率	☆	17.30	%	（ 同 上 ）
H	配当率	☆	21.47	%	（ 同 上 ）
I	未成工事収支比率	☆	442.15	%	（ 同 上 ）
J	労働装備率	☆	19137	千円	（千円未満を切り捨て）

問2

記号（ア〜ヤ）

1	2	3	4	5	6	7	8	9	10
カ	ソ	エ	ム	チ	ア	シ	キ	オ	フ
★	★	★	★	★	★	★	★	★	★

予想採点基準

☆… 2点×10＝20点
★… 1点×10＝10点
30点

解説

問1　各比率の算定[*1)]

A.　$$\text{経営資本営業利益率（\%）}=\frac{\text{営業利益}}{\text{期中平均経営資本}}\times 100$$

$$\frac{126{,}500\text{千円}}{(2{,}360{,}070\text{千円}+2{,}426{,}170\text{千円})\div 2}\times 100=5.285\rightarrow \underline{5.29\%}$$

第31期末経営資本：3,258,450千円－（159,700千円＋738,680千円）
＝2,360,070千円

第32期末経営資本：3,316,710千円－（222,400千円＋668,140千円）
＝2,426,170千円

B.　$$\text{立替工事高比率（\%）}=\frac{\text{受取手形}+\text{完成工事未収入金}+\text{未成工事支出金}-\text{未成工事受入金}}{\text{完成工事高}+\text{未成工事支出金}}\times 100$$

$$\frac{27{,}300\text{千円}+1{,}395{,}700\text{千円}+26{,}100\text{千円}-115{,}400\text{千円}}{2{,}424{,}600\text{千円}+26{,}100\text{千円}}\times 100$$
$$=54.421\rightarrow \underline{54.42\%}$$

C.　$$\text{運転資本保有月数（月）}=\frac{\text{流動資産}-\text{流動負債}}{\text{完成工事高}\div 12}$$

$$\frac{1{,}899{,}560\text{千円}-1{,}053{,}730\text{千円}}{2{,}424{,}600\text{千円}\div 12}=4.186\rightarrow \underline{4.19\text{月}}$$

D.　$$\text{借入金依存度（\%）}=\frac{\text{短期借入金}+\text{長期借入金}+\text{社債}}{\text{総資本}}\times 100$$

$$\frac{94{,}800\text{千円}+261{,}700\text{千円}+120{,}000\text{千円}}{3{,}316{,}710\text{千円}}\times 100=14.366\rightarrow \underline{14.37\%}$$

E.　$$\text{棚卸資産滞留月数（月）}=\frac{\text{棚卸資産}^{*2)}}{\text{完成工事高}\div 12}$$

$$\frac{26{,}100\text{千円}+920\text{千円}}{2{,}424{,}600\text{千円}\div 12}=0.133\rightarrow \underline{0.13\text{月}}$$

F.　$$\text{完成工事高増減率（\%）}=\frac{\text{当期完成工事高}-\text{前期完成工事高}}{\text{前期完成工事高}}\times 100$$

$$\frac{2{,}424{,}600\text{千円}-2{,}207{,}100\text{千円}}{2{,}207{,}100\text{千円}}\times 100=9.854\rightarrow \underline{9.85\%（A）}$$

G.　$$\text{営業キャッシュ・フロー対流動負債比率（\%）}=\frac{\text{営業キャッシュ・フロー}^{*3)}}{\text{期中平均流動負債}}\times 100$$

$$\frac{182{,}900\text{千円}}{(1{,}061{,}050\text{千円}+1{,}053{,}730\text{千円})\div 2}\times 100=17.297\rightarrow \underline{17.30\%}$$

ここに！注意

＊1）期中平均値を使用することが望ましい数値については，期中平均値を使用すること。

ここに！注意

＊2）棚卸資産＝未成工事支出金＋材料貯蔵品

ここに！注意

＊3）本問では別添資料にキャッシュ・フロー計算書が与えられているため，キャッシュ・フロー計算書に計上されている「営業活動によるキャッシュ・フロー」の金額を用いて計算する。

H. $配当率(\%)=\dfrac{配当金}{資本金}\times 100$

$\dfrac{42{,}600千円}{198{,}400千円}\times 100=21.471 \rightarrow \underline{21.47\%}$

I. $未成工事収支比率(\%)=\dfrac{未成工事受入金}{未成工事支出金}\times 100$

$\dfrac{115{,}400千円}{26{,}100千円}\times 100=442.145 \rightarrow \underline{442.15\%}$

J. $労働装備率(円)=\dfrac{期中平均(有形固定資産-建設仮勘定)}{期中平均総職員数}$

$$\frac{\{(678{,}000千円-159{,}700千円)+(737{,}510千円-222{,}400千円)\}\div 2}{\{26人+28人\}\div 2}$$

$=19{,}137.2 \rightarrow \underline{19{,}137千円}$

問2　穴埋め問題

1．自己資本利益率

出資者（株主）からみた投資額は，貸借対照表の自己資本（株主資本）として計上されています。これに対する収益性を判断するための指標が自己資本利益率です。

$自己資本利益率(\%)=\dfrac{利益}{期中平均自己資本}$

これは，英語では“Return On Equity”というため，その頭文字を取って『ＲＯＥ』と呼ばれることもあります[*4)]。

また，この指標の分子の利益には，出資者（株主）に最終的に帰属する利益である当期純利益を用いるのが望ましいとされています。

当期純利益を用いた自己資本利益率を自己資本当期純利益率といい，この計算式に基づいて第32期の自己資本当期純利益率を分析すると下記の通りとなります。

$自己資本当期純利益率(\%)=\dfrac{当期純利益}{期中平均自己資本}\times 100$

$\dfrac{118{,}170千円}{(1{,}681{,}000千円+1{,}711{,}980千円)\div 2}\times 100=6.965 \rightarrow \underline{6.97\%}$

よって，1 には自己資本利益率，2 にはＲＯＥ，3 には当期純利益，4 には6.97が入ります。

ここに！注意

＊4）株主からみた投資額の収益性を示す指標であるため，株式が売買される証券市場で重視される。

2．自己資本利益率の分解

(1)　デュポンシステム

自己資本利益率は，一般的に以下のように3つの要素に分解することができます。

自己資本利益率＝完成工事高利益率×総資本回転率×財務レバレッジ

$$\frac{利益}{自己資本}=\frac{利益}{完成工事高}\times\frac{完成工事高}{総資本}\times\frac{総資本}{自己資本}$$

この分解は，アメリカの化学メーカー「デュポン（Du Pont）社」が財務分析に用いて広まったことから，『デュポンシステム』とも呼ばれます。

よって，[5]にはデュポンシステムが入ります。

(2)　総資本利益率と自己資本比率の関係

上記の3つの要素に分解したもののうち，最初の2つをまとめると

$$\frac{利益}{完成工事高}\times\frac{完成工事高}{総資本}=\frac{利益}{総資本}$$

となり，総資本利益率を意味します。

また，最後の分数式の分母と分子を入れ替えると自己資本比率となるため，デュポンシステムの分解は下記のように表すことも可能です。

自己資本利益率＝総資本利益率÷自己資本比率

$$\frac{利益}{自己資本}=\frac{利益}{総資本}\div\frac{自己資本}{総資本}$$

よって，[6]には総資本利益率，[7]には自己資本比率，[8]には総資本回転率，[9]には財務レバレッジが入ります。

(3)　総資本回転率

総資本回転率は次のように計算されます。

$$総資本回転率(回)=\frac{完成工事高}{期中平均総資本}$$

この計算式に基づいて第32期の総資本回転率を分析すると下記の通りとなります。

$$\frac{2{,}424{,}600千円}{(3{,}258{,}450千円+3{,}316{,}710千円)\div 2}=0.73\not{7}\rightarrow \underline{0.74回}$$

よって，[10]には0.74が入ります。

よって，本問の文章は次のようになります。

出資者の見地から投下資本の収益性を判断するための指標が，自己資本利益率である。証券市場では，この自己資本利益率をアルファベット表記ではＲＯＥと呼んでトップマネジメント評価の重要な指標として活用している。この指標の分子の利益としては，一般に当期純利益が用いられる。第32期における自己資本利益率は6.97％である。

この指標はデュポンシステムによって，まず３つの指標に分解することができ，これは，総資本利益率を自己資本比率で除する数値とも等しい。総資本利益率は包括的な収益力を示し，さらに，利益率と総資本回転率に分けられる。一方，自己資本比率の逆数は財務レバレッジとも呼ばれる。第32期における総資本回転率は0.74回である。

テキスト参照ページ
⇒　P. 1-36

解答・解説（建設業経理士 第33回）

第1問

解答 解答にあたっては，各問とも指定した字数以内（句読点を含む）で記入すること。

問1

貸借対照表や損益計算書を中心とした分析は1年間に限
定された動きの分析に過ぎないが，☆企業経営活動の傾向
もしくは動向を把握するためには，複数年のデータによ
る分析が不可欠である。☆成長性分析は，常に2会計期間
以上のデータを比較するところに大きな特徴があり，特
に資本と収益と利益を中心に，☆期間（ピリオド）間の比
較を試みることによって，企業の成長性を測定すること
に意義がある。☆

問2

成長性の分析は，基本的に2期間以上のデータを比較す
ることであるが，売上高や資本などの実数を比較する方
法と，☆利益率や回転率などの比率を比較する方法がある
。☆比率表示の指標は企業規模や利益等の絶対額が隠され
てしまうため，☆多くは，実数表示の指標を対比させてそ
の成長性を測定する傾向にある。ただし，1企業内の分
析であれば，比率の比較によって，率で何ポイント上昇
したというような表現の方が理解しやすい場合もある。☆
また，成長性を比率で表現する場合，前期実績値に対す
る当期実績値の比を示す成長率と，☆前期実績値に対する
前期から当期にかけての実績値の増減の比を示す増減率
の2つの方法がある。☆

予想採点基準

☆の前の文の内容が正解で2点×10＝20点

解　説

問１　成長性分析の意義

企業は長期的な維持・発展を目的としており，事業の拡大・発展を企業の成長といいます。この成長の度合またはその可能性が企業の成長性であり，成長性分析は，この企業の成長性を分析することをいいます。

成長性分析以外の分析のように，１会計期間の貸借対照表や損益計算書のみを用いる分析では，複数期間にわたる企業経営の動向や成長度合いは分析できないため，成長性を分析するには，常に２会計期間以上のデータを用いる必要があり，その点が成長性分析の特徴でもあります。

問２　成長性分析の手法

(1)　比較する数値による分類

成長性分析では，２会計期間以上のデータを比較しますが，どのようなデータを比較するかによって，大きく２つの方法に分類されます。

①　実数を比較する方法

売上高（完成工事高）や付加価値，利益額や資本，従業員数など，実数そのものを比較する方法です。多くの場合，この方法で成長性が測定されます。

②　比率を比較する方法

総資本利益率や回転率などの比率を比較する方法です。実数を比較する方法と比べると，現実の企業規模等が隠されてしまうという短所がありますが，１企業内の分析であれば，「重視する比率が何ポイント上昇したのか」といった表現の方が理解しやすい場合もあります。

(2)　成長率と増減率

成長性を比率で測定・表現する場合，成長率と増減率という２つの比率が用いられます。

①　成長率

$$成長率(\%)=\frac{当期実績値}{前期実績値}\times 100$$

成長率は上記の式で計算されるもので，プラスの成長をしていれば100を超える値として，マイナスの成長をしていれば100を下回る値として表現されます。

②　増減率

$$増減率(\%)=\frac{当期実績値-前期実績値}{前期実績値}\times 100$$

増減率は上記の式で計算されるもので，プラスの成長をしていればプラスの値として，マイナスの成長をしていればマイナスの値として表現されます。

テキスト参照ページ
⇒　P. 1-69～72

第2問

解答

記号（ア～ヘ）

1	2	3	4	5	6	7	8	9
コ	ク	ネ	シ	サ	オ	セ	タ	ソ
★	★	★	★	★	★	★	★	☆

10	11	12	13
ウ	キ	エ	ノ
★	★	★	☆

予想採点基準
☆…２点×２＝４点
★…１点×11＝11点
15点

解説

1．建設業における損益分岐点分析

(1) 建設業における慣行的な変動費と固定費の分解

建設業における損益分岐点分析では，資金調達の重要性を加味するため，経常利益段階での損益分岐点分析を行うことを慣行としています。

そのため，簡便的に変動費と固定費を下記のように分類することが慣行となっています。

> **変動費：完成工事原価－営業外収益＋支払利息を除く営業外費用**[＊1)]
> **固定費：販売費及び一般管理費＋支払利息**

ここに！注意

＊1）営業外収益と営業外費用をまとめて営業外損益という。

(2) 損益分岐点比率

実際の完成工事高に対する損益分岐点完成工事高の比率を損益分岐点比率といいます。

$$\text{損益分岐点比率(\%)} = \frac{\text{損益分岐点完成工事高}}{\text{実際の完成工事高}} \times 100$$

損益分岐点比率は，建設業における慣行的な原価の分解に従えば，以下のような計算式で求めることもできます。

$$\text{損益分岐点比率(\%)} = \frac{\text{販売費及び一般管理費＋支払利息}}{\text{完成工事総利益＋営業外収益－営業外費用＋支払利息}} \times 100$$

損益分岐点比率はその値が低いほど，収益性が安定していると判断されます。

2．資本回収点分析

(1) 資本回収点分析の概要

損益分岐点を応用した分析が資本回収点分析です。資本回収点とは，総収益（完成工事高）と総資本が一致する点，すなわち，総資本回転率が１回となる点として計算されます。

資本回収点を分析する際には，あらかじめ総資本を変動的資本と固定的資本に

分解しておく必要があります。変動的資本とは，完成工事高の大きさに比例して変動的に確保される資産の有高をいい，固定的資本とは，完成工事高の大きさとは関係なく保有される資産の有高をいいます。

貸　借　対　照　表

流動資産	変動的資本	総資本
	固定的資本	
固定資産	固定的資本	

このように総資本を変動的資本と固定的資本に分解したうえで，以下のような計算式で，資本回収点が計算されます。

$$資本回収点の完成工事高 = \frac{固定的資本}{1 - \dfrac{変動的資本}{完成工事高}}$$

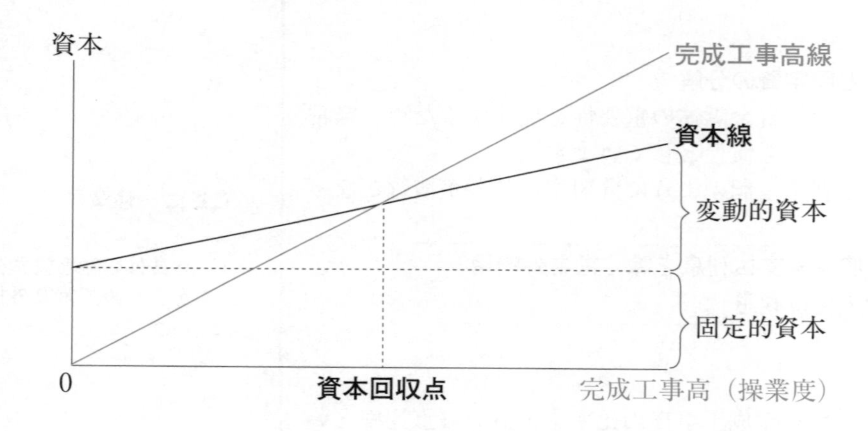

⑵　**資本回収点の計算**

本問の文章にある数値（金額）をもとに，資本回収点の計算に必要な金額を整理すると，下記のようになります。

当期の完成工事高：12,000千円
総資本（空欄９）：10,000千円
固定的資本（空欄12＊2)）：2,400千円
変動的資本：10,000千円（総資本）－2,400千円（固定的資本）＝7,600千円

以上より，当期の資本回収点の完成工事高は以下のように計算されます。

$$資本回収点の完成工事高 = \frac{2{,}400千円}{1 - \dfrac{7{,}600千円}{12{,}000千円}}$$

$$= \frac{2{,}400千円}{1 - 0.633\cdots}$$

＝6,545.45… → 6,545千円（千円未満を切り捨て）

ここに！注意

＊2)　資本回収点の計算式の分子にあたるものという情報から，空欄12は固定的資本であると判断する。

よって，本問の文章は次のようになります。

原価と売上高と利益の相関関係を的確に把握するために，建設業の損益分岐点分析においては，経常利益段階での分析を行うことを慣行としている。これは，建設業における資金調達の重要性が加味されていることを意味する。したがって，簡便的に固定費とされている販売費及び一般管理費に支払利息を加え，変動費である完成工事原価に，その他の営業外損益（ただし支払利息を除く）も加えている。このような費用分解を前提とすると，損益分岐点比率とは，販売費及び一般管理費と支払利息の合計額を分子とし，完成工事総利益と営業外損益と支払利息の合計額を分母として100をかけることによって求められる。この比率は，その数値が低いほど収益性は安定しているといえる。

また，損益分岐点分析を応用して，貸借対照表を活用した均衡分析を行う手法が，総収益と総資本が一致する分岐点を求める資本回収点分析である。総資本は変動的資本と固定的資本に分解されるが，資本回収点分析の分子となるのは固定的資本である。当期の完成工事高が12,000千円で，総資本が10,000千円，固定的資本が2,400千円であるとき，資本回収点の完成工事高は，6,545千円（千円未満を切り捨て）となる。

テキスト参照ページ

⇒ P. 1-40，62

第3問

解答

(A)	☆ 47900	百万円	(百万円未満を切り捨て)
(B)	☆ 7800	百万円	(同 上)
(C)	☆ 381500	百万円	(同 上)
(D)	☆ 508	百万円	(同 上)
未成工事収支比率	☆ 101.49	%	(小数点第3位を四捨五入し，第2位まで記入)

解説

予想採点基準

☆… 4点× 5 =20点

1．(A)～(D)を算定

順に解く必要はないため，算定しやすい箇所から解きましょう。

(1) 完成工事未収入金(A)の算定

① 未成工事支出金

$$\textbf{棚卸資産回転率(回)} = \frac{\textbf{完成工事高}}{\textbf{期中平均(未成工事支出金＋材料貯蔵品)}^{*1)}}$$

$$\frac{420{,}000\text{百万円}}{\text{未成工事支出金}+50\text{百万円}} = 25.00\text{回}$$

∴未成工事支出金＝420,000百万円÷25.00回－50百万円＝16,750百万円

② 支払手形

$$\textbf{支払勘定回転率(回)} = \frac{\textbf{完成工事高}}{\textbf{期中平均(支払手形＋工事未払金)}^{*1)}}$$

$$\frac{420{,}000\text{百万円}}{\text{支払手形}+47{,}000\text{百万円}} = 6.00\text{回}$$

∴支払手形＝420,000百万円÷6.00回－47,000百万円＝23,000百万円

③ 現金預金

$$\textbf{現金預金手持月数(月)} = \frac{\textbf{現金預金}}{\textbf{完成工事高÷12}}$$

$$\frac{\text{現金預金}}{420{,}000\text{百万円}\div 12} = 0.50\text{月}$$

∴現金預金＝35,000百万円×0.50月＝17,500百万円

ここに！注意

＊1) 問題文（注1）に「期中平均値を使用することが望ましい比率についても，便宜上，期末残高の数値を用いて算定している。」とあるため，期末残高の数値を用いる。

④　流動資産

流動比率(%)＝ $\frac{\text{流動資産－未成工事支出金}^{*2)}}{\text{流動負債－未成工事受入金}^{*2)}}$ ×100

なお，上記式の分母の「流動負債－未成工事受入金」は「未成工事受入金以外の流動負債」を意味するので，その金額は以下のように計算できます。

流動負債合計			
	支払手形	23,000百万円	流動負債－未成工事受入金 80,000百万円
	工事未払金	47,000百万円	
	短期借入金	8,400百万円	
	未払法人税等	1,600百万円	
	未成工事受入金	XXX	

よって，この金額をもとにして，流動比率から流動資産の合計額を求める事ができます。

$\frac{\text{流動資産}-16{,}750\text{百万円}}{80{,}000\text{百万円}}\times 100=124.00\%$

∴流動資産＝80,000百万円×124.00％＋16,750百万円＝115,950百万円

⑤　完成工事未収入金（A）

あらかじめ印刷されている流動資産項目の金額に加え，上記①，③及び④で求めた未成工事支出金と現金預金，流動資産の合計額を用いて，差額により完成工事未収入金の金額を求めます。

∴完成工事未収入金（A）＝

115,950百万円－(17,500百万円＋33,750百万円＋16,750百万円＋50百万円)

＝47,900百万円

> **ここに！注意**
>
> ＊2）問題文の（注２）に「流動比率の算定は，建設業特有の勘定科目の金額を控除する方法によっている。」とある点に注意する。

(2) 利益剰余金（B）の算定

①　長期借入金

有利子負債月商倍率(月)＝ $\frac{\text{有利子負債}^{*3)}}{\text{完成工事高}\div 12}$

$\frac{8{,}400\text{百万円}+\text{長期借入金}}{420{,}000\text{百万円}\div 12}=1.16\text{月}$

∴長期借入金＝35,000百万円×1.16月－8,400百万円＝32,200百万円

②　純資産合計（自己資本）

固定長期適合比率(%)＝ $\frac{\text{固定資産}^{*4)}}{\text{固定負債＋自己資本}}$ ×100

$\frac{81{,}050\text{百万円}}{32{,}200\text{百万円}+\text{自己資本}}\times 100=81.05\%$

∴純資産合計（自己資本）＝81,050百万円÷81.05％－32,200百万円

＝67,800百万円

> **ここに！注意**
>
> ＊3）有利子負債＝短期借入金＋長期借入金＋社債＋新株予約権付社債＋コマーシャル・ペーパー
> ただし，本問の有利子負債は短期借入金と長期借入金のみ。
>
> ＊4）固定長期適合比率には，分子に「有形固定資産」の額を用いて計算する方法もあるが，一般的には「固定資産」の額を用いる。

③　利益剰余金（B）

②で求めた純資産合計額から，すでに判明している資本金と資本剰余金の額を差し引いて，利益剰余金の金額を求めます。

∴利益剰余金（B）＝67,800百万円－（45,000百万円＋15,000百万円）
＝7,800百万円

(3)　完成工事原価（C）の算定

①　経営資本

$$経営資本回転期間(月)＝\frac{期中平均経営資本^{*1)*5)}}{完成工事高÷12}$$

$$\frac{経営資本}{420{,}000百万円÷12}＝4.90月$$

∴経営資本＝35,000百万円×4.90月＝171,500百万円

②　営業利益

$$経営資本営業利益率(\%)＝\frac{営業利益}{期中平均経営資本^{*1)*5)}}×100$$

$$\frac{営業利益}{171{,}500百万円}×100＝4.80\%$$

∴営業利益＝171,500百万円×4.80％＝8,232百万円

③　完成工事原価（C）

完成工事高と販売費及び一般管理費，営業利益の関係から，完成工事原価を求めます。

∴完成工事原価（C）＝420,000百万円－30,268百万円－8,232百万円
＝381,500百万円

(4)　受取利息配当金（D）の算定

$$金利負担能力(倍)＝\frac{営業利益＋受取利息配当金}{支払利息}$$

$$\frac{8{,}232百万円＋受取利息配当金}{1{,}900百万円}＝4.60倍$$

∴受取利息配当金（D）＝1,900百万円×4.60倍－8,232百万円＝508百万円

2．未成工事収支比率の算定

①　総資本及び流動負債合計

すでに計算した項目を集計し，総資本及び流動負債の合計額を計算します。

∴総資本＝115,950百万円（流動資産合計）＋81,050百万円（固定資産合計）
＝197,000百万円

∴流動負債合計＝197,000百万円（総資本）－32,200百万円（固定負債合計）
－67,800百万円（純資産合計）＝97,000百万円

ここに！注意

＊5）経営資本＝総資本－（建設仮勘定＋未稼働資産＋投資資産＋繰延資産＋その他営業活動に直接参加していない資産）

② 未成工事受入金

①で求めた流動負債合計から，すでに判明している未成工事受入金以外の流動負債項目の金額を差し引き，未成工事受入金の金額を求めます。

∴未成工事受入金＝97,000百万円－80,000百万円＝17,000百万円

③ 未成工事収支比率

$$\text{未成工事収支比率(\%)} = \frac{\text{未成工事受入金}}{\text{未成工事支出金}} \times 100$$

$$\frac{17{,}000\text{百万円}}{16{,}750\text{百万円}} \times 100 = 101.492\cdots \rightarrow \underline{101.49\%}$$

第4問

解　答

問1　☆　36.00 %　（小数点第3位を四捨五入し，第2位まで記入）

問2　☆　15.00 %　（　同　上　）　記号（AまたはB）A

問3　☆　104.04 %　（小数点第3位を四捨五入し，第2位まで記入）

問4　☆　16,000 千円　（千円未満を切り捨て）

問5　☆　2,000 千円　（　同　上　）

予想採点基準
☆… 3 点× 5 ＝15点

解　説

問1　付加価値率の計算

(1)　完成工事高及び完成工事原価の計算

本問では，付加価値の計算に必要な完成工事高及び完成工事原価の各費目の金額が資料に与えられていないため，他の資料をもとに，最初に完成工事高と完成工事原価を計算します。

①　完成工事高の計算

資料にある総資本回転率をもとに，完成工事高を推定します。

$$\text{総資本回転率(回)} = \frac{\text{完成工事高}}{\text{期中平均総資本}^{*1)}}$$

$$\frac{\text{完成工事高}}{289{,}000\text{千円} + 122{,}000\text{千円} + 3{,}500\text{千円} + 65{,}500\text{千円}} = 1.15\text{回}$$

∴完成工事高＝480,000千円×1.15回＝552,000千円

②　完成工事原価の計算

資料にある完成工事高総利益率に基づいて完成工事総利益を計算し，完成工事高との差額で完成工事原価を求めます。

$$\text{完成工事高総利益率(\%)} = \frac{\text{完成工事総利益}}{\text{完成工事高}} \times 100$$

$$\frac{\text{完成工事総利益}}{552{,}000\text{千円}} \times 100 = 25.00\%$$

∴完成工事総利益＝552,000千円×25.00％＝138,000千円

∴完成工事原価＝552,000千円－138,000千円＝414,000千円

(2)　付加価値及び付加価値率の計算

付加価値は，完成工事高から材料費と外注費（労務外注費を含む）を差し引

ここに！注意

＊1）本問で与えられている資産の情報はすでに期中平均の金額となっているため，そのまま計算に用いる。

いて求めますが，本問の労務費はすべて労務外注費であるため，経費以外はすべて付加価値の計算において控除される項目となります。

したがって，材料費や労務費の内訳を求めなくても，付加価値の計算で控除される材料費と外注費（労務外注費を含む）の合計額が分かれば，付加価値及び付加価値率が計算できます[*2)]。

① 材料費及び外注費（労務外注費）の合計額

414,000千円（完成工事原価）－60,720千円（経費）＝353,280千円

② 付加価値率

$$付加価値率(\%)=\frac{完成工事高-(材料費+労務外注費+外注費)}{完成工事高}\times 100$$

$$付加価値率=\frac{552{,}000千円-353{,}280千円^{*3)}}{552{,}000千円}\times 100=\underline{36.00\%}$$

問２　付加価値増減率の計算

$$付加価値増減率(\%)=\frac{当期付加価値-前期付加価値}{前期付加価値}\times 100$$

$$付加価値増減率=\frac{198{,}720千円^{*4)}-172{,}800千円}{172{,}800千円}\times 100=\underline{15.00\%}$$

問３　付加価値対固定資産比率[*5)]の計算

$$付加価値対固定資産比率(\%)=\frac{完成工事高-(材料費+労務外注費+外注費)}{期中平均固定資産^{*1)}}\times 100$$

$$付加価値対固定資産比率=\frac{552{,}000千円-353{,}280千円^{*3)}}{122{,}000千円+3{,}500千円+65{,}500千円}\times 100$$

$$=104.04\backslash 1\rightarrow \underline{104.04\%}$$

問４　資本集約度の計算

(1)　期中平均総職員数の計算

資本集約度の計算には期中平均総職員数が必要ですが，これを算定するために必要な期末の総職員数が資料で与えられていません。

そこで，先に労働生産性から期中平均総職員数[*6)]を求める必要があります。

$$労働生産性(円)=\frac{完成工事高-(材料費+労務外注費+外注費)}{期中平均総職員数}$$

$$\frac{552{,}000千円-353{,}280千円^{*3)}}{期中平均総職員数}=6{,}624千円$$

∴期中平均総職員数＝198,720千円÷6,624千円＝30人

ここに！注意

＊2）必ずしも不明になっている項目すべてを明らかにする必要はない。

ここに！注意

＊3）上記①で求めた材料費及び労務外注費を含む外注費の合計額。

ここに！注意

＊4）当期付加価値＝552,000千円－353,280千円＝198,720千円

＊5）資本生産性ともいう。

ここに！注意

＊6）期中平均総職員数さえ分かれば資本集約度が計算出来るため，期末総職員数を計算する必要はない。

⑵ 資本集約度の計算

$$資本集約度(円) = \frac{期中平均総資本^{*1)}}{期中平均総職員数}$$

$$資本集約度 = \frac{289{,}000千円 + 122{,}000千円 + 3{,}500千円 + 65{,}500千円}{30人}$$

$$= \underline{16{,}000千円}$$

問5　建設仮勘定の計算

資料に与えられている設備投資効率を元に，建設仮勘定の金額を計算します。

$$設備投資効率(\%) = \frac{完成工事高 - (材料費 + 労務外注費 + 外注費)}{期中平均(有形固定資産 - 建設仮勘定)^{*1)}} \times 100$$

$$\frac{552{,}000千円 - 353{,}280千円^{*3)}}{122{,}000千円 - 建設仮勘定} \times 100 = 165.60\%$$

$$\therefore 建設仮勘定 = 122{,}000千円 - 198{,}720千円 \div 165.60\% = \underline{2{,}000千円}$$

テキスト参照ページ
⇒　P. 1-64〜68

第5問

解　答

問1

A	完成工事高キャッシュ・フロー率	☆	2.16	%	（小数点第3位を四捨五入し，第2位まで記入）
B	総資本事業利益率	☆	3.18	%	（　同　上　）
C	立替工事高比率	☆	53.86	%	（　同　上　）
D	受取勘定滞留月数	☆	7.13	月	（　同　上　）
E	固定比率	☆	89.70	%	（　同　上　）
F	配当性向	☆	30.34	%	（　同　上　）
G	労働装備率	☆	19628	千円	（千円未満を切り捨て）
H	自己資本比率	☆	28.60	%	（小数点第3位を四捨五入し，第2位まで記入）
I	借入金依存度	☆	17.14	%	（　同　上　）
J	資本金経常利益率	☆	43.65	%	（　同　上　）

問2

記号（ア～ホ）

1	2	3	4	5	6	7	8	9	10
カ	ク	シ	ア	エ	オ	コ	ニ	ウ	ホ
★	★	★	★	★	★	★	★	★	★

※　7と8は順不同。

予想採点基準
☆… 2点×10＝20点
★… 1点×10＝10点
30点

解 説

問1　各比率の算定

A. **完成工事高キャッシュ・フロー率(%)＝ $\dfrac{\text{純キャッシュ・フロー}}{\text{完成工事高}}$ ×100**

純キャッシュ・フロー＝当期純利益(税引後)±法人税等調整額＊1）＋当期減価償却費±引当金＊2）増減額－剰余金の配当金の額

純キャッシュ・フロー：92,300千円－2,500千円＋6,800千円＋23,900千円－28,000千円＝92,500千円

第32期末引当金：3,700千円＋32,400千円＋9,700千円＋11,100千円＋4,700千円＝61,600千円

第33期末引当金：3,500千円＋34,900千円＋7,800千円＋35,900千円＋3,400千円＝85,500千円

引当金増減額：85,500千円－61,600千円＝23,900千円（増加）

$\dfrac{92{,}500\text{千円}}{4{,}289{,}900\text{千円}} \times 100 = 2.156 \rightarrow \underline{2.16\%}$

B. **総資本事業利益率(%)＝ $\dfrac{\text{事業利益}^{*3)}}{\text{期中平均総資本}^{*4)}}$ ×100**

$\dfrac{132{,}900\text{千円}+5{,}800\text{千円}+700\text{千円}}{(4{,}332{,}900\text{千円}+4{,}425{,}500\text{千円}) \div 2} \times 100 = 3.183 \rightarrow \underline{3.18\%}$

C. **立替工事高比率(%)＝ $\dfrac{\text{受取手形＋完成工事未収入金＋未成工事支出金－未成工事受入金}}{\text{完成工事高＋未成工事支出金}}$ ×100**

$\dfrac{57{,}900\text{千円}+2{,}492{,}200\text{千円}+109{,}400\text{千円}-290{,}100\text{千円}}{4{,}289{,}900\text{千円}+109{,}400\text{千円}} \times 100 = 53.858$

$\rightarrow \underline{53.86\%}$

D. **受取勘定滞留月数(月)＝ $\dfrac{\text{受取手形＋完成工事未収入金}}{\text{完成工事高÷12}}$**

$\dfrac{57{,}900\text{千円}+2{,}492{,}200\text{千円}}{4{,}289{,}900\text{千円} \div 12} = 7.133 \rightarrow \underline{7.13\text{月}}$

E. **固定比率(%)＝ $\dfrac{\text{固定資産}}{\text{自己資本}}$ ×100**

$\dfrac{1{,}135{,}200\text{千円}}{1{,}265{,}500\text{千円}} \times 100 = 89.703 \rightarrow \underline{89.70\%}$

F. **配当性向(%)＝ $\dfrac{\text{配当金}}{\text{当期純利益}}$ ×100**

$\dfrac{28{,}000\text{千円}}{92{,}300\text{千円}} \times 100 = 30.335 \rightarrow \underline{30.34\%}$

ここに！注意

＊1）本問では収益処理のため，減算調整する。

＊2）貸倒引当金（流動＋固定），完成工事補償引当金，工事損失引当金，退職給付引当金

ここに！注意

＊3）事業利益＝経常利益＋支払利息
支払利息には社債利息，その他他人資本に付される利息が含まれることに注意する。

＊4）期中平均値を使用することが望ましい数値については，期中平均値を使用すること。

G. **労働装備率(円)＝ $\dfrac{\text{期中平均（有形固定資産－建設仮勘定）}^{*4)}}{\text{期中平均総職員数}^{*4)}}$**

$$\frac{\{(610{,}300\text{千円}-116{,}500\text{千円})+(646{,}200\text{千円}-158{,}600\text{千円})\}\div 2}{(26\text{人}+24\text{人})\div 2}$$

$=\underline{19{,}628\text{千円}}$

H. **自己資本比率(%)＝ $\dfrac{\text{自己資本}}{\text{総資本}}\times 100$**

$\dfrac{1{,}265{,}500\text{千円}}{4{,}425{,}500\text{千円}}\times 100=28.595 \rightarrow \underline{28.60\%}$

I. **借入金依存度(%)＝ $\dfrac{\text{短期借入金＋長期借入金＋社債}}{\text{総資本}}\times 100$**

$\dfrac{274{,}600\text{千円}+183{,}800\text{千円}+300{,}000\text{千円}}{4{,}425{,}500\text{千円}}\times 100=17.137 \rightarrow \underline{17.14\%}$

J. **資本金経常利益率(%)＝ $\dfrac{\text{経常利益}}{\text{期中平均資本金}^{*4)}}\times 100$**

$\dfrac{132{,}900\text{千円}}{(304{,}500\text{千円}+304{,}500\text{千円})\div 2}\times 100=43.645 \rightarrow \underline{43.65\%}$

問２　穴埋め問題

１．活動性分析と回転期間について

資本や資産等が一定期間にどの程度運動したかを分析するのは活動性分析です。

活動性分析の指標には，回転率と回転期間の２種類がありますが，そのうち，回転期間を求める公式の基本形は以下のとおりです。

○○回転期間(月)＝ $\dfrac{\text{○○}}{\text{完成工事高}\div 12}$

これは，回転期間を調べる項目が完成工事高によって１回回収されるのに要する期間を調べるものですが，未成工事支出金のような棚卸資産や工事未払金などの回転期間を計算するには，その科目の性質から，完成工事原価と比較すべきという考え方もあります。

例えば，未成工事支出金回転期間は理論的に以下のような計算式で求めることも考えられます。

未成工事支出金回転期間(月)＝ $\dfrac{\text{未成工事支出金}}{\text{完成工事原価}\div 12}$

よって，1 には活動性，2 には完成工事高，3 には完成工事原価が入ります。

2．経営事項審査と回転期間

経営事項審査のＹ評点を決める８つの指標は下記のとおりです。

① 純支払利息比率
② 負債回転期間
③ 総資本売上総利益率
④ 売上高経常利益率
⑤ 自己資本対固定資産比率
⑥ 自己資本比率
⑦ 営業キャッシュ・フロー
⑧ 利益剰余金

このうち，回転期間は負債回転期間のみであり＊5)，これは負債の総額が売上高（完成工事高）の何か月分に相当するかを算定するものであるため，数値が小さいほうが望ましいとされています。

負債回転期間（月）＝ 流動負債＋固定負債 ／ 完成工事高÷12

よって，4 には負債，5 には小さいが入ります。

3．キャッシュ・コンバージョン・サイクル

(1) キャッシュ・コンバージョン・サイクルの概要

企業の仕入・販売・代金回収活動に関する回転期間を総合的に判断する指標を，キャッシュ・コンバージョン・サイクルといい，資金回収までの期間を示す＊6) 受取勘定回転期間と棚卸資産回転期間の合計から，資金の支払いが免除される期間を示す支払勘定回転期間を差し引いて求めます。

キャッシュ・コンバージョン・サイクル＝
受取勘定回転期間＋棚卸資産回転期間－支払勘定回転期間

資金繰りの観点からいえば，キャッシュ・コンバージョン・サイクルの数値が小さい方が，支払いから回収までの期間が短いため好ましいと言えます。

よって，6 にはキャッシュ・コンバージョン・サイクル，7 には売上債権，8 には棚卸資産＊7)，9 には仕入債務が入ります。

(2) 回転期間の日数

売上債権回転日数と棚卸資産回転日数は以下のように計算します。

売上債権回転日数（日）＝ 受取手形＋完成工事未収入金＊8) ／ 完成工事高÷365

棚卸資産回転日数（日）＝ 未成工事支出金＋材料貯蔵品＊8) ／ 完成工事高÷365

ここに！注意

＊5) 負債回転期間は活動性分析ではなく，健全性分析の指標だが，他に該当するものがないため，負債回転期間が該当するものと判断する。

ここに！注意

＊6) 受取勘定回転期間や棚卸資産回転期間が長いということは，それだけ工事の完成までの期間や代金の受取り（回収）までの期間が長いことを意味する。

＊7) 売上債権回転日数と棚卸資産回転日数の足す順番が変わっても計算結果は同じである。

＊8) 活動性分析の指標である回転日数の計算であるため，本来であれば期中平均値を用いるべきだが，本問は問題の指示に従い，期中平均値は用いずに第33期末残高の数値を用いる。

この計算式に基づいて各回転日数を計算し，合計すると下記の通りとなります。

① 売上債権回転期間

$$\frac{57{,}900\text{千円}+2{,}492{,}200\text{千円}}{4{,}289{,}900\text{千円}\div 365}=216.97\cdots(\text{日})$$

② 棚卸資産回転期間

$$\frac{109{,}400\text{千円}+20{,}200\text{千円}}{4{,}289{,}900\text{千円}\div 365}=11.02\cdots(\text{日})$$

③ 合計

216.97…（日）＋11.02…（日）＝227.99… → 227日（小数点未満切り捨て）

よって，10には227が入ります。

よって，本問の文章は次のようになります。

企業の活動性分析とは，資本や資産等が一定期間にどの程度運動したかを示すものである。回転期間の分母に用いられるのは，完成工事高であるが，項目別に回転を測定する場合には必ずしも適当であるとはいえず，例えば，未成工事支出金の回転率や回転期間をとらえるためには，完成工事原価と比較するべきである。なお，経営事項審査の経営状況の審査内容で用いられているのが，負債回転期間であり，この数値は小さいほど好ましいといえる。

また，企業の仕入，販売，代金回収活動に関する回転期間を総合的に判断する指標が，キャッシュ・コンバージョン・サイクルである。この指標は，売上債権回転日数と棚卸資産回転日数を足し，仕入債務回転日数を引くことで求められる。そして，この数値は小さい方が望ましいといえる。第33期における売上債権回転日数と棚卸資産回転日数の合計227日（小数点未満を切り捨て）である。

テキスト参照ページ
⇒ P. 1-54，57，97

解答・解説（建設業経理士 第34回）

第1問

解答 解答にあたっては，各問とも指定した字数以内（句読点を含む）で記入すること。

問１

流動比率は，短期的に支払期限の到来する流動負債に対
してその支払手段となる流動資産をどの程度保有してい
るのかによって，企業の短期的な支払能力を表す数値で
ある。☆☆流動比率の一般的な計算において，流動資産が２
，流動負債が１であるとき，流動比率は２００％となる
が，☆このような状態は，仮に流動資産の担保価値が簿価
の５０％しかなくても短期的な債務をすべて賄い切れる
流動資産を保有していることになることから，☆流動比率
は２００％以上が理想的とされている。これを流動比率
の分析における２対１の原則という。☆

問２

棚卸資産滞留月数は，未成工事支出金と材料貯蔵品の合
計額を，１か月分の完成工事高で除して計算される☆比率
であり，棚卸資産の回転の鈍さを意味するものである。☆
一般の製造業と比べて，棚卸資産のうち製品と原材料に
相当する在庫はほとんど持たない建設業において，棚卸
資産の滞留で問題となるのは仕掛品を意味する未成工事
支出金となる。☆ただし，未成工事支出金の発生態様は企
業の規模や受注内容によって大きく異なるため，分析の
際には単に月数のみを見るのではなく，受注内容もよく
検討するのが望ましい。☆☆

予想採点基準

☆の前の文の内容が
正解で２点×10＝20点

解　説

問１　流動比率の分析における「２対１の原則」

流動比率は短期的な支払能力を表すもので，財務の健全性を見るにあたってもっとも重要とされる比率の１つで，一般的に以下のように計算されます。

$$\text{流動比率}(\%) = \frac{\text{流動資産}}{\text{流動負債}} \times 100$$

この式は，短期的な支払義務を負う流動負債に対して，その支払手段となる流動資産がどの程度存在するかを意味しており，この値が高いほど，流動負債に対して，支払手段となる流動資産が潤沢にあり，支払能力が高いことを意味します。

ただし，流動資産の中には在庫を意味する棚卸資産や，そもそも換金価値に乏しい前払費用などもあり，必ずしも帳簿価額どおりに換金して流動負債の返済に充てられるとは限りません。

そのため，もし流動資産が帳簿価額の半値で処分することになったとしても，流動負債の返済ができるような状態，つまり流動負債に対して流動資産が２倍以上存在する（流動比率が200％以上）状態が理想的とされています＊1)。これを流動比率の分析における「２対１の原則」といいます。

なお，この流動比率は，アメリカの銀行家が企業へ融資する際に最も重視したことから「銀行家比率（バンカーズ・レシオ）」とも呼ばれ，このとき，担保とする資産の価値を帳簿価額の２分の１と評価したことから，この原則が生まれたと言われています。

問２　棚卸資産滞留月数

$$\text{棚卸資産滞留月数}(\text{月}) = \frac{\text{未成工事支出金}+\text{材料貯蔵品}}{\text{完成工事高}\div 12}$$

棚卸資産滞留月数は企業の流動性を分析する比率の１つで，上記の式で計算されるものです。

棚卸資産が事業活動に投資され回収されたあと，再投資されるまでの期間を表すものですが，この値が大きいと，棚卸資産への投資から回収までの回転が鈍っており，財務の流動性が悪化していることを意味するため，一般的には値が低い方が望ましいとされています。

しかし，建設業における棚卸資産の大部分を占める未成工事支出金の金額は，企業規模だけでなく，施工している工事の規模や内容，工期によっても大きく変動します＊2)。

そのため，棚卸資産滞留月数の値だけを見て分析するのではなく，受注内容や施工中のプロジェクトの内容なども考慮して分析する必要があります。

ここに！注意

＊1）本問では問われていないが，分子をすぐに資金化できる当座資産に置き換えた当座比率であれば，100％以上が理想的とされている。

＊2）受注額が数百億円規模の長期プロジェクトと，数日で終わる補修工事では，決算日に計上される未成工事支出金の額に大きな違いが生じる。

テキスト参照ページ
⇒　P. 1-46～50

第2問

解　答

記号（TまたはF）

1	2	3	4	5
F	T	T	T	F
☆	☆	☆	☆	☆

予想採点基準
☆… 3点×5＝15点

解　説

1．**建設業の貸借対照表に関する財務構造の特徴は，製造業と比べると，①固定資産の構成比が相対的に低い，②固定負債の構成比が相対的に低い，③資本・純資産の構成比が相対的に高い，という点が挙げられる。**

F（誤り） 建設業は中小企業が多いなどの理由から，他の産業に比べて資本・純資産（自己資本）の構成比が製造業に比べて相対的に低いという傾向があります。なお，建設業は他の産業と比べると総資本に対する固定資産・固定負債の構成比が相対的に低いという傾向もあります。

2．**キャッシュ・フロー計算書の構成比率分析とは，全体に対する部分の割合をあらわす比率に基づいてキャッシュ・フローの状況を分析する方法である。ただし，営業収入を100%とする直接法によるキャッシュ・フロー計算書を前提としている。**

T（正しい） キャッシュ・フロー計算書の構成比率分析は，百分率キャッシュ・フロー計算書を作成して行いますが，これは営業収入を100%として起点にし，その他の諸項目をそれに対する割合で示したもので，直接法によるキャッシュ・フロー計算書を前提にしています*1)。

ここに！注意

*1) 間接法によるキャッシュ・フロー計算書では「営業収入」という項目がない。

3．**運転資本保有月数とは，正味の運転資本が企業の収益と対比してどの程度のものかを示す指標であり，保有月数が多いほど支払能力があり財務健全性は良好であることを意味する。なお，運転資本とは，流動資産から流動負債を控除した金額を意味する。**

T（正しい） 運転資本は企業の経常的な経営活動を円滑に遂行するために必要な資金を意味しますが，通常，財務分析で「運転資本」と言えば，流動資産から流動負債を差し引いた正味の運転資本を意味することが多く，運転資本保有月数が指す運転資本も，この正味の運転資本を指します。

運転資本保有月数は，正味運転資本が企業の収益と対比してどの程度のものかを示す指標で，この値が大きい，つまり保有月数が多いほど，企業規模に比べて正味運転資本が多い，つまり支払い能力があり，財務健全性は良好であると考えるのが一般的です。

4．**総合評価の一つの手法としてレーダー・チャート法があるが，これは円形の図形の中に選択された適切な分析指標を記入し，平均値との乖離具合を凹凸の状況によってビジュアルに認識しようとするものである。ただし，比較対象となる平均値の選択次第で分析の評価内容は異なることに注意しなければならない。**

T（正しい） レーダー・チャート法は，円形または多角形の図形の中に選択された適切な分析指標を記入し，平均値との乖離具合を凹凸の状況によって視覚的に分析する方法です。比較対象として業界平均や他社の指標を描き入れることがありますが，その選定対象によって評価が変わってしまうため，注意が必要です*2)。

5．**固定費と変動費に分解する方法には，勘定科目精査法，高低２点法，スキャッターグラフ法（散布図表法）などがある。ただし，建設業における慣行的な区分は，固定費を販売費及び一般管理費とし，変動費を工事原価すべてと支払利息としている。**

F（誤り） 建設業における慣行的な固定費と変動費は以下のとおりです。

固定費……販売費および一般管理費＋支払利息

変動費……完成工事原価－営業外収益＋支払利息を除く営業外費用

ここに！注意

*2) 選定対象によって分析・評価に恣意性が介入する恐れがある。

テキスト参照ページ

⇒ P．1-12，1-27，1-42，1-49，1-93

第3問

解答

(A)	☆ 62500	百万円	(百万円未満を切り捨て)
(B)	☆ 20300	百万円	(同 上)
(C)	☆ 13000	百万円	(同 上)
(D)	☆ 105740	百万円	(同 上)
流動比率	☆ 125.13	%	(小数点第3位を四捨五入し，第2位まで記入)

解説

予想採点基準
☆… 4点×5＝20点

1．(A)～(D)を算定

順に解く必要はないため，算定しやすい箇所から解きましょう。

(1) 投資有価証券(B)の算定

① 純資産合計

$$\text{固定比率}(\%) = \frac{\text{固定資産}}{\text{自己資本}} \times 100$$

$$\frac{163{,}800\text{百万円}}{\text{自己資本}} \times 100 = 105.00\%$$

∴自己資本＝163,800百万円÷105.00％＝156,000百万円

② 総資本

①で求めた純資産合計とすでに判明している負債合計から，総資本の金額を求めます。

∴総資本＝244,000百万円＋156,000百万円＝400,000百万円

③ 営業利益

$$\text{金利負担能力}(\text{倍}) = \frac{\text{営業利益}+\text{受取利息及び配当金}}{\text{支払利息}}$$

$$\frac{\text{営業利益}+1{,}740\text{百万円}}{1{,}780\text{百万円}} = 10.00\text{倍}$$

∴営業利益＝1,780百万円×10倍－1,740百万円＝16,060百万円

④　経営資本

$$経営資本営業利益率(\%) = \frac{営業利益}{期中平均経営資本^{*1)}} \times 100$$

$$\frac{16{,}060百万円}{経営資本} \times 100 = 4.40\%$$

∴経営資本＝16,060百万円÷4.40％＝365,000百万円

⑤　投資有価証券（Ｂ）

経営資本[*2)]の計算において総資本から控除する項目は，本問では建設仮勘定と投資有価証券のみです。このうち，総資本（資産合計）と建設仮勘定の金額は判明しているため，差額により投資有価証券の金額を求めます。

∴投資有価証券（Ｂ）＝400,000百万円－365,000百万円－14,700百万円
＝20,300百万円

(2)　受取手形（Ａ）の算定

①　経常利益

$$総資本経常利益率(\%) = \frac{経常利益}{期中平均総資本^{*1)}} \times 100$$

$$\frac{経常利益}{400{,}000百万円} \times 100 = 4.20\%$$

∴経常利益＝400,000百万円×4.20％＝16,800百万円

②　完成工事高

$$完成工事高経常利益率(\%) = \frac{経常利益}{完成工事高} \times 100$$

$$\frac{16{,}800百万円}{完成工事高} \times 100 = 2.00\%$$

∴完成工事高＝16,800百万円÷2.00％＝840,000百万円

③　受取手形（Ａ）

$$受取勘定滞留月数(月) = \frac{受取手形＋完成工事未収入金}{完成工事高÷12}$$

$$\frac{受取手形 + 98{,}500百万円}{840{,}000百万円 \div 12} = 2.30月$$

∴受取手形＝70,000百万円×2.30月－98,500百万円＝62,500百万円

ここに注意

＊1）問題文（注１）に「期中平均値を使用することが望ましい比率についても，便宜上，期末残高の数値を用いて算定している。」とあるため，期末残高の数値を用いる。

＊2）経営資本＝総資本－（建設仮勘定＋未稼働資産＋投資資産＋繰延資産＋その他営業活動に直接参加していない資産）

(3) 販売費及び一般管理費（D）の算定

① 完成工事原価

$$完成工事原価率(\%)＝\frac{完成工事原価}{完成工事高}×100$$

$$\frac{完成工事原価}{840{,}000百万円}×100＝85.50\%$$

∴完成工事原価＝840,000百万円×85.50％＝718,200百万円

② 完成工事総利益，販売費及び一般管理費（D）

すでに判明している科目の金額を書き込み，下記のように計算します。

完成工事高	840,000	
完成工事原価	718,200	
完成工事総利益	121,800	＝840,000－718,200
販売費及び一般管理費	**105,740**	
営業利益	16,060	

∴販売費及び一般管理費（D）＝121,800百万円－16,060百万円
＝105,740百万円

(4) 未成工事受入金（C）の算定

① 長期借入金（固定負債合計）

$$借入金依存度(\%)＝\frac{短期借入金＋長期借入金＋社債}{総資本}×100$$

$$\frac{23{,}000百万円＋長期借入金}{400{,}000百万円}×100＝23.50\%$$

∴長期借入金（固定負債合計）＝400,000百万円×23.50％－23,000百万円
＝71,000百万円

② 未成工事受入金（C）

$$当座比率(\%)＝\frac{当座資産^{*3)}}{流動負債－未成工事受入金^{*4)}}×100$$

$$\frac{39{,}000百万円＋62{,}500百万円＋98{,}500百万円}{流動負債－未成工事受入金}×100＝125.00\%$$

∴流動負債－未成工事受入金＝200,000百万円÷125.00％＝160,000百万円

なお，「流動負債－未成工事受入金」は，「未成工事受入金以外の流動負債の合計額」を意味します。したがって，以下のように流動負債合計の金額との差額によって，未成工事受入金の金額を算定することができます。

流動負債合計＝244,000百万円（負債合計）－71,000百万円（固定負債合計）
＝173,000百万円

ここに！注意

＊3）当座資産＝現金預金＋{受取手形（割引分、裏書分を除く）＋完成工事未収入金－それらを対象とする貸倒引当金}＋有価証券

＊4）問題文の（注２）に「当座比率の算定は，建設業特有の勘定科目の金額を控除する方法によっている。」とある点に注意する。

流動負債合計 173,000百万円	支払手形	XXX	流動負債－未成工事受入金 160,000百万円
	工事未払金	103,700百万円	
	短期借入金	23,000百万円	
	未払法人税等	XXX	
	未成工事受入金	XXX	

∴未成工事受入金（C）＝173,000百万円－160,000百万円＝13,000百万円

2．流動比率の算定

① 未成工事支出金*5)

すでに計算した項目を集計し，流動資産及び未成工事支出金の合計額を計算します。

∴流動資産合計＝400,000百万円（総資本）－163,800百万円（固定資産合計）＝236,200百万円

∴未成工事支出金＝236,200百万円－（39,000百万円＋62,500百万円＋98,500百万円＋200百万円）＝36,000百万円

② 流動比率

$$流動比率（\%）= \frac{流動資産－未成工事支出金^{*6)}}{流動負債－未成工事受入金^{*6)}} \times 100$$

$$\frac{236,200百万円 - 36,000百万円}{173,000百万円 - 13,000百万円} \times 100 = 125.125 \rightarrow 125.13\%$$

ここに！注意

*5) 流動比率を求める際の分子の「流動資産－未成工事支出金」の金額は，「未成工事支出金以外の流動資産の合計額」を意味するため，未成工事支出金の金額を算定せず，それ以外の項目を合計した額で計算することも可能。

*6) 問題文に「建設業特有の勘定科目の金額を控除する方法」とある点に注意する。

最新34回

第4問

解答

問1	☆	76400	千円	（千円未満を切り捨て）
問2	☆	43636	千円	（　同　上　）
問3	☆	54400	千円	（　同　上　）
問4	☆	83275	千円	（　同　上　）
問5	☆	93807	千円	（　同　上　）

予想採点基準
☆…3点×5＝15点

解説

問1　損益分岐点完成工事高の計算

$$\text{安全余裕率(\%)}^{*1)} = \frac{\text{実際完成工事高}-\text{損益分岐点完成工事高}}{\text{実際完成工事高}} \times 100$$

$$\frac{80{,}000\text{千円}-\text{損益分岐点完成工事高}}{80{,}000\text{千円}} \times 100 = 4.50\%$$

∴損益分岐点完成工事高＝80,000千円－80,000千円×4.50％＝76,400千円

問2　資本回収点の完成工事高

(1)　総資本[*2)]の算定

$$\text{自己資本比率(\%)} = \frac{\text{自己資本}}{\text{総資本}} \times 100$$

他人資本（負債）と自己資本（純資産）の合計額が総資本となることから，総資本に対する負債の割合と自己資本の割合（＝自己資本比率）を合計すると100％となります。したがって，本問の自己資本比率が38.50％とあることから，総資本に対する負債の割合は100％－38.50％＝61.50％となります。この関係から，総資本の金額を求めることができます。

$$\text{総資本に対する負債の割合(\%)} = \frac{\text{流動負債}+\text{固定負債}^{*3)}}{\text{総資本}} \times 100$$

$$\frac{39{,}360\text{千円}}{\text{総資本}} \times 100 = 61.50\%$$

∴総資本＝39,360千円÷61.50％＝64,000千円

(2)　変動的資本と固定的資本

損益分岐点分析を応用した分析が資本回収点分析です。資本回収点分析を行う際には，あらかじめ総資本を変動的資本と固定的資本に分解しておく必要があります。

ここに！注意

＊1）<資料>より，分子に安全余裕の金額を用いる方法による。

＊2）本問の<資料>に載っている資本に関する資料は，期末のものか期中平均のものか明記されていないため，期末のものだと仮定して，期末の値を代用する形で計算する。

＊3）流動負債＋固定負債＝負債合計金額

変動的資本…完成工事高の大きさに比例して変動的に確保される資産の有高
固定的資本…完成工事高に大きさとは関係なく一定額が保有される資産の有高

貸　借　対　照　表

流動資産	変動的資本	総資本
	固定的資本	
固定資産	固定的資本	

＜資料＞より変動的資本は総資本の70.00％とあるため，固定的資本は次のように計算することができます。

変動的資本：64,000千円（総資本）×70.00％＝44,800千円
固定的資本：64,000千円－44,800千円＝19,200千円

$$\text{変動資本比率(\%)}^{*4)}=\frac{\text{変動的資本}}{\text{実際(または予定の)完成工事高}}\times 100$$

$$\frac{44{,}800\text{千円}}{80{,}000\text{千円}}\times 100=56\%$$

(3)　**資本回収点完成工事高**

資本回収点とは，完成工事高と総資本が一致する点ですので，完成工事高をSとおくと次のような算式を立てることができます。

S＝S×0.56（変動資本比率）＋19,200千円
0.44 S＝19,200千円
S＝43,636.36…千円 → 43,636千円　（千円未満切り捨て）

＜参考＞　算式による解法
損益分岐点完成工事高と同様の考え方にもとづいて解くこともできます。

$$\text{資本回収点完成工事高(円)}=\frac{\text{固定的資本}}{1-\text{変動資本比率}}$$

$$\frac{19{,}200\text{千円}}{1-0.56}=43{,}636.36\cdots\text{千円}\rightarrow 43{,}636\text{千円}$$

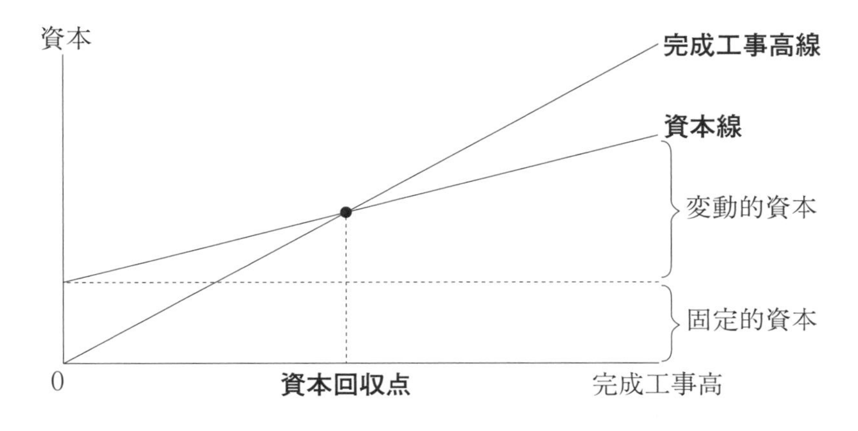

ここに！注意

＊4）＜資料＞に与えられているのは総資本に対する割合であり，変動資本比率ではない。両者を混同しないように注意。

最新34回

問３　第５期の変動費

①　変動費率

$$損益分岐点完成工事高(円)＝\frac{固定費}{限界利益率}$$

$$\frac{24{,}448千円}{1－変動費率}＝76{,}400千円$$

∴変動費率＝１－24,448千円÷76,400千円＝0.68

②　第５期の変動費[*5)]

80,000千円×0.68＝ → 54,400千円

問４　目標利益額達成完成工事高

第６期は変動費率・固定費ともに第５期と同じであるため，固定費に目標利益を加算して，目標利益額達成に必要な完成工事高を計算します。

$$目標利益額達成完成工事高(円)＝\frac{固定費＋目標利益}{限界利益率^{*6)}}$$

$$\frac{24{,}448千円＋2{,}200千円}{1－0.68}＝83{,}275千円$$

＊　以下のように計算することもできます。
下記の考え方にもとづいて，完成工事高をＳとおいて計算します。
完成工事高－変動費－固定費＝目標利益
Ｓ－0.68Ｓ－24,448千円＝2,200千円
0.32Ｓ＝26,648千円
Ｓ＝83,275千円

問５　目標利益率達成完成工事高

目標利益率達成に必要な完成工事高は，下記のように計算できます。なお，第７期は固定費の増加が見込まれている点に注意しましょう。

$$目標利益率達成完成工事高(円)＝\frac{固定費}{限界利益率－目標利益率}$$

$$\frac{24{,}448千円＋880千円^{*7)}}{1－0.68－0.05}＝93{,}807.40\cdots千円$$

→ 93,807千円　（千円未満切り捨て）

＊　以下のように計算することもできます。
下記の考え方にもとづいて，完成工事高をＳとおいて計算します。
完成工事高－変動費－固定費＝目標利益
Ｓ－0.68Ｓ－（24,448千円＋880千円）＝0.05Ｓ
0.27Ｓ＝25,328千円
Ｓ＝93,807.40…千円 → 93,807千円　（千円未満切り捨て）

ここに！注意

＊5）完成工事高に変動費率を掛けると変動費が算出できる。

＊6）１－変動費率＝限界利益率

＊7）第７期の固定費増加額

テキスト参照ページ
⇒　P. 1-40～44,
P. 1-62～63

第5問

解　答

問 1

A	立替工事高比率	☆	46.78	%	（小数点第３位を四捨五入し，第２位まで記入）
B	固定長期適合比率	☆	66.65	%	（　同　上　）
C	棚卸資産回転率	☆	30.44	回	（　同　上　）
D	付加価値率	☆	27.22	%	（　同　上　）
E	自己資本事業利益率	☆	1.60	%	（　同　上　）
F	営業利益増減率	☆	74.11	%	（　同　上　）　記号（ＡまたはＢ） B
G	完成工事高キャッシュ・フロー率	☆	1.22	%	（　同　上　）
H	配当性向	☆	30.30	%	（　同　上　）
I	未成工事収支比率	☆	329.76	%	（　同　上　）
J	流動負債比率	☆	171.92	%	（　同　上　）

問 2

記号（ア～ム）

1	2	3	4	5	6	7	8	9	10
シ	ク	コ	ウ	ヘ	フ	ア	エ	チ	ネ
★	★	★	★	★	★	★	★	★	★

予想採点基準

☆… 2 点×10＝20点
★… 1 点×10＝10点
30点

解説

問1　各比率の算定

A.

$$立替工事高比率(\%)=\frac{受取手形+完成工事未収入金+未成工事支出金-未成工事受入金}{完成工事高+未成工事支出金}\times 100$$

$$\frac{528{,}400千円+2{,}246{,}700千円+153{,}900千円-507{,}500千円}{5{,}022{,}100千円+153{,}900千円}\times 100$$

$$=46.783 \to \underline{46.78\%}$$

B.

$$固定長期適合比率(\%)=\frac{固定資産}{固定負債+自己資本}\times 100$$

$$\frac{1{,}291{,}810千円}{476{,}200千円+1{,}461{,}970千円}\times 100=66.651 \to \underline{66.65\%}$$

C.

$$棚卸資産回転率(回)=\frac{完成工事高}{期中平均（未成工事支出金+材料貯蔵品）^{*1)}}$$

$$\frac{5{,}022{,}100千円}{\{（148{,}900千円+14{,}300千円）+（153{,}900千円+12{,}900千円）\}\div 2}$$

$$=30.436 \to \underline{30.44回}$$

D.

$$付加価値率(\%)=\frac{完成工事高-（材料費+労務外注費+外注費）}{完成工事高}\times 100$$

$$\frac{5{,}022{,}100千円-（808{,}900千円+39{,}300千円+2{,}807{,}100千円）}{5{,}022{,}100千円}\times 100$$

$$=27.215 \to \underline{27.22\%}$$

E.

$$自己資本事業利益率(\%)=\frac{事業利益^{*2)}}{期中平均自己資本^{*1)}}\times 100$$

$$\frac{13{,}730千円+9{,}530千円+530千円}{(1{,}518{,}970千円+1{,}461{,}970千円)\div 2}\times 100=1.596 \to \underline{1.60\%}$$

F.

$$営業利益増減率(\%)=\frac{当期営業利益-前期営業利益}{前期営業利益}\times 100$$

$$\frac{41{,}300千円-159{,}500千円}{159{,}500千円}\times 100=\triangle 74.106 \to \underline{74.11\%（B）}$$

G.

$$完成工事高キャッシュ・フロー率(\%)=\frac{純キャッシュ・フロー}{完成工事高}\times 100$$

純キャッシュ・フロー＝当期純利益（税引後）±法人税等調整額[*3)]＋当期減価償却費±引当金[*4)]増減額－剰余金の配当の額

純キャッシュ・フロー：5,610千円－24,100千円＋6,580千円＋74,950千円－1,700千円＝61,340千円

ここに！注意

＊1）期中平均値を使用することが望ましい数値については，期中平均値を使用すること。

＊2）事業利益＝経常利益＋支払利息
支払利息には社債利息，その他他人資本に付される利息が含まれることに注意する。

＊3）本問では収益処理のため，減算調整する。

＊4）貸倒引当金（流動＋固定），完成工事補償引当金，工事損失引当金，退職給付引当金

第33期末引当金：3,450千円＋34,900千円＋7,900千円＋38,700千円＋22,300千円
＝107,250千円

第34期末引当金：3,100千円＋38,600千円＋9,100千円＋111,000千円＋20,400千円
＝182,200千円

引当金増減額：182,200千円－107,250千円＝74,950千円（増加）

$$\frac{61,340千円}{5,022,100千円} \times 100 = 1.221 \rightarrow \underline{1.22\%}$$

H.

$$配当性向(\%) = \frac{配当金}{当期純利益} \times 100$$

$$\frac{1,700千円}{5,610千円} \times 100 = 30.303 \rightarrow \underline{30.30\%}$$

I.

$$未成工事収支比率(\%) = \frac{未成工事受入金}{未成工事支出金} \times 100$$

$$\frac{507,500千円}{153,900千円} \times 100 = 329.759 \rightarrow \underline{329.76\%}$$

J.

$$流動負債比率(\%) = \frac{流動負債－未成工事受入金^{*5)}}{自己資本} \times 100$$

$$\frac{3,020,900千円 - 507,500千円}{1,461,970千円} \times 100 = 171.918 \rightarrow \underline{171.92\%}$$

ここに！注意

＊5）問題文に「建設業特有の勘定科目の金額を除外する方法により算定すること」とある。

問２　穴埋め問題

(1)　生産性分析

生産性分析の基本指標は付加価値労働生産性（労働生産性）であり，これは以下のように計算される指標です。

$$付加価値労働生産性(円) = \frac{完成工事高－（材料費＋労務外注費＋外注費）}{期中平均総職員数}$$

この計算式の分母と分子に別の項目を加えることで，２つの指標に分解でき，加える項目によって様々な分解ができます。

①　完成工事高を用いた分解

付加価値労働生産性は完成工事高を加えると，次のように分解できます。

$$付加価値労働生産性 = \frac{付加価値}{期中平均総職員数} = \underbrace{\frac{完成工事高}{期中平均総職員数}}_{一人当たり完成工事高} \times \underbrace{\frac{付加価値}{完成工事高}}_{付加価値率}$$

Step 1 問題文中の算式を分数式に置き換える

$$\frac{付加価値}{期中平均総職員数}=\frac{?}{期中平均総職員数}\times\frac{付加価値}{完成工事高}$$

2つの要因を乗じた結果として，

(1) 分子の「付加価値」はそのまま残り，分母が「期中平均総職員数」になる

(2) 「完成工事高」は相殺されて残らない

上記の2点が本問を解く上でのポイントです。

Step 2 すでに判明している要因をもとに残りの要因を推定する

$$\frac{付加価値}{期中平均総職員数}=\frac{?}{期中平均総職員数}\times\frac{付加価値}{完成工事高}$$

上記の関係から，付加価値率の分母と1つ目の比率の分子が相殺されて残らないよう同じ項目が入ることから，1つ目の比率は分子に「完成工事高」が入る「一人当たり完成工事高」であることが分かります。

よって，1 には完成工事高が入ります。

② 総資本を用いた分解

二つめの分解は，分解した比率の1つめの比率（空欄2）が「一人当たり総資本」であることが示されているため，以下のような総資本を用いた分解であることが推測できます。

$$付加価値労働生産性=\frac{付加価値}{期中平均総職員数}=\underset{一人当たり総資本}{\frac{期中平均総資本}{期中平均総職員数}}\times\underset{総資本投資効率}{\frac{付加価値}{期中平均総資本}}$$

よって，2 には資本集約度が入ります。

③ 有形固定資産を用いた分解

三つめの分解は，分解した比率の1つめの比率（空欄3）が「一人当たりの生産設備への投資額」，つまり「労働装備率」であることが示されているため，以下のような有形固定資産を用いた分解であることが推測できます。

$$付加価値労働生産性=\frac{付加価値}{期中平均総職員数}$$
$$=\underset{労働装備率}{\frac{期中平均（有形固定資産-建設仮勘定）}{期中平均総職員数}}\times\underset{設備投資効率}{\frac{付加価値}{期中平均（有形固定資産-建設仮勘定）}}$$

よって，3 には労働装備率，4 には設備投資効率が入ります[*6)]。

ここに！注意

＊6) 分解の順序に決まりは特にありませんが，本問は，空欄3に関する説明や，最後に計算する空欄4の指標の単位（％）を合わせるために，順不同とはならない。

④　資本集約度・設備投資効率の計算

$$\text{資本集約度(円)} = \frac{\text{期中平均総資本}}{\text{期中平均総職員数}}$$

$$\frac{(4{,}576{,}570\text{千円}+4{,}959{,}070\text{千円})\div 2}{(60\text{人}+64\text{人})\div 2} = 76{,}900.3\cdots(\text{千円})$$

→ 76,900円（千円未満切り捨て）

$$\text{設備投資効率(\%)} = \frac{\text{完成工事高}-(\text{材料費}+\text{労務外注費}+\text{外注費})}{\text{期中平均}(\text{有形固定資産}-\text{建設仮勘定})}\times 100$$

$$\frac{5{,}022{,}100\text{千円}-(808{,}900\text{千円}+39{,}300\text{千円}+2{,}807{,}100\text{千円})}{\{(848{,}850\text{千円}-133{,}400\text{千円})+(897{,}210\text{千円}-155{,}700\text{千円})\}\div 2}\times 100$$

$= 187.623\cdots$ → 187.62%

よって，5 には76,900，6 には187.62が入ります。

(2)　**経営事項審査**

経営事項審査のＹ評点を決める８つの指標は下記のとおりです。

①　純支払利息比率
②　負債回転期間
③　総資本売上総利益率
④　売上高経常利益率
⑤　自己資本対固定資産比率
⑥　自己資本比率
⑦　営業キャッシュ・フロー
⑧　利益剰余金

このうち，数値が低いほど好ましい指標*7) は，純支払利息比率と負債回転期間の２つです。

$$\text{純支払利息比率(\%)} = \frac{\text{支払利息}-\text{受取利息及び配当金}}{\text{完成工事高}}\times 100$$

$$\text{負債回転期間(月)} = \frac{\text{流動負債}+\text{固定負債}}{\text{完成工事高}\div 12}$$

第34期におけるこれらの指標の値は次のとおりです。

①　純支払利息比率

$$\frac{(9{,}530\text{千円}+530\text{千円})-(3{,}830\text{千円}+4{,}090\text{千円})}{5{,}022{,}100\text{千円}}\times 100$$

$= 0.042\cdots$ → 0.04%

ここに！注意

*7) ともに「分子の値が大きくない指標」と考えると分かりやすい。

② 負債回転期間

$$\frac{3{,}020{,}900\text{千円}+476{,}200\text{千円}}{5{,}022{,}100\text{千円}\div 12}=8.356\cdots \rightarrow \underline{8.36\text{月}}$$

よって，7には純支払利息比率，8には負債回転期間，9には0.04，10には8.36が入ります*8)。

よって，本問の文章は次のようになります。

(1) 生産性分析の基本指標は，付加価値労働生産性の測定であるが，この労働生産性はいくつかの要因に分解して分析することができる。一つは，一人当たり完成工事高×付加価値率に分解され，二つめは，資本集約度×総資本投資効率であり，資本集約度は一人当たり総資本を示すものである。三つめは，労働装備率×設備投資効率である。労働装備率は，従業員一人当たりの生産設備への投資額を示しており，工事現場の機械化の水準を示している。第34期における資本集約度は76,900千円（千円未満切り捨て）であり，設備投資効率は187.62％である。

(2) 経営事項審査において，経営状況（Y）には具体的な審査内容は8つあるが，その中で数値が低いほど好ましい指標は，純支払利息比率と負債回転期間である。第34期における純支払利息比率は0.04％であり，負債回転期間は8.36月である。

ここに！注意

*8) 最後の計算結果の単位を合わせる観点から，2つの指標の解答順は順不同とはならない。

テキスト参照ページ

⇒ P. 1-64～68，97

解答・解説（建設業経理士 第35回）

第1問

解　答 解答にあたっては，各問とも指定した字数以内（句読点を含む）で記入すること。

問１

資本利益率とは，投下資本とそれから獲得した利益の比率により，企業の収益性を考察するために用いられる指標で，資本を分母に，利益を分子として計算される。☆ただし，分析に用いる資本と利益の概念には多様性が存在することから，その組み合わせによって異なる意味の資本利益率を考えることができる。☆資本の概念には総資本や経営資本，自己資本等があり，☆利益の概念には営業利益や事業利益，当期純利益等がある。☆これらを組み合わせた，総資本事業利益率や経営資本営業利益率，☆自己資本当期純利益率等が導き出される。そのいずれを選択するかは，どのような収益性を測定しようとするかという分析の目的によって決定される。☆

問２

収益性分析における指標の限界として，まずは，分析対象とする企業に該当する業種別指標があるとは限らないという点が挙げられる。☆また，企業の規模による差異が生じるほか，同規模の企業間の比較であっても，兼業を行っているなど事業形態の違いによる差異も生じることがあり，☆☆適切な比較が困難なケースもある点が挙げられる。加えて，収益性分析の指標が多すぎることから，適切な指標の選択が困難であることも挙げられる。☆

予想採点基準

☆の前の文の内容が正解で２点×10＝20点

解　説

問1　収益性分析において用いられる指標

企業の収益性に関する分析は，一般に資本利益率を中心に行われます。資本利益率は，一定期間における利益額とそれを得るために使用された資本の額との比率です。

資本および利益にはさまざまな種類があります。一般的には以下のような組み合わせが考えられますが，分析目的によってどの資本利益率を用いるかが決められます。

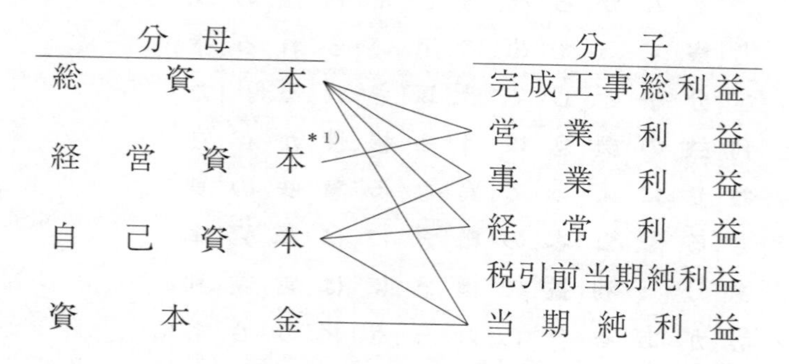

問2　収益性分析における指標の限界

収益性分析は財務分析の中心的な分析ですが，以下のような限界が指摘されることもあります。

① 経営比較上，自己の企業に該当する業種別指標があるとは限らず，適切な比較ができるとは限らないこと。
② 規模が大きな企業のほうが効率よく経営資源が使えるために*2) 利益率が高くなる傾向にあるなど，企業規模による差異が生じてしまうこと。
③ 兼業などの事業形態の違いにより，分析結果の持つ意味が変わってくること。
④ 資本と利益の組み合わせによって考え得る資本利益率の種類が多岐にわたるなど，指標が多く，適切な指標を分析に用いるのが困難であること。
⑤ 収益性分析の指標を過度に重視し，流動性や健全性といった別の側面を無視することで，企業の実態を適切に把握できなくなる恐れがあること。

ここに！注意

＊1）経営資本は企業の主たる営業（本業）に用いる資本を意味するため，原則として，主たる営業（本業）で獲得した利益を示す営業利益と組み合わせた分析しか行わない。

＊2）規模の大きな企業は，潤沢な内部留保を担保に積極的な設備投資による生産活動の効率化を行いやすいため，利益率は高くなる傾向にある。

テキスト参照ページ
⇒　P. 1-32～44

第2問

解　答

記号（ア～ヘ）

1	2	3	4	5	6	7	8	9
タ	カ	ソ	ク	オ	シ	エ	ネ	コ
★	☆	☆	★	★	★	★	★	★

10	11	12
ヘ	ハ	ナ
★	☆	★

※９と10は順不同。

予想採点基準

☆…２点×３＝６点
★…１点×９＝９点
15点

解　説

1．経営事項審査の審査項目の枠組み

経営事項審査は，建設業許可業種区分ごとに総合評点Ｐで評価されますが，その評点は以下の４つの枠組みで構成されます。

・経営規模（Ｘ１，Ｘ２）
・経営状況（Ｙ）
・技術力（Ｚ）
・社会性等（Ｗ）[＊1)]

2．経営規模（Ｘ２）の審査内容

経営規模を示すＸ評点のうち，Ｘ１は直近２年または３年の完成工事高により評点が決まります。また，Ｘ２は**自己資本額**と**平均利益額**により評点が決まります。

①　自己資本額

Ｘ２の審査内容である自己資本額の点数は，貸借対照表の純資産合計[＊2)]の金額により算出します。なお，自己資本額は２年平均するか否かを選択することが可能です。

②　平均利益額

Ｘ２の審査内容で用いる平均利益額は，**利払前税引前償却前利益**の直近２年の平均値を用います。

利払前税引前償却前利益は，文字通り，法人税等と支払利息と減価償却費を控除する前の利益を意味するため，一般的には「税引前当期純利益＋支払利息＋減価償却費」[＊3)]の算式で求めますが，経営事項審査では「営業利益＋減価償却実施額」で算出することになっています。

ここに注意

＊1）建設業経理士の在籍者数等により評点が決まる「公認会計士等の数」は社会性等（Ｗ）を評価する項目である。

＊2）この試験において自己資本利益率や自己資本比率を計算する際に用いる「自己資本」の概念と同じ。

＊3）税引前当期純利益の算定にあたって利益から控除されている支払利息と減価償却費の金額を加算することで，利払前償却前の利益としている。

3．経営状況（Y）の審査内容

経営状況を審査する評点Ｙは，「負債抵抗力」「収益性・効率性」「財務健全性」「絶対的力量」の４つについて，それぞれ２指標ずつ，合計８指標から算出されます。

負債抵抗力	純支払利息比率
	負債回転期間
収益性・効率性	総資本売上総利益率
	売上高経常利益率
財務健全性	自己資本対固定資産比率
	自己資本比率
絶対的力量	営業キャッシュ・フロー
	利益剰余金

これらの指標のうち，総資本売上総利益率と営業キャッシュ・フローは，直近２期の平均値により計算されます。

また，固定比率は同じ財務健全性を評価する自己資本比率と同様に，数値が高い方が好ましい項目となるように，分母と分子を入れ替えた逆数の形をとる自己資本対固定資産比率を代用します。

なお，連結財務諸表により審査を受ける企業の自己資本は純資産の合計額から非支配株主持分の金額を控除した数値を用いることになっています。

よって，本問の文章は次のようになります。

建設業における企業経営の総合評価の一つである経営事項審査は，度重なる改正がおこなわれているが，その審査項目の４つの枠組みは維持されている。その４つとは，経営規模（Ｘ１・Ｘ２）・経営状況（Ｙ）・技術力（Ｚ）・社会性等（Ｗ）である。

Ｘ２には２つの審査内容があり，自己資本と利払前税引前償却前利益がある。経営事項審査では，前者の自己資本には純資産を用いる。一方，後者の利払前税引前償却前利益は，一般的には「税引前当期純利益＋支払利息＋減価償却費」の算式で求められるが，経営事項審査では「営業利益＋減価償却実施額」として算出し，その直近２期の平均値が用いられる。

また，経営状況では８つの審査項目がある。この中で数値が高いほど好ましい項目で，直近２期の平均値により審査されるものは営業キャッシュ・フローと総資本売上総利益率である。固定比率の逆数をとった指標が自己資本対固定資産比率であるが，連結財務諸表により審査を受ける企業は，分子の自己資本は純資産から非支配株主持分を控除した数値を使用する。

テキスト参照ページ
⇒　P. 1-97

第3問

解　答

（A）　☆ 25100 百万円　（百万円未満を切り捨て）

（B）　☆ 2200 百万円　（　同　上　）

（C）　☆ 114060 百万円　（　同　上　）

（D）　☆ 80 百万円　（　同　上　）

受取勘定滞留月数　☆ 2.97 月　（小数点第３位を四捨五入し，第２位まで記入）

予想採点基準

☆… ４点×５＝20点

解　説

1．（A）～（D）を算定

順に解く必要はないため，算定しやすい箇所から解きましょう。

(1)（営業外費用の）その他（D）の算定

①　総資本

$$\text{自己資本比率(\%)} = \frac{\text{自己資本}}{\text{総資本}} \times 100$$

$$\frac{60{,}000\text{百万円}}{\text{総資本}} \times 100 = 40.00\%$$

∴総資本＝60,000百万円÷40.00％＝150,000百万円

②　経常利益

$$\text{総資本経常利益率(\%)} = \frac{\text{経常利益}}{\text{総資本}^{*1)}} \times 100$$

$$\frac{\text{経常利益}}{150{,}000\text{百万円}} \times 100 = 4.32\%$$

∴経常利益＝150,000百万円×4.32％＝6,480百万円

③　営業利益

$$\text{金利負担能力(倍)} = \frac{\text{営業利益}+\text{受取利息配当金}}{\text{支払利息}}$$

$$\frac{\text{営業利益}+580\text{百万円}}{800\text{百万円}} = 8.90\text{倍}$$

∴営業利益＝800百万円×8.90倍－580百万円＝6,540百万円

ここに！注意

＊1）問題文(注１)に「算定にあたって期中平均値を使用することが望ましい比率についても，便宜上，期末残高の数値を用いて算定する。」とあるため，期末残高の数値を用いる。

④　その他（D）

6,540百万円＋580百万円＋240百万円－800百万円－6,480百万円＝80百万円

(2)　完成工事原価（C）の算定

①　完成工事高

$$完成工事高経常利益率(\%)=\frac{経常利益}{完成工事高}\times 100$$

$$\frac{6{,}480百万円}{完成工事高}\times 100=4.50\%$$

∴完成工事高＝6,480百万円÷4.50％＝144,000百万円

②　完成工事総利益

6,540百万円（営業利益）＋23,400百万円（販売費及び一般管理費）

＝29,940百万円

③　売上原価（C）

144,000百万円－29,940百万円＝114,060百万円

(3)　短期借入金（B）の算定

①　固定負債

$$固定長期適合比率^{*2)}(\%)=\frac{固定資産}{固定負債＋自己資本}\times 100$$

$$\frac{71{,}250百万円}{固定負債+60{,}000百万円}\times 100=75.00\%$$

∴固定負債＝71,250百万円÷75.00％－60,000百万円＝35,000百万円

②　長期借入金

35,000百万円－13,000百万円（社債）＝22,000百万円

③　短期借入金

$$有利子負債月商倍率(月)=\frac{有利子負債}{完成工事高\div 12}$$

$$\frac{短期借入金+22{,}000百万円+13{,}000百万円}{144{,}000百万円\div 12}=3.10月$$

∴短期借入金（B）＝12,000百万円×3.10月－22,000百万円－13,000百万円

＝2,200百万円

(4)　未成工事支出金（A）の算定

①　流動資産合計

150,000百万円（資産合計）－71,250百万円（固定資産合計）＝78,750百万円

ここに！注意

＊2）問題文（注３）に「固定長期適合比率の算定は，一般的な方法によっている。」とあるため，分子の値は固定資産合計の数値を用いる。

② 流動負債合計

150,000百万円（負債純資産合計）－60,000百万円（純資産合計）
－35,000百万円（固定負債合計）＝55,000百万円

③ 未成工事支出金

$$\text{流動比率(\%)}=\frac{\text{流動資産}-\text{未成工事支出金}^{*3)}}{\text{流動負債}-\text{未成工事受入金}^{*3)}}\times 100$$

$$\frac{78{,}750\text{百万円}-\text{未成工事支出金}}{55{,}000\text{百万円}-18{,}000\text{百万円}}\times 100=145.00\%$$

∴未成工事支出金（A）＝78,750百万円－37,000百万円×145.00％
＝25,100百万円

2．受取勘定滞留月数の算定

① 現金預金

$$\text{現金預金手持月数(月)}=\frac{\text{現金預金}}{\text{完成工事高}\div 12}$$

$$\frac{\text{現金預金}}{144{,}000\text{百万円}\div 12}=1.45\text{月}$$

∴現金預金＝12,000百万円×1.45月＝17,400百万円

② 完成工事未収入金

78,750百万円（流動資産合計）－17,400百万円（現金預金）
－7,300百万円（受取手形）－25,100百万円（未成工事支出金）
－650百万円（材料貯蔵品）＝28,300百万円

③ 受取勘定滞留月数

$$\text{受取勘定滞留月数(月)}=\frac{\text{受取手形}+\text{完成工事未収入金}}{\text{完成工事高}\div 12}\times 100$$

$$\frac{7{,}300\text{百万円}+28{,}300\text{百万円}}{144{,}000\text{百万円}\div 12}=2.966\cdots\rightarrow 2.97\text{回}$$

ここに！注意

＊3）問題文の（注２）に「流動比率の算定は，建設業特有の勘定科目の金額を控除する方法によっている。」とある点に注意する。

第4問

解　答

問1	☆	550000	千円	（千円未満を切り捨て）
問2	☆	12500	千円	（　同　上　）
問3	☆	169.75	%	（小数点第3位を四捨五入し，第2位まで記入）
問4	☆	104.36	%	（　同　上　）
問5	☆	14640	千円	（千円未満を切り捨て）

予想採点基準
☆… 3点× 5 ＝15点

解　説

問1　付加価値

⑴　完成工事高の算定

＜資料＞6より，完成工事高営業利益率が4.0％と判明しますが，完成工事高が不明です。そのため，完成工事高をSとする算式を立て，完成工事高を計算します。

S －2,250,600千円*1)（完成工事原価）－111,000千円（販売費及び一般管理費）＝0.04 S
0.96 S ＝2,361,600千円
S ＝2,460,000千円

⑵　付加価値の算定

付加価値 ＝完成工事高－(材料費＋外注費*2))

2,460,000千円－（419,000千円＋81,600千円＋1,409,400千円）＝550,000千円

問2　労働生産性

$$\text{労働生産性(千円)} = \frac{\text{付加価値}}{\text{期中平均総職員数}}$$

$$\frac{550{,}000\text{千円}}{\{(31\text{人}+12\text{人})+(33\text{人}+12\text{人})\}\div 2} = 12{,}500\text{千円}$$

ここに！注意

＊1）419,000千円（材料費）
＋85,000千円（労務費）
＋1,409,400千円(外注費)
＋337,200千円（経費）
＝2,250,600千円

＊2）外注費には労務外注費も含める。

問３　設備投資効率

(1)　有形固定資産の算定

＜資料＞５では，有形固定資産の金額が？となっているので，総資本回転率を使用して総資本（総資産）を求め，逆算で有形固定資産の金額を求めます。

$$\text{総資本回転率(回)} = \frac{\text{完成工事高}}{\text{期中平均総資本}^{*3)}}$$

*3）資料の数値が期中平均値になっているので，そのまま計算に用いれば良い。

$$\frac{2{,}460{,}000\text{千円}}{\text{総資本}} = 1.20\text{回}$$

総資本＝2,460,000千円÷1.20回＝2,050,000千円
有形固定資産＝2,050,000千円－1,523,000千円（流動資産）－24,000千円（無形固定資産）
－167,000千円（投資その他の資産）＝336,000千円

(2)　設備投資効率の算定

$$\text{設備投資効率(\%)} = \frac{\text{付加価値}}{\text{期中平均(有形固定資産－建設仮勘定)}^{*3)}} \times 100$$

$$\frac{550{,}000\text{千円}}{336{,}000\text{千円} - 12{,}000\text{千円}} \times 100 = 169.753\cdots \rightarrow \underline{169.75\%}$$

問４　資本生産性（付加価値対固定資産比率）

$$\text{資本生産性(\%)} = \frac{\text{付加価値}}{\text{期中平均固定資産}^{*3)}} \times 100$$

$$\frac{550{,}000\text{千円}}{336{,}000\text{千円} + 24{,}000\text{千円} + 167{,}000\text{千円}} \times 100 = 104.364\cdots \rightarrow \underline{104.36\%}$$

問５　経常利益段階での損益分岐点比率が60.0％となる支払利息

建設業における慣行的な固変区分によれば，販売費及び一般管理費と支払利息が固定費となり，それ以外を変動費と考えることができます。

変動費…完成工事原価－営業外収益＋支払利息以外の営業外費用
固定費…販売費及び一般管理費＋支払利息

(1)　変動費・固定費の計算

変動費＝2,250,600千円*1）＋０円*4）＝2,250,600千円
固定費＝111,000千円＋支払利息

*4）本問では，営業外費用はすべて支払利息であるため，支払利息を除く営業外費用は０円である。

(2) **支払利息の算定**

$$（経常利益段階における）損益分岐点比率（\%）= \frac{固定費}{限界利益} \times 100$$

$$\frac{111{,}000千円 + 支払利息}{2{,}460{,}000千円（完成工事高）- 2{,}250{,}600千円（変動費）} \times 100 = 60.0\%$$

支払利息 = 209,400千円 × 60.0% − 111,000千円 = 14,640千円

＊公式による解法

$$損益分岐点比率（\%）= \frac{販売費及び一般管理費 + 支払利息}{完成工事総利益 + 営業外収益 - 営業外費用 + 支払利息} \times 100$$

$$\frac{110{,}000千円 + 支払利息}{(2{,}460{,}000千円 - 2{,}250{,}600千円) - 0円^{*4)}} \times 100 = 60.0\%$$

支払利息 = 209,400千円 × 60.0% − 111,000千円 = 14,640千円

テキスト参照ページ
⇒ P. 1-42～43,
P. 1-64～67

第5問

解　答

問1

A	経営資本営業利益率	☆	2.87	%	（小数点第3位を四捨五入し，第2位まで記入）
B	当座比率	☆	139.25	%	（　同　上　）
C	借入金依存度	☆	16.20	%	（　同　上　）
D	支払勘定回転率	☆	5.94	回	（　同　上　）
E	労働装備率	☆	11521	千円	（千円未満を切り捨て）
F	運転資本保有月数	☆	2.98	月	（小数点第3位を四捨五入し，第2位まで記入）
G	付加価値増減率	☆	3.23	%	（　同　上　）　記号（AまたはB） B
H	配当率	☆	8.11	%	（　同　上　）
I	棚卸資産滞留月数	☆	0.09	月	（　同　上　）
J	キャッシュ・コンバージョン・サイクル	☆	146.81	日	（　同　上　）

問2

記号（ア～ハ）

1	2	3	4	5	6	7	8	9	10
シ	ク	エ	サ	ナ	ネ	キ	チ	ウ	ソ
★	★	★	★	★	★	★	★	★	★

予想採点基準

☆… 2点×10＝20点
★… 1点×10＝10点
30点

解　説

問１　各比率の算定[*1)]

A. $$経営資本営業利益率(\%) = \frac{営業利益}{期中平均経営資本} \times 100$$

$$\frac{65{,}500千円}{(2{,}203{,}030千円 + 2{,}354{,}310千円) \div 2} \times 100 = 2.874 \rightarrow \underline{2.87\%}$$

第34期末経営資本：2,446,730千円－(60,200千円＋183,500千円)＝2,203,030千円

第35期末経営資本：2,596,010千円－(66,800千円＋174,900千円)＝2,354,310千円

B. $$当座比率(\%) = \frac{当座資産^{*2)}}{流動負債 - 未成工事受入金^{*3)}} \times 100$$

$$\frac{282{,}900千円 + 3{,}400千円 + 1{,}264{,}600千円 - 90千円 + 3{,}100千円}{1{,}222{,}500千円 - 106{,}600千円} \times 100 = 139.251 \rightarrow \underline{139.25\%}$$

C. $$借入金依存度(\%) = \frac{短期借入金 + 長期借入金 + 社債}{総資本} \times 100$$

$$\frac{307{,}100千円 + 103{,}400千円 + 10{,}000千円}{2{,}596{,}010千円} \times 100 = 16.197 \rightarrow \underline{16.20\%}$$

D. $$支払勘定回転率(回) = \frac{完成工事高}{期中平均（支払手形 + 工事未払金）}$$

$$\frac{2{,}135{,}700千円}{\{(23{,}100千円 + 323{,}400千円) + (25{,}100千円 + 347{,}400千円)\} \div 2} = 5.940 \rightarrow \underline{5.94回}$$

E. $$労働装備率(千円) = \frac{期中平均（有形固定資産 - 建設仮勘定）}{期中平均総職員数}$$

$$\frac{\{(638{,}700千円 - 60{,}200千円) + (663{,}500千円 - 66{,}800千円)\} \div 2}{(50人 + 52人) \div 2} = 11{,}521.5 \rightarrow \underline{11{,}521千円}$$

F. $$運転資本保有月数(月) = \frac{流動資産 - 流動負債}{完成工事高 \div 12}$$

$$\frac{1{,}753{,}110千円 - 1{,}222{,}500千円}{2{,}135{,}700千円 \div 12} = 2.981 \rightarrow \underline{2.98月}$$

ここに！注意

＊1）期中平均値を使用することが望ましい数値については，期中平均値を使用すること。

＊2）当座資産＝現金預金＋受取手形＋完成工事未収入金－貸倒引当金（流動資産）＋有価証券

＊3）問題文に「建設業特有の勘定科目の金額を控除する方法により算定すること」とある。

G. **付加価値増減率（%）＝ $\frac{\text{当期付加価値}^{*4)} - \text{前期付加価値}^{*4)}}{\text{前期付加価値}^{*4)}}$ ×100**

$\frac{590,900\text{千円} - 610,600\text{千円}}{610,600\text{千円}} \times 100 = △3.22\not{6} \rightarrow$ 3.23％（B）

第34期付加価値：2,198,200千円－（349,200千円＋120,300千円＋1,118,100千円）
＝610,600千円

第35期付加価値：2,135,700千円－（346,100千円＋133,700千円＋1,065,000千円）
＝590,900千円

H. **配当率（%）＝ $\frac{\text{配当金}}{\text{資本金}}$ ×100**

$\frac{15,400\text{千円}}{189,800\text{千円}} \times 100 = 8.11\not{3} \rightarrow$ 8.11％

I. **棚卸資産滞留月数（月）＝ $\frac{\text{棚卸資産}^{*5)}}{\text{完成工事高} \div 12}$**

$\frac{13,200\text{千円} + 3,600\text{千円}}{2,135,700\text{千円} \div 12} = 0.09\not{4} \rightarrow$ 0.09月

J. キャッシュ・コンバージョン・サイクル

(1) **棚卸資産回転期間の計算**[*6)]

棚卸期間回転期間（日）＝ $\frac{\text{期中平均棚卸資産}^{*5)}}{\text{完成工事高} \div 365}$

$\frac{\{(35,900\text{千円} + 3,900\text{千円}) + (13,200\text{千円} + 3,600\text{千円})\} \div 2}{2,135,700\text{千円} \div 365}$

＝4.83$\not{6}$ → 4.84日[*7)]

(2) **受取勘定回転期間の計算**

受取勘定回転期間（日）＝ $\frac{\text{期中平均（受取手形＋完成工事未収入金）}}{\text{完成工事高} \div 365}$

$\frac{\{(25,400\text{千円} + 1,087,000\text{千円}) + (3,400\text{千円} + 1,264,600\text{千円})\} \div 2}{2,135,700\text{千円} \div 365}$

＝203.41$\not{0}$ → 203.41日[*7)]

(3) **支払勘定回転期間の計算**[*6)]

支払勘定回転期間（日）＝ $\frac{\text{期中平均（支払手形＋工事未払金）}}{\text{完成工事高} \div 365}$

$\frac{\{(23,100\text{千円} + 323,400\text{千円}) + (25,100\text{千円} + 347,400\text{千円})\} \div 2}{2,135,700\text{千円} \div 365}$

＝61.44$\not{0}$ → 61.44日[*7)]

ここに！注意

＊4）付加価値＝完成工事高－（材料費＋労務外注費＋外注費）

＊5）棚卸資産＝未成工事支出金＋材料貯蔵品

＊6）棚卸資産回転期間や支払勘定回転期間を計算する際の分母に「完成工事原価」を用いる考え方もあるが，特に指示がないため，「財務分析主要比率表」に記載のとおり計算する。

＊7）問題文に「キャッシュ・コンバージョン・サイクルは，各計算過程において求められる数値の小数点第３位を四捨五入し第２位まで求め，その合計を解答すること。」とある。

(4)　キャッシュ・コンバージョン・サイクルの計算

キャッシュ・コンバージョン・サイクル＝ 棚卸期間回転期間（日）＋受取勘定回転期間（日）－支払勘定回転期間（日）

4.84日＋203.41日－61.44日＝146.81日

問2　穴埋め問題

1．資金変動性分析

貸借対照表や損益計算書だけでは，資金の増減についての分析が行えず，黒字倒産などの倒産可能性を把握することができません。そのためにも，資金変動性分析も，企業の安全性をみる重要な分析と位置付けられています。

今日において資金の増減はキャッシュ・フロー計算書に示されることが多く，そこでの資金概念は，現金及び現金同等物とされています。

よって，1 には資金変動性，2 には現金及び現金同等物が入ります。

2．キャッシュ・フローに関する分析指標

建設業経理士検定試験で出題されるキャッシュ・フローに関する分析指標は次の2つです。

$$\text{営業キャッシュ・フロー対流動負債比率(\%)}=\frac{\text{営業キャッシュ・フロー}}{\text{期中平均流動負債}}\times 100$$

$$\text{完成工事高キャッシュ・フロー率(\%)}=\frac{\text{純キャッシュ・フロー}}{\text{完成工事高}}\times 100$$

営業キャッシュ・フロー対流動負債比率は流動性比率，完成工事高キャッシュ・フロー率は収益性比率に分類されます。

第35期の完成工事高キャッシュ・フロー率は次の通りです。

$$\frac{41{,}200\text{千円}}{2{,}135{,}700\text{千円}}\times 100=1.929\rightarrow 1.93\%$$

純キャッシュ・フロー＝当期純利益（税引後）±法人税等調整額＊8）＋当期減価償却実施額＊9）＋引当金＊10）増減額－剰余金の配当の額

純キャッシュ・フロー＝50,680千円＋6,700千円＋11,200千円－11,980千円－15,400千円＝41,200千円

第34期末引当金：70千円＋5,400千円＋8,600千円＋18,100千円＋13,400千円＝45,570千円

第35期末引当金：90千円＋5,300千円＋8,900千円＋13,200千円＋6,100千円＝33,590千円

引当金増減額：33,590千円－45,570千円＝△11,980千円（減少）

よって，3 には流動性，4 には営業キャッシュ・フロー対流動負債比率，5 には完成工事高キャッシュ・フロー率，6 には1.93が入ります。

ここに！注意

＊8）本問では費用処理のため，加算調整する。
＊9）無形固定資産の償却費も含める。
＊10）貸倒引当金（流動＋固定），完成工事補償引当金，工事損失引当金，退職給付引当金

3．キャッシュ・フロー計算書を作成しない場合の資金変動性分析

過去における上場企業や非上場企業など，キャッシュ・フロー計算書を作成しない企業では，資金計算書，連続した２期間の貸借対照表を比較することで各項目の増減を算定して資金の源泉と運用とに区分整理した資金運用表，資金調達とその運用の動きを知るために資金繰表などが作成されています。

この場合，営業キャッシュ・フローの代用として「経常利益＋減価償却実施額－法人税等＋貸倒引当金増加額－売掛債権増加額＋仕入債務増加額－棚卸資産増加額＋未成工事受入金増加額」が用いられます。

よって，7には資金運用表，8には資金繰表，9には経常利益，10には未成工事受入金が入ります。

よって，本問の文章は次のようになります。

安全性分析のひとつである資金変動性分析は，貸借対照表や損益計算書だけでは分析できず，黒字倒産などの倒産可能性を把握するためにも重要な分析と位置付けられている。今日においては，キャッシュ・フロー計算書で資金の増減が示されており，そこでの資金概念は，現金及び現金同等物を意味している。キャッシュ・フローに関する分析指標はそれほど多くなく，建設業経理士検定試験で出題される財務分析主要比率表では，流動性比率の営業キャッシュ・フロー対流動負債比率と収益性比率である完成工事高キャッシュ・フロー率の２つがある。第35期における完成工事高キャッシュ・フロー率は1.93％である。

一方，過去における上場企業や非上場企業では，資金計算書，連続した２期間の貸借対照表を比較することで各項目の増減を算定して資金の源泉と運用とに区分整理した資金運用表や資金調達とその運用の動きを知るために資金繰表などが作成されている。この場合には，営業キャッシュ・フローの代用として，「経常利益＋減価償却実施額－法人税等＋貸倒引当金増加額－売掛債権増加額＋仕入債務増加額－棚卸資産増加額＋未成工事受入金増加額」が用いられる。

テキスト参照ページ
⇒　P. 1-74～

索　引

ネットスクールは、
書籍とWEB講座であなたのスキルアップ、キャリアアップを応援します！
挑戦資格と自分の学習スタイルに合わせて効果的な学習方法を選びましょう！

独学合格に強い　ネットスクールの書籍

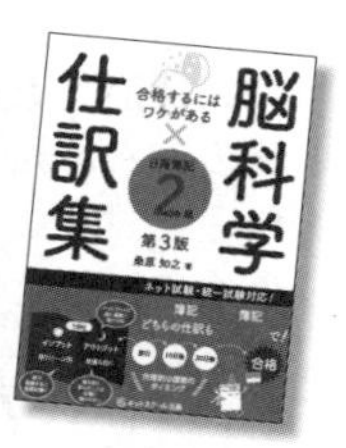

図表やイラストを多用し、特に独学での合格をモットーにした『とおる簿記シリーズ』をはじめ、受講生の皆様からの要望から作られた『サクッとシリーズ』、持ち運びが便利なコンパクトサイズで仕訳をマスターできる『脳科学×仕訳集シリーズ』など、バラエティに富んだシリーズを取り揃えています。

質問しやすい！わかりやすい！学びやすい!!　ネットスクールのWEB講座

ネットスクールの講座はインターネットで受講するWEB講座。 質問しやすい環境と徹底したサポート体制、そしてライブ（生）とオンデマンド（録画）の充実した講義で合格に近づこう！

ネットスクールのWEB講座、4つのポイント！

1 自宅で、外出先で受講できる！
パソコン、スマートフォンやタブレット端末とインターネット環境があれば、自宅でも会社でも受講できます。

2 ライブ配信講義はチャットで質問できる！
決まった曜日・時間にリアルタイムで講義を行うライブ講義では、チャットを使って講師に直接、質問や相談といったコミュニケーションが取れます。

3 自分のペースでできる
オンデマンド講義は配信され、受講期間中なら何度でも繰り返し受講できます。リアルタイムで受講できなかったライブ講義も翌日以降に見直せるので、復習にも最適です。

4 質問サポートもばっちり！
電話（平日11:00～18:00）や受講生専用SNS【学び舎】*またはメールでご質問をお受けします。

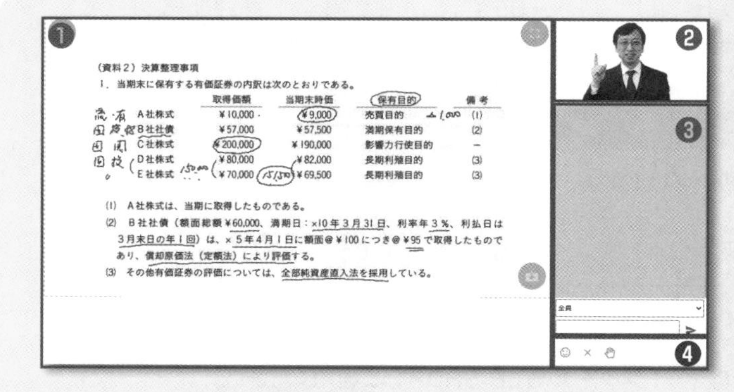

※ 画面イメージや機能は変更となる場合がございます。ご了承ください。

❶ ホワイトボード
板書画面です。あらかじめ準備された「まとめ画面」や「資料画面」に講師が書き込んでいきます。画面キャプチャも可能です。

❷ 講師画面
講師が直接講義をします。臨場感あふれる画面です。

❸ チャット
講義中に講師へ質問できます。また、「今のところもう一度説明して！」などのご要望もOKです。

❹ 状況報告ボタン
ご自身の理解状況を講義中に講師に伝えることができるボタンです。

＊【学び舎】とは、受講生同士の「コミュニケーション」機能、学習記録や最近の出来事等を投稿・閲覧・コメントできる「学習ブログ」機能、学習上の不安点をご質問頂ける「質問Q＆A」機能等を備えた、学習面での不安解消、モチベーションアップ（維持）の場として活用頂くための、ネットスクールのWEB講座受講生専用SNSです。

WEB講座開講資格：https://www.net-school.co.jp/web-school/

※ 内容は変更となる場合がございます。最新の情報は弊社ホームページにてご確認ください。

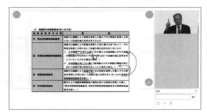

ネットスクールの WEB 講座のご案内

日商簿記1級

簿記検定の最高峰、日商簿記 1 級の WEB 講座では、実務的な話も織り交ぜながら、誰もが納得できるよう分かりやすく講義を進めていきます。
また、WEB 講座であれば、自宅にいながら受講できる上、受講期間内であれば何度でも繰り返し納得いくまで受講できるため、範囲が広くて1つひとつの内容が高度な日商簿記 1 級の学習を無理なく進めることが可能です。
ネットスクールと一緒に、日商簿記 1 級に挑戦してみませんか？

標準コース　学習期間（約1年）

じっくり学習したい方向けのコースです。初学者の方や、実務経験のない方でも、わかり易く取引をイメージして学習していきます。お仕事が忙しくても 1 級にチャレンジされる方向きです。

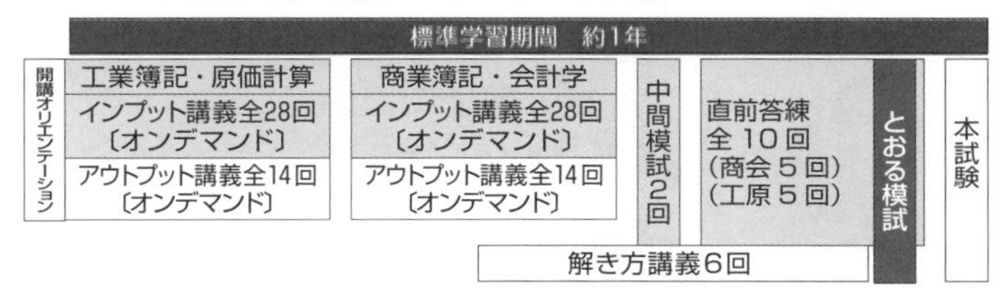

速修コース　学習期間（約6カ月）

短期間で集中して 1 級合格を目指すコースです。 比較的残業が少ない等、一定の時間が取れる方向きです。また、早く本試験に挑戦できる実力を身につけたい方にもオススメのコースです。

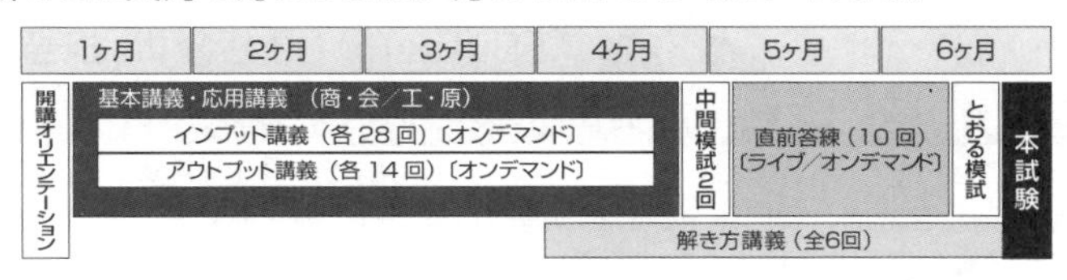

※ 1 級標準・速修コースをお申し込みいただくと、特典として**2級インプット講義が本試験の前日まで学習いただけます。**
　2 級の内容に少し不安が…という場合でも安心してご受講いただけます。

Point

日商簿記1級WEB講座で採用『反転学習』とは？

【従　　来】　INPUT（集合授業） → OUTPUT（各自の復習）

簿記の授業でも、これまでは上記のように問題演習を授業後の各自の復習に委ねられ、学習到達度の大きな差が生まれる原因を作っていました。そこで、ネットスクールの日商簿記対策 WEB 講座では、このスタイルを見直し、反転学習スタイルで講義を進めています。

【反 転 学 習】　INPUT（知識を取り込む） → OUTPUT（知識を活用する）

各自、INPUT 講義でまずは必要な知識を取り込んでいただき、その後の OUTPUT 講義で、インプットの復習とともに具体的な問題演習を行って、知識の定着を図ります。それぞれ異なる性質の講義を組み合わせた「反転学習」のスタイルを採用することにより、学習時間を有効活用しながら、早い段階で本試験レベルの問題にも対応できる実力が身につきます。

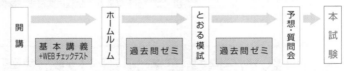

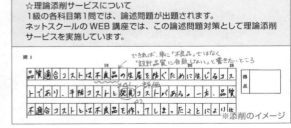

解　答　用　紙

〈解答用紙ご利用時の注意〉

この色紙を残したままていねいに抜き取り、ご利用ください。なお、抜取りのさいの損傷についてのお取替えはご遠慮願います。

＊ご自分の学習進度に合わせて，コピーしてお使いください。
なお，解答用紙はダウンロードサービスもご利用いただけます。
ネットスクールＨＰの『読者の方へ』にアクセスしてください。
https://www.net-school.co.jp/

解答にあたっての注意事項

1．解答は、解答用紙に指定された解答欄内に記入してください。解答欄外に記入されているものは採点しません。

2．金額の記入にあたっては、以下のとおりとし、1ますごとに数字を記入してください。

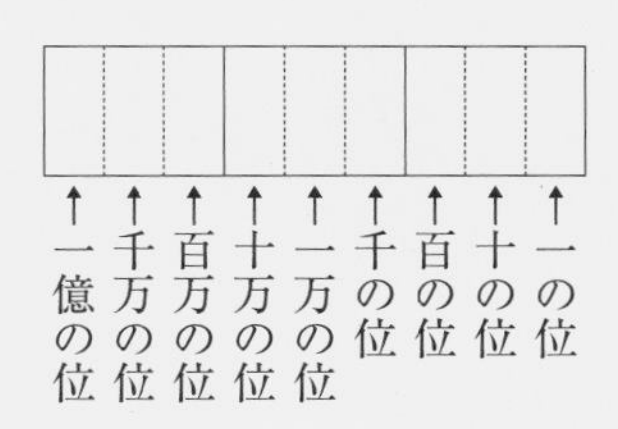

3．解答は、指定したワク内に明瞭に記入してください。判読し難い文字が記入されている場合、その解答欄については採点しません。

4．消費税については、設問で消費税に関する指示がある場合のみ、これを考慮した解答を作成してください。

第１問対策・解答用紙

【第13回―問題は本文2-4ページ，解答・解説は本文2-42ページ】

解答にあたっては，指定した字数以内（句読点含む）で記入すること。

問１

10　20　25

5

10

問２

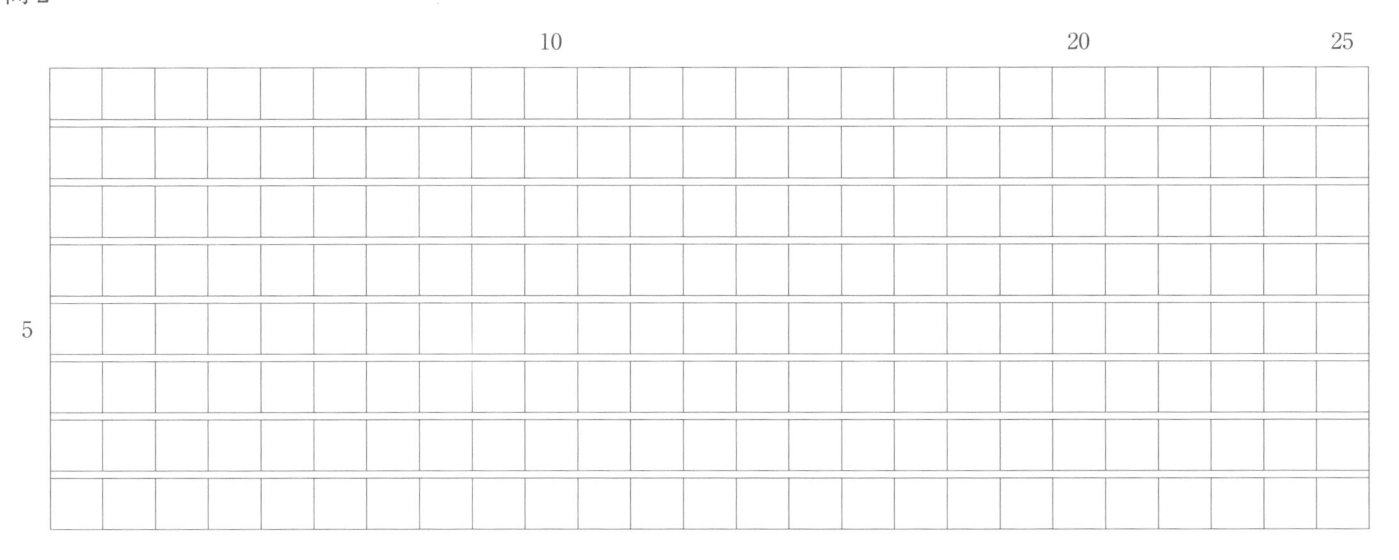

【第16回―問題は本文2-4ページ，解答・解説は本文2-44ページ】

解答にあたっては，指定した字数以内（句読点含む）で記入すること。

名称

10　20　25

説明

名称

10　20　25

説明

【第17回─問題は本文2-4ページ，解答・解説は本文2-46ページ】

解答にあたっては，指定した字数以内（句読点含む）で記入すること。

問１

10　20　25

5

問２

10　20　25

5

10

【第21回―問題は本文2-5ページ，解答・解説は本文2-48ページ】

解答にあたっては，指定した字数以内（句読点含む）で記入すること。

問１

10 20 25

5

10

問２

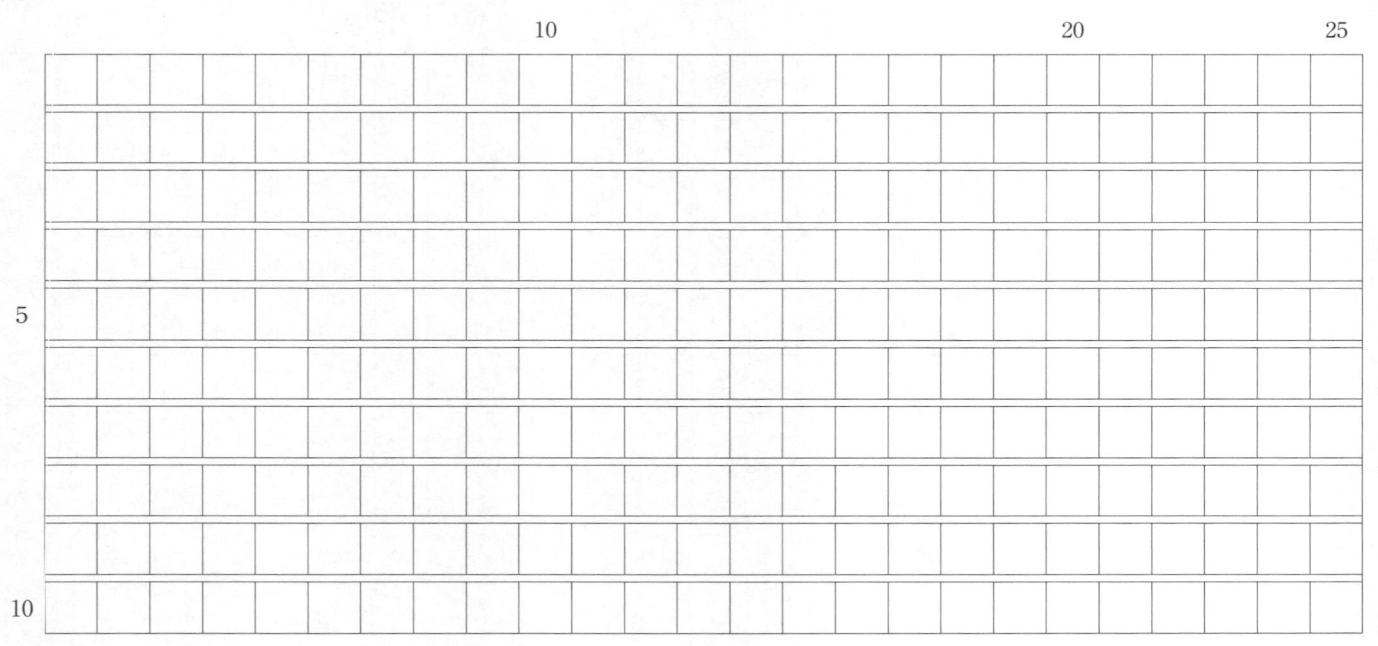

【第22回―問題は本文2-5ページ，解答・解説は本文2-50ページ】

解答にあたっては，指定した字数以内（句読点含む）で記入すること。

問１

10　20　25

5

問２

10　20　25

5

10

第2問対策・解答用紙

【第15回─問題は本文2-8ページ，解答・解説は本文2-53ページ】

記号（ア～ハ）

1	2	3	4	5	6	7	8

9	10	11

【第16回─問題は本文2-9ページ，解答・解説は本文2-55ページ】

記号（ア～ヘ）

1	2	3	4	5	6	7	8

9	10	11	12

【第17回─問題は本文2-10ページ，解答・解説は本文2-57ページ】

記号（ア～フ）

1	2	3	4	5	6	7	8	9

【第20回―問題は本文2-11ページ，解答・解説は本文2-59ページ】

記号
（ア～ハ）

1	2	3	4	5	6	7	8
9	10	11	12				

【第22回―問題は本文2-12ページ，解答・解説は本文2-62ページ】

記号
（ア～ナ）

1	2	3	4	5	6	7	8
9	10						

第3問対策・解答用紙

【第13回―問題は本文2-15ページ，解答・解説は本文2-64ページ】

(A)		百万円	（百万円未満を切り捨て）
(B)		百万円	（　同　　　上　）
(C)		百万円	（　同　　　上　）
(D)		百万円	（　同　　　上　）
棚卸資産滞留月数	.	月	（小数点第３位を四捨五入し，第２位まで記入）

【第15回―問題は本文2-16ページ，解答・解説は本文2-67ページ】

(A)		百万円	（百万円未満を切り捨て）
(B)		百万円	（　同　　　上　）
(C)		百万円	（　同　　　上　）
(D)		百万円	（　同　　　上　）
立替工事高比率	.	%	（小数点第３位を四捨五入し，第２位まで記入）

【第17回―問題は本文2-17ページ，解答・解説は本文2-70ページ】

(A) ［　　　］百万円　（百万円未満を切り捨て）

(B) ［　　　］百万円　（　同　　　上　）

(C) ［　　　］百万円　（　同　　　上　）

(D) ［　　　］百万円　（　同　　　上　）

(E) ［　　　］百万円　（　同　　　上　）

【第21回―問題は本文2-18ページ，解答・解説は本文2-74ページ】

(A) ［　　　］百万円　（百万円未満を切り捨て）

(B) ［　　　］百万円　（　同　　　上　）

(C) ［　　　］百万円　（　同　　　上　）

(D) ［　　　］百万円　（　同　　　上　）

純支払利息比率　［　　.　　］%　（小数点第３位を四捨五入し，第２位まで記入）

第4問対策・解答用紙

【第16回―問題は本文2-23ページ，解答・解説は本文2-77ページ】

問１　□□.□□ %　（小数点第３位を四捨五入し，第２位まで記入）

問２　¥ □□□□□□　（円未満を切り捨て）

問３　□□.□□ %　（小数点第３位を四捨五入し，第２位まで記入）

問４　□□.□□ %　（　同　　　上　）

【第17回―問題は本文2-24ページ，解答・解説は本文2-78ページ】

問１　¥ □□□□□□□□□　（円未満を切り捨て）

問２　□□□ %　（小数点以下を切り捨て）

問３　¥ □□□□□□□□□　（円未満を切り捨て）

問４　¥ □□□□□□□□□　（　同　　　上　）

問５　¥ □□□□□□□□□　（　同　　　上　）

【第19回―問題は本文2-25ページ，解答・解説は本文2-80ページ】

問１　　　　. %　（小数点第３位を四捨五入し，第２位まで記入）

問２　¥　　　　（円未満を切り捨て）

問３　　　　. 回　（小数点第３位を四捨五入し，第２位まで記入）

問４　　　　. %　（同　上）　　記号（ＡまたはＢ）

【第21回―問題は本文2-26ページ，解答・解説は本文2-81ページ】

問１　¥　　　　（円未満を切り捨て）

問２　¥　　　　（　同　　上　）

問３　¥　　　　（　同　　上　）

問４　　　　. %　（小数点第３位を四捨五入し，第２位まで記入）

問５　¥　　　　（円未満を切り捨て）

第5問対策・解答用紙

【第16回—問題は本文2-31ページ，解答・解説は本文2-83ページ】

問1

	項目	解答欄	単位	記入方法
A	経営資本営業利益率	.	%	（小数点第3位を四捨五入し，第2位まで記入）
B	自己資本当期純利益率	.	%	（同上）
C	自己資本事業利益率	.	%	（同上）
D	流動比率	.	%	（同上）
E	立替工事高比率	.	%	（同上）
F	現金預金手持月数	.	月	（同上）
G	固定比率	.	%	（同上）
H	配当性向	.	%	（同上）
I	支払勘定回転率	.	回	（同上）
J	資本集約度		千円	（千円未満を切り捨て）

問2　記号（ア～ム）

1	2	3	4	5	6	7	8	9	10

【第19回―問題は本文2-34ページ，解答・解説は本文2-86ページ】

問１

A	総資本事業利益率	．	%	(小数点第３位を四捨五入し，第２位まで記入)
B	自己資本当期純利益率	．	%	(同上)
C	完成工事高キャッシュ・フロー率	．	%	(同上)
D	損益分岐点比率	．	%	(同上)
E	流動負債比率	．	%	(同上)
F	運転資本保有月数	．	月	(同上)
G	固定比率	．	%	(同上)
H	配当性向	．	%	(同上)
I	受取勘定回転期間（日）	．	日	(同上)
J	支払勘定回転率	．	回	(同上)

問２　記号（ア～ヘ）

1	2	3	4	5	6	7	8	9	10

【第21回―問題は本文2-37ページ，解答・解説は本文2-90ページ】

問1

			単位	
A	総資本事業利益率		%	（小数点第3位を四捨五入し，第2位まで記入）
B	運転資本保有月数		月	（同上）
C	有利子負債月商倍率		月	（同上）
D	完成工事高キャッシュ・フロー率		%	（同上）
E	負債比率		%	（同上）
F	立替工事高比率		%	（同上）
G	棚卸資産回転期間		月	（同上）
H	未成工事収支比率		%	（同上）
I	固定長期適合比率		%	（同上）
J	労働装備率		千円	（千円未満を切り捨て）

問2　記号（ア～ヤ）

1	2	3	4	5	6	7	8	9	10

解答用紙（建設業経理士 第32回）

【問題は本文3－2ページ，解答・解説は本文3－28ページ】

〔第1問〕 解答にあたっては，各問とも指定した字数以内（句読点を含む）で記入すること。

問1

10 20 25

5

10

問2

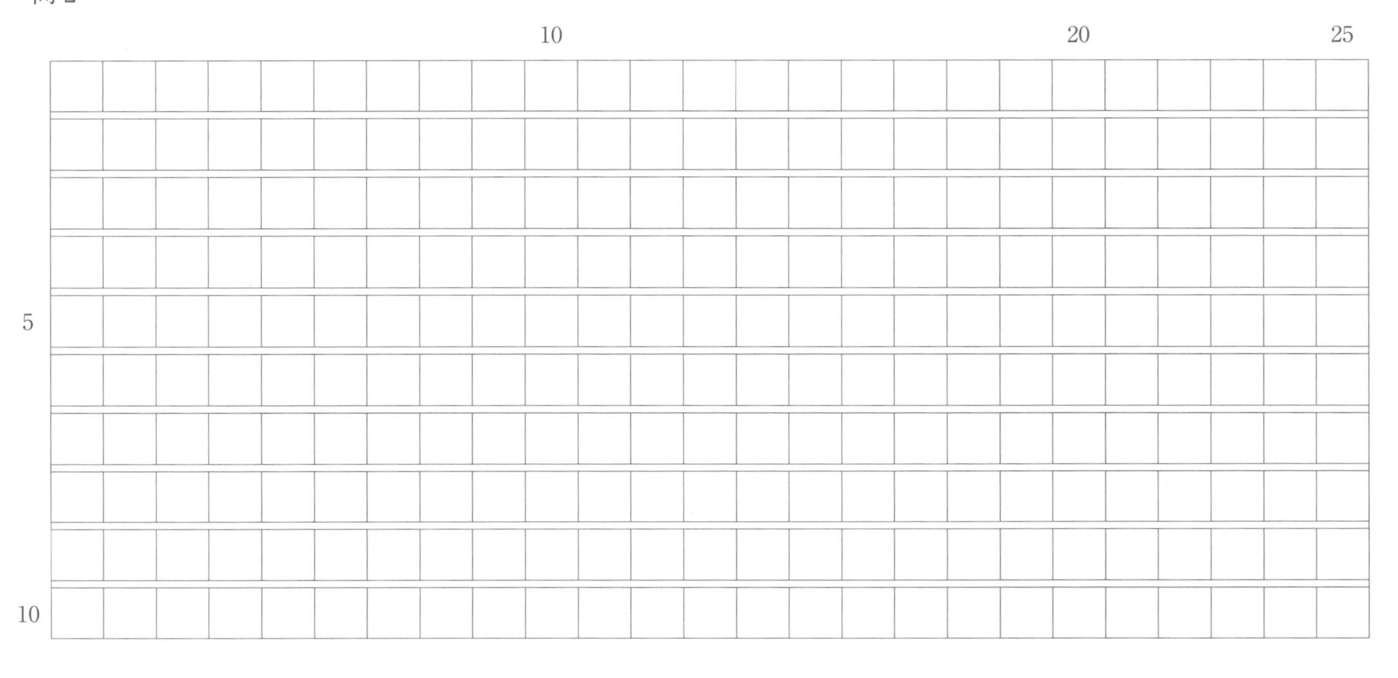

[第2問]

記号（ア～ヘ）

1	2	3	4	5	6	7	8	9	10	11	12	13

[第3問]

(A) ［　　］百万円　（百万円未満を切り捨て）

(B) ［　　］百万円　（　同　　　上　）

(C) ［　　］百万円　（　同　　　上　）

(D) ［　　］百万円　（　同　　　上　）

支払勘定回転率 ［　.　］回　（小数点第3位を四捨五入し，第2位まで記入）

[第4問]

問1 ［　.　］%　（小数点第3位を四捨五入し，第2位まで記入）

問2 ［　　］千円　（千円未満を切り捨て）

問3 ［　　］千円　（　同　　　上　）

問4 ［　.　］%　（小数点第3位を四捨五入し，第2位まで記入）

問5 ［　　］千円　（千円未満を切り捨て）

[第5問]

問1

A	経営資本営業利益率		%	(小数点第3位を四捨五入し，第2位まで記入)
B	立替工事高比率		%	(同 上)
C	運転資本保有月数		月	(同 上)
D	借入金依存度		%	(同 上)
E	棚卸資産滞留月数		月	(同 上)
F	完成工事高増減率		%	(同 上) 記号 (AまたはB)
G	営業キャッシュ・フロー対流動負債比率		%	(同 上)
H	配当率		%	(同 上)
I	未成工事収支比率		%	(同 上)
J	労働装備率		千円	(千円未満を切り捨て)

問2

記号（ア～ヤ）

1	2	3	4	5	6	7	8	9	10

解答用紙（建設業経理士　第33回）

【問題は本文3－8ページ，解答・解説は本文3－43ページ】

［第1問］　解答にあたっては，各問とも指定した字数以内（句読点を含む）で記入すること。

問1

10　20　25

5

問2

10　20　25

5

10

[第2問]

記号（ア～へ）

1	2	3	4	5	6	7	8	9	10	11	12	13

[第3問]

（A）　□□□□□□ 百万円　（百万円未満を切り捨て）

（B）　□□□□□□ 百万円　（　同　上　）

（C）　□□□□□□ 百万円　（　同　上　）

（D）　□□□□□□ 百万円　（　同　上　）

未成工事収支比率　□□□.□□ %　（小数点第3位を四捨五入し，第2位まで記入）

[第4問]

問1　□□□.□□ %　（小数点第3位を四捨五入し，第2位まで記入）

問2　□□□.□□ %　（　同　上　）　記号（AまたはB）□

問3　□□□.□□ %　（小数点第3位を四捨五入し，第2位まで記入）

問4　□□□□□□ 千円　（千円未満を切り捨て）

問5　□□□□□□ 千円　（　同　上　）

[第5問]

問1

A	完成工事高キャッシュ・フロー率		%	(小数点第3位を四捨五入し，第2位まで記入)
B	総資本事業利益率		%	(同 上)
C	立替工事高比率		%	(同 上)
D	受取勘定滞留月数		月	(同 上)
E	固定比率		%	(同 上)
F	配当性向		%	(同 上)
G	労働装備率		千円	(千円未満を切り捨て)
H	自己資本比率		%	(小数点第3位を四捨五入し，第2位まで記入)
I	借入金依存度		%	(同 上)
J	資本金経常利益率		%	(同 上)

問2

記号（ア～ホ）

1	2	3	4	5	6	7	8	9	10

解答用紙（建設業経理士　第34回）

【問題は本文3－14ページ，解答・解説は本文3－60ページ】

［第1問］ 解答にあたっては，各問とも指定した字数以内（句読点を含む）で記入すること。

問1

10　20　25

5

10

問2

10　20　25

5

10

[第2問]

記号（TまたはF）

1	2	3	4	5

[第3問]

（A）		百万円	（百万円未満を切り捨て）
（B）		百万円	（　同　上　）
（C）		百万円	（　同　上　）
（D）		百万円	（　同　上　）
流動比率	.	%	（小数点第3位を四捨五入し，第2位まで記入）

[第4問]

問1		千円	（千円未満を切り捨て）
問2		千円	（　同　上　）
問3		千円	（　同　上　）
問4		千円	（　同　上　）
問5		千円	（　同　上　）

[第5問]

問1

A	立替工事高比率	［　　.　］%	(小数点第3位を四捨五入し，第2位まで記入)	
B	固定長期適合比率	［　　.　］%	(　同　上　)	
C	棚卸資産回転率	［　　.　］回	(　同　上　)	
D	付加価値率	［　　.　］%	(　同　上　)	
E	自己資本事業利益率	［　　.　］%	(　同　上　)	
F	営業利益増減率	［　　.　］%	(　同　上　)	記号（AまたはB）［　　］
G	完成工事高キャッシュ・フロー率	［　　.　］%	(　同　上　)	
H	配当性向	［　　.　］%	(　同　上　)	
I	未成工事収支比率	［　　.　］%	(　同　上　)	
J	流動負債比率	［　　.　］%	(　同　上　)	

問2

記号（ア～ム）

1	2	3	4	5	6	7	8	9	10

解答用紙（建設業経理士　第35回）

【問題は本文3－20ページ，解答・解説は本文3－77ページ】

[第1問]　解答にあたっては，各問とも指定した字数以内（句読点を含む）で記入すること。

問1

10　20　25

5

10

問2

10　20　25

5

[第2問]

記号（ア～へ）

1	2	3	4	5	6	7	8	9	10	11	12

[第3問]

（A）　□□□□□□ 百万円　（百万円未満を切り捨て）

（B）　□□□□□□ 百万円　（　同　上　）

（C）　□□□□□□ 百万円　（　同　上　）

（D）　□□□□□□ 百万円　（　同　上　）

受取勘定滞留月数　□□.□□ 月　（小数点第3位を四捨五入し，第2位まで記入）

[第4問]

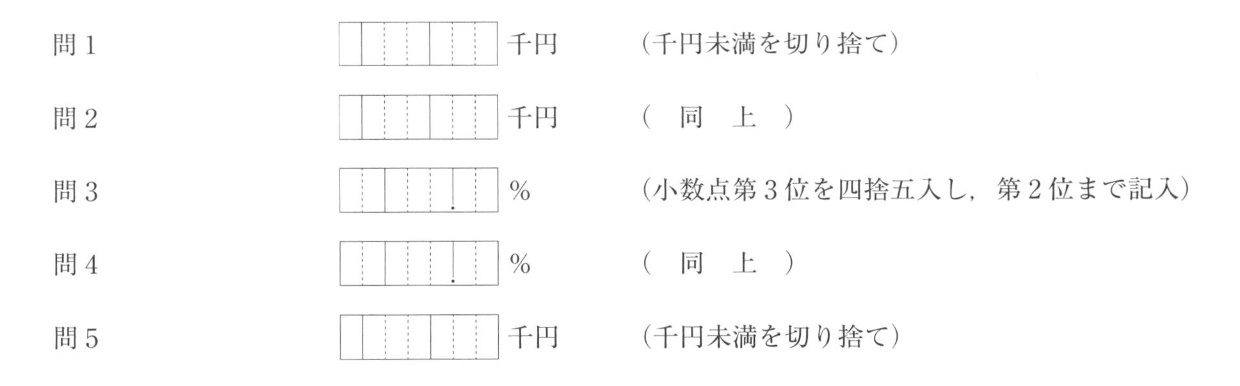

問1　千円　（千円未満を切り捨て）

問2　千円　（　同　上　）

問3　%　（小数点第3位を四捨五入し，第2位まで記入）

問4　%　（　同　上　）

問5　千円　（千円未満を切り捨て）

[第5問]

問1

A	経営資本営業利益率	［ . ］%	（小数点第3位を四捨五入し，第2位まで記入）	
B	当座比率	［ . ］%	（　同　上　）	
C	借入金依存度	［ . ］%	（　同　上　）	
D	支払勘定回転率	［ . ］回	（　同　上　）	
E	労働装備率	［　］千円	（千円未満を切り捨て）	
F	運転資本保有月数	［ . ］月	（小数点第3位を四捨五入し，第2位まで記入）	
G	付加価値増減率	［ . ］%	（　同　上　）	記号（AまたはB）［　］
H	配当率	［ . ］%	（　同　上　）	
I	棚卸資産滞留月数	［ . ］月	（　同　上　）	
J	キャッシュ・コンバージョン・サイクル	［ . ］日	（　同　上　）	

問2

記号（ア～ハ）

1	2	3	4	5	6	7	8	9	10

· · · · · · Memorandum Sheet · · · · · · ·

ネットスクール出版